John C. Parkin
Die Fuck It-Lösung

JOHN C. PARKIN

DIE FUCK IT-LÖSUNG

Der praktische Weg zu innerer Freiheit

Aus dem Englischen von G. Maximilian Knauer

ARISTON

Mary Wright gewidmet,
meiner geliebten Großmutter,
Last Gran Standing,
die starb, während dieses
Buch geschrieben wurde.

Die Originalausgabe dieses Buches erschien 2012 unter dem
Titel *Fuck it Therapy* bei HayHouse UK Ltd.
Bibliografische Information der Deutschen Bibliothek
Die Deutsche Bibliothek verzeichnet diese Publikation
in der Deutschen Nationalbibliografie; detaillierte bibliografische
Daten sind im Internet unter http://dnb.ddb.de abrufbar.

Verlagsgruppe Random House FSC® N001967
Das für dieses Buch verwendete FSC®-zertifizierte Papier
Munken Premium Cream liefert Arctic Paper Munkedals AB, Schweden.

Umschlaggestaltung: Weiss/Zembsch/Partner: Werkstatt/
München unter Verwendung eines Motivs von ©tomitom/Fotolia
Illustrationen Innenteil © 2012 Gaia Pollini zusammen
mit Arco und Leone Parkin (10 Jahre)
Satz: EDV-Fotosatz Huber/Verlagsservice G. Pfeifer, Germering
Druck und Bindung: GGP Media GmbH, Pößneck
Printed in Germany 2013

ISBN 978-3-424-20085-6

INHALT

NAME:
GARY SPRAKES
VERBRECHEN:
NIMMT DAS LEBEN
ZU ERNST

NAME:
SARAH MAYER
VERBRECHEN:
FOLGT IHREN
TRÄUMEN NICHT

NAME: FRANCO
FRANKS
VERBRECHEN:
GLAUBT, DASS
ER NICHT GUT
GENUG IST

NAME:
SUE TAYLOR
VERBRECHEN:
MUSS IN ALLEM
PERFEKT SEIN

Teil 4
Das Durchbrechen der Mauern
(Fucking the »It's«)

NAME:
JIM MANKOVICH
VERBRECHEN:
MUSS IMMER
ALLES KONTROL-
LIEREN

Teil 5
Die Ausbruchswerkzeuge
(Wie *Fuck It* funktioniert)

NAME:
GABBY SANDERS
VERBRECHEN:
GLAUBT NICHT AN
DIE WUNDER DES
LEBENS

NAME:
OSWALD ORLANDO
VERBRECHEN:
GIBT ZUVIEL AUF
DIE MEINUNG
ANDERER

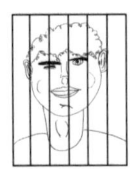

***Fuck It* (fuuk iit):** Loslassen dank der Einsicht, dass die Gründe für Sorgen, Elend und Schmerz im großen Ganzen gesehen gar nicht so wichtig sind.

Lösung: Ein Prozess, der bei einem Individuum zur Heilung führt, sei es nun auf geistiger, körperlicher oder seelischer Ebene.

Fantasielos: Menschen, geprägt von einem Mangel an Vorstellungskraft und Kreativität.

Schriftsteller: Künstler, die sich durch das Erschaffen von Textblöcken oder Büchern Ausdruck verschaffen und die oftmals ihre Bücher mit Zitaten aus Lexika beginnen (siehe »Fantasielosigkeit«).

Abstand nehmen: Wenn Sie ein angehender Schriftsteller sind, dann tun Sie das niemals. Ich habe es getan, weil ich a) *Fuck It* lehre und Regeln dazu da sind, um gebrochen zu werden, und b) habe ich diese langweilige Konvention untergraben und sie so etwas interessanter gemacht.

Genießen: Jetzt lehnen Sie sich zurück und genießen Sie ein Buch, das ebenso unterhält wie es heilt, verändert und inspiriert. Sie müssen jetzt nichts schreiben. Keine Arbeit. Einfach nur entspannen und die Worte und die Magie der Therapie wirken lassen.

Bitte geben Sie den Text so, wie er erscheint, in die zur Verfügung stehende Textbox ein und klicken Sie dann auf »continue«.

VORWORT

Fuck It.
Bei einem meiner letzten Workshops eröffnete ich den ersten Tag damit, dass ich den Teilnehmern sagte, dass ich ihnen nichts geben würde ... Und ließ es so stehen.

Das führte zu folgendem Gespräch:
»Was soll das heißen, Sie wollen uns nicht das geben, weswegen wir gekommen sind?«
»Weswegen sind Sie denn gekommen?«
»Nun, ich sage nicht, dass ich bestimmte Erwartungen hatte, aber ich bin gekommen, um etwas zu erfahren.«
»Und, ist das nicht ›etwas‹?«
»Nein, das ist nichts.«
»Also geschieht hier nichts?«
»Doch, etwas passiert, aber das ist nicht ES.«

Und so begannen wir, darüber zu diskutieren, was »ES« ist.

Wie viel Zeit verbringen wir mit der Suche nach diesem ES und glauben dabei im Allgemeinen, dass das hier nicht ES ist?
Wie viel Kummer bereitet uns das?
Und was ist ES überhaupt?
Wer weiß das schon, da wir ja doch nie beim ES ankommen?
ES ist immer irgendwo anders, ES ist immer etwas anderes ...
Vielleicht hat ES jemand anderes, aber nicht wir.

ES ist etwas, das wir vielleicht gerade erreichen könnten, wenn wir uns nur etwas mehr anstrengen würden, wenn wir besser werden würden oder größere Einsicht hätten oder etwas anderes lernen würden oder, am letzten Ziel unserer Suche angekommen, erleuchtet wären. Stellen Sie sich das vor. Erleuchtung erleben (offenbar) recht viele Menschen auf der Welt und Tausende von ihnen glauben, nur so wären sie etwas wert ...

Aber wissen sie wirklich, was ES ist?

Als die Gruppe nach dem Mittagessen wieder zusammenkam, fragte ich in die Runde:

»Also, wenn ES nirgendwo anders und nichts anderes und niemand anderes ist, was ist dann das hier?«, und zeigte dabei auf uns und den Raum.

Und die halbe Gruppe rief lachend: »ES!«

Einfach. Das hier ist ES. Ich, wie ich es schreibe. Sie, wie Sie es lesen. Sie, wenn Sie aufstehen und sich ein Glas Wasser eingießen, sind ES. Am Morgen aufstehen ist ES, ins Bad gehen ist ES, frühstücken (»Warum ist schon wieder kein Brot mehr da?«) ist ES.

Es ist so einfach, dass wir es nicht sehen können.

Es ist unnötig, anderswohin zu schauen, denn Sie sitzen darauf (sogar, wenn Sie auf die Toilette gehen), Sie glückliches Wesen.

Dieses Buch geht der Frage nach, wie wir bestimmte »ES« durch das Üben von *Fuck It* meistern können, um so das große ES des Glücks freizulegen. Aber das wahre Geheimnis der *Fuck It*-Lösung besteht darin zu erkennen, dass ES schon da ist und eigentlich nie weg war.

Gaia

WIR HABEN DAS
IM GEFÄNGNIS GESCHRIEBEN

Dieses Buch wurde lange und sorgfältig geplant. Aber erst vor der Fertigstellung kamen wir auf eine Metapher, die alles in ein Bild fasste, sodass es funktionierte. Die Metapher, von der die Rede ist, ist die des »Gefängnis«: die meisten von uns stecken, auf die eine oder andere Art, in einem Gefängnis (und natürlich sind manche von uns tatsächlich im Gefängnis. Wenn Sie das in einem Gefängnis lesen: Hi, ich hoffe, Sie haben Spaß beim Lesen dieses Buches und würde mir wünschen, dass es Ihnen auf halbwegs unterhaltsame Art die Zeit vertreibt und dass es auch noch hilft.).

Ja, die meisten von uns stecken in einer Art Gefängnis und *Fuck It* kann uns helfen, daraus auszubrechen. (Sorry, hier noch einmal eine Botschaft an Sie im richtigen Gefängnis: Es geht mir darum, uns aus dem metaphorischen Gefängnis zu befreien, nicht Sie aus Ihrem tatsächlichen, denn die Ratschläge für einen richtigen Gefängnisausbruch sind nicht unbedingt die Stärke dieses Buches. Allerdings sprechen wir an einer Stelle davon, einen Tunnel mit einer Plastikgabel zu graben. Halten Sie also Ausschau nach Plastikgabeln.)

Also, vor ein paar Wochen kamen wir auf die Gefängnis-Metapher.

Und jetzt sitzen wir da und schreiben das hier im Gefängnis. Sehen Sie, vor ein paar Tagen hat es angefangen zu schneien. Das war äußerst hübsch anzuschauen und wir freuten uns sehr. Am zweiten Tag nach dem Schneeeinbruch machte die Schule zu, sodass unsere Jungs zu Hause blieben, und auch sie freuten sich sehr. Aber es schneite weiter, auch als schon unglaublich viel Schnee gefallen war. Dann, nachdem es noch mehr geschneit hatte, schneite es sogar noch mehr. Bis dann der Punkt erreicht war, an dem wir wussten, dass wir eingeschneit waren. Und zwar nicht auf die »Ach, wie nett, wir sind eingeschneit«-Art, sondern auf die »Hilfe, unser Jeep kommt nicht mal mit Ketten den Weg hoch«-Art. (Wir leben auf einem einsamen Hügel in der Nähe von Urbino in Italien, etwa einen Kilometer von der nächsten Straße entfernt.) Normalerweise kommt man bei so einem Wetter wenigstens mit dicken Stiefeln und einem Schneeanzug zurecht. Dieses Mal genügte das keineswegs. Wir reden hier von echtem Tiefschnee. Schnee, der die Hälfte unserer Eingangstür versperrte, sodass man kaum aus dem Haus kam. Schnee, der so vom Wind verweht wurde, dass er etwa die halbe Hausmauer bedeckte. Schnee, der immer weiter und weiter und weiter vom Himmel fiel. Ohne Helikopter hätte der Rettungsdienst einen Tag benötigt, um sich zu uns durchzukämpfen. Wenn er denn überhaupt gekommen wäre, weil es bedürftige Menschen gab, die dringender Hilfe brauchten. Wie es aussah, steckten wir erst einmal eine Weile in unserem Haus fest.

Die meisten von uns stecken in einer Art Gefängnis, und *Fuck It* kann uns helfen, da herauszukommen. Wir sind im Gefängnis – kein Gefängnis mit stacheldrahtbewehrten Mauern und einem Wachturm mit Suchscheinwerfern und Männern mit Maschinengewehren, nein, unser Gefängnis besteht aus einem Meer aus weißen Kristallen, die auf unsere Tür und unsere Fenster niedersinken. Also mehr Alcatraz als Wandsworth, wobei der tiefe, stille Schnee das wirbelnde, unstete Wasser der Bucht von San Francisco ersetzt.

> Die meisten von uns stecken in einer Art Gefängnis, und *Fuck It* kann uns helfen, da herauszukommen.

Wir sind wirklich das erste Mal, seitdem wir vor sieben Jahren hierhergezogen sind, buchstäblich eingesperrt. Natürlich nicht wörtlich gemeint im Gefängnis, aber »so wie« im Gefängnis eben. Das heißt, wir erleben ein Gleichnis zur von uns gewählten Metapher.

Verflixt, gerade ging für fünf Minuten das Licht aus, aber jetzt brennt es wieder ... ein Glück, dass ich vorher auf »speichern« geklickt hatte.

Also, die Gefängnismetapher scheint für uns perfekt zu passen (bestätigt von unserer aktuellen Erfahrung, eingesperrt zu sein), wenn es darum geht zu beschreiben, was die *Fuck It*-Lösung bewirken kann.

Seitdem wir vor sieben Jahren unser erstes Buch »*Fuck It* – Loslassen. Entspannen. Glücklich sein« geschrieben haben, ist viel passiert. Das Buch hatte Erfolg (es ist jetzt in 22 Sprachen erhältlich und hat sich über 250.000 mal verkauft) und verkauft sich mit zunehmender Geschwindigkeit. Wir konnten unsere Philosophie persönlich an unzählige Menschen in der ganzen Welt weitergeben. Vor sieben Jahren wussten wir bereits, dass die *Fuck It*-Philosophie gut für Briten funktioniert, denn wir haben jahrelang auf der Insel gelebt und unterrichtet. Wir kannten die besonderen Schwierigkeiten, denen sich die Briten gegenübersahen und die das *Fuck It*-Sagen so effektiv machten. Doch was uns seit der Veröffentlichung des Buches so verblüfft hat, ist die Tatsache, dass es nicht nur die Briten sind, die unter Stress leiden und regelrecht kaputt sind ... sondern dass es überall sonst auf der Welt genauso aussieht.

Es sind nicht nur die Briten, die sich so schwertun mit dem Loslassen, sondern auch die anderen Europäer, darunter die Italiener (was uns sehr überrascht hat). Es sind nicht nur die Briten, die Schwierigkeiten haben, das zu sagen, was sie wirklich meinen, sondern auch die Amerikaner (was uns wiederum überrascht hat). Es sind nicht nur die Briten, die ihre Gefühle unterdrücken und zugeknöpft sind, sondern auch Leute aus anderen Ländern wie den Niederlanden oder Dänemark. Es gibt, ob Sie es glauben oder nicht, Iren, die die Fähigkeit eingebüßt haben, Spaß zu haben, Franzosen, die ihre joie de vivre verloren haben, Italiener, die ihre Emotionen nicht mehr zum Ausdruck bringen können, gestresste Australier (ausgerechnet!),

Kalifornier mit Selbstzweifeln, ausgebrannte Russen … die Liste lässt sich ewig fortsetzen. Das haben wir herausgefunden – ja, natürlich sind wir alle unterschiedlich und wir alle genießen es, diese Unterschiede zu sehen und mit ihnen zu spielen –, aber das, was uns verbindet, ist stärker als das, was uns trennt. Wir haben mit Deutschen mehr gelacht als mit Leuten aus jedem anderen Land. Mit den Australiern haben wir mehr geweint. Und mit den Russen haben wir uns mehr geöffnet.

Der *Fuck It*-Lösungsprozess, den wir in unseren einwöchigen Retreats entwickelt haben, funktioniert bei allen. Und wir haben gesehen, dass wir alle, auf der ganzen Welt, auf recht einfache Art verblüffende Ressourcen in uns selbst anzapfen, tiefe Verletzungen heilen, aus unserem Panzer hervorkommen, wieder leuchten und das Leben durch uns pulsieren fühlen und mithilfe von *Fuck It* Freiheit für unser Leben finden können, egal wo wir sind und was wir gerade tun. Es geht darum zu sehen, dass wir frei sein können. Und es fängt damit an, dass wir erkennen, dass wir, auf gewisse Weise, an einen Punkt gekommen sind, wo wir entweder nicht frei sind oder uns nicht frei fühlen.

> Der *Fuck It*-Lösungsprozess, den wir in unseren einwöchigen Retreats entwickelt haben, funktioniert bei allen.

Manchmal finden wir uns in Gefängnissen wieder, die offenkundig schmerzhaft und bedrückend sind: als hätte man uns in Einzelhaft in eine stockfinstere, stinkende, feuchte Grube geworfen. Das Gefängnis ist fast unerträglich geworden. Bei anderen ist das Gefängnis weniger offensichtlich, das Leben scheint in Ordnung zu sein, aber irgendetwas stimmt einfach nicht und üblicherweise muss man damit anfangen zu erkennen, wo die Gefängnismauern liegen, und sie dann sanft durchbrechen. Wieder andere meinen, bei ihnen sei alles ist in Butter, bis irgendeine Kleinigkeit etwas in ihnen ins Rollen bringt und sie zusammenbrechen. Sie waren im Gefängnis, wollten es aber nicht sehen, weil das zu schmerzhaft gewesen wäre. Wieder andere glauben immer noch, dass sie ein schönes Leben führen, sie sind glücklich, auf der Welt zu sein, es könnte gar nicht besser laufen. Und manchmal stimmt das auch. Sollten Sie zu dieser Gruppe gehören, dann werden Sie in diesem Buch einige Aspekte finden, die für Sie in Worte fassen, was Sie bereits fühlen, und dazu noch ein paar Ideen, die Ihnen helfen können, dort zu bleiben, wo Sie gerade sind. Sehen Sie es als eine Art Versicherungspolice.

Aber die meisten von uns stecken auf die eine oder andere Art in einem Gefängnis fest. Das ist normal. So spielt das Leben … und manchmal ist es der Tod. Aber normalerweise funktioniert das Leben einfach so. Freiheit zu finden (und dann in der Folge Freiheit zu verbreiten) ist nur wieder ein wunderbarer Teil dieses Spiels. Und ebendiese Methode, Freiheit zu finden, nennt sich die *Fuck It*-Lösung.

Bislang war die *Fuck It*-Lösung nur bei uns persönlich, John und Gaia, auf unseren *Fuck It*-Retreats erhältlich, aber jetzt haben wir alles niedergeschrieben, sodass Sie die Erfahrung machen können, wo auch immer auf der Welt Sie gerade sind und was auch immer Sie gerade durchmachen. Und das stimmt uns doch ziemlich vergnügt, das können wir Ihnen sagen.

Wir haben mit Menschen in allen nur möglichen Gefängniszuständen auf der ganzen Welt gearbeitet. Und wir durften feststellen, dass die *Fuck It*-Ideen, mit denen wir arbeiten, bei allen funktionieren. Wir durften Zeugen unglaublicher, atemberaubender, inspirierender Veränderungsprozesse werden – wir haben E-Mails von zahllosen Leuten bekommen, deren Leben sich nach Erfahrung der *Fuck It*-Lösung, die wir unterrichten, verändert hat.

Richtig, jetzt müssen wir los und etwas mehr Holz holen, denn wenn der Strom ausfällt, dann müssen wir heute Nacht hier am Feuer schlafen, brrh.

TEIL 1
DAS GEFÄNGNIS ERKENNEN
Verstehen, warum man *Fuck It* sagen muss

Was ist ein Gefängnis?

Ein Gefängnis hat einen Sinn

Der Sinn eines Gefängnisses ist es, die Gesellschaft vor dessen gefährlichen Insassen zu beschützen, sie zu rehabilitieren oder einfach nur zu bestrafen. Diese Faktoren verleihen in unserer Gesellschaft dem Gefängnis einen Sinn.

Und der Sinn, den Sie in Ihrem Leben und in der Gesellschaft gefunden haben mögen, kann durchaus zu Ihrem Gefängnis geworden sein.

Als Kinder scheint uns Sinn, oder zumindest die bewusste Suche danach, nicht besonders zu kümmern. Die Dinge *sind* einfach irgendwie. Wir müssen keinen Sinn in den Dingen finden, Dinge tun, die sinnvoller sind, oder den Sinn unseres Daseins im großen Plan finden, wenn wir jung sind. Gott sei Dank. Natürlich, Kinder fragen oft »Warum?« und »Wie?«:

»Warum ist der Himmel blau?«

»Frag deinen Vater.«

»Warum geht die Sonne auf und unter?«

»Frag deinen Vater.«

»Warum hat Tommi mehr Videospiele als wir?«

»Frag deinen Vater.«

»Wie macht man Babys?«

»Frag deine Mutter.«

Aber sie stellen nicht die Art von Fragen, die man sich als Erwachsener stellt: »Warum bin ich hier?« – »Welchen Sinn hat es genau, dass ich Tag für Tag diese seelenzerrüttende Arbeit mache?« – »Spielt es wirklich eine Rolle, ob ich gut oder böse bin?« Und so weiter. An irgendeinem Punkt hören wir auf, neugierig auf die Welt außerhalb unserer selbst zu sein, und fangen an, über uns selbst und unseren Platz in der Welt nachzudenken.

Und wir sehen uns hin und wieder der erschreckenden Perspektive ausgesetzt, dass wir mit unserer blitzartigen Lebensspanne (80 Jahre im Vergleich zu den 500.000 Jahren, die es Menschen gibt oder den etwa fünf Milliarden Jahren, die sich die Erde dreht) in diesem riesigen, uns gegenüber völlig gleichgültigen Universum überhaupt keinen Sinn haben. Dabei sind wir eine Person unter sieben Milliarden auf diesem Planeten, der wiederum nur ein kleiner Wassertropfen im See unseres Sonnensystems ist, wobei dieser See wieder nur einem Wassertropfen im See unserer Galaxis gleichkommt, die selbst nur ein Ozean von der Größe eines Planschbeckens auf dem Rasen eines Hauses in einem Land genannt großes, allumfassendes Ganzes ist, von dem unser Planet namens Erde nur ein klitzekleiner Teil ist. Wir bekommen, wenn überhaupt, nur einen minimal kurzen Ausblick auf diese Realität – welcher ja nur ein winziger Blick durch ein Schlüsselloch voller Staub ist, sodass wir nicht wirklich sehen, was sich eigentlich im Zimmer dahinter befindet, da ein wirkliches Sehen und tiefes Verstehen dieser Wirklichkeit wahrscheinlich dazu führen würde, dass wir sofort verrückt würden …

Ja, schon bei der Einsicht unserer völligen Bedeutungslosigkeit geraten wir in Panik. Diese Panik hat ihre Gezeiten und manchmal vergessen wir, dass es überhaupt Panik ist; doch für den Großteil unseres

Lebens bleibt sie uns erhalten. Und diese Panik nimmt die Gestalt einer unermüdlichen Sinnsuche an, und zwar auf die lächerlichste, sinnloseste Art. Wie rollige Katzen versuchen, sich mit Beinen fremder Leute, Laternenmasten, Hydranten, Bänken und gelegentlich auch Katzen zu paaren, versuchen wir penetrant, allem Bedeutung abzugewinnen, was sich auch nur im Entferntesten anbietet. Wir sind gierige Bedeutungsmaschinen auf der verzweifelten Suche nach Bedeutung: Bedeutung in der bedeutungslosen Arbeit, die wir verrichten, in unseren fruchtlosen Beziehungen, den unnötigen Dingen, die wir ansammeln (und die wir langsam vom Laden zur Müllhalde schleppen), in den Göttern, die wir erfinden, in den Verhaltensregeln, die wir uns zusammenfantasieren und die wir erzwingen, in den Rollen, die wir für uns erträumen, in den Geschichten, die wir erzählen … und so weiter und so weiter, bis wir sterben und davongehen … nirgendwohin, wo wir dann auch nicht die Bedeutung erkennen, weil dort niemals eine war, die man hätte erkennen können.

Sorry, das musste an dieser Stelle einfach mal gesagt werden.

Wir sind LÄCHERLICH. Nicht nur, weil diese sich über unser ganzes Leben hinziehende Panik ÜBERHAUPT KEINE Bedeutung hat, sodass wir versuchen, in ALLEM Bedeutung zu finden – was ja noch halbwegs nachzuvollziehen ist. Sondern weil all diese Dinge, denen wir eine Bedeutung beimessen, dann den Spieß umdrehen und uns Schmerz bereiten. Und weil keines dieser Dinge besonders lange währt. Wir haften an ihnen. Sie werden uns weggenommen. Wir fühlen Schmerz. Das ist die *conditio humana*.

Also, entwickeln wir einmal die ganze Ereigniskette der *conditio humana*: Wir bekommen einen Einblick in die Tatsache, dass unser Leben völlig vergeblich ist, und fragen uns, welche Bedeutung das hat; wir versuchen die Bedeutung in Dingen »da draußen« zu finden; wir entwickeln eine Anhaftung gegenüber diesen Dingen; sie werden uns weggenommen; wir fühlen Schmerz; wir fragen uns, welche Bedeutung das hat; dann versuchen wir, in anderen Dingen Bedeutung zu finden; wir entwickeln ihnen gegenüber Anhaftung; die Dinge werden uns weggenommen; wir fühlen Schmerz; wir fragen uns, welche Bedeutung das hat; dann versuchen wir, in wieder anderen Dingen Bedeutung zu finden; wir hängen uns an diese; sie werden uns weggenommen; wir fühlen Schmerz; wir fragen uns, welche Bedeutung das hat … Das ist der menschliche Loop. Deshalb benutze ich auch gerne Loops in meiner Musik, es erinnert mich an die große Absurdität des menschlichen Loops. Dieser ist in unserer DNS verankert, die ja, wie Sie wissen, der einer Banane ziemlich ähnlich ist. Wir sind, effektiv gesprochen, Bananen.

Welche Bedeutung diese Ausführungen haben sollen?

Was, Sie wollen immer noch Bedeutung, ernsthaft?!

Nun, gerade jetzt sitzen wir mit einem Lächeln auf den Lippen da. Vorerst wird es keine weiteren nihilistischen Ausschweifungen geben. Wir liefern Ihnen stattdessen sogar andere Ideen zu der Frage, worum es bei der ganzen Sache geht. Aber die »Sache« ist es wert, sich klarzumachen, dass die Suche nach etwas Bedeutsamen eine ziemlich verrückte Angelegenheit ist. Sie ist es wert einzusehen, dass viele von uns in einem Gefängnis feststecken, das sie selbst gebaut haben. Wir sind voller Anhaftung an die Dinge, die unsere Freiheit einschränken.

Und nun wollen wir uns vom größtmöglichen Gesamtbild zurück zu den prosaischen Details unseres Alltagslebens holen – hoffentlich ohne einen Brechreiz zu erleben oder die Taucherkrankheit zu bekommen oder gar beim Wiedereintritt in die Atmosphäre zu verglühen – und zwar mit dem Gedanken, dass das Problem für die meisten von uns darin besteht, dass wir uns um Dinge sorgen machen, die, wenigstens ein bisschen aus der Vogelperspektive betrachtet, WIRKLICH KEINE ROLLE SPIELEN. Wir verbringen so viel Zeit und Energie damit, uns Sorgen um diese Dinge zu machen, dass wir nicht mehr genug Zeit und Energie für Dinge haben, die GANZ

OFFENSICHTLICH EINE ROLLE SPIELEN (das heißt, wenn Sie nicht die große nihilistische, philosophische Brille aufsetzen). Wir machen uns Sorgen, dass wir zu spät zu einem Meeting kommen könnten, aber bringen unsere Kinder nicht zur Schule. Wir grämen uns wegen der Extrapfunde, die wir mit uns herumtragen, aber sehen nicht den Hungernden auf der Straße, der verzweifelt auf unsere Hilfe angewiesen ist. Wir sorgen uns, weil Falten in unserem Gesicht auftauchen, aber die Risse, die sich in der Erde auftun und auf den globalen Klimawandel hinweisen, sehen wir nicht. Wir sind auf der Suche nach Göttern und lassen uns das Wunder des Lebens entgehen. Wir tragen an der Last unserer Vergangenheit, machen uns Sorgen um die Zukunft und verpassen die Gegenwart.

Also müssen wir in diesem Gefängnis aus Sinn *Fuck It* zu den Dingen sagen, die wirklich keine so große Rolle spielen, und uns auf die Dinge konzentrieren, die eine Rolle spielen, (oder die sich zumindest so ausnehmen). Dabei geht es um einen Perspektivenwechsel, und genau dieser ist fundamentaler Bestandteil der *Fuck It*-Lösung.

> Wir müssen *Fuck It* zu den Dingen sagen, die wirklich keine so große Rolle spielen.

Also: Das ist ein Gefängnis. Und genau deshalb kann uns die *Fuck It*-Lösung helfen.

Ein Gefängnis hat eine Geschichte

Jedes Gefängnis hat eine Geschichte: eine Geschichte, Ereignisse, die dort geschehen sind, berühmte Insassen, eine dunkle Vergangenheit und manchmal auch inspirierende Geschichten.

Und auch wir haben eine Geschichte. Wir haben unsere Geschichte, all die Dinge, die uns zugestoßen sind, die uns verletzt haben, uns bewegt, aufgeregt, deprimiert, inspiriert, uns weitergebracht oder zurückgeworfen, emporgehoben oder gestürzt haben. Es gibt Dinge, an die wir uns liebend gern erinnern, und andere, die wir lieber vergessen würden.

Und wir erzählen uns selbst (oder auch anderen, wenn diese gerade zuhören wollen) die Geschichte, wer wir sind (von der wir glauben, dass sie aus unserer Vergangenheit besteht und dass sie von all den Dingen geformt wurde, die uns passiert sind). Wir erzählen uns die Geschichte unseres Charakters: unsere guten Seiten und unsere schlechten, unsere Stärken und Schwächen, das, worauf wir stolz sind, und das, wofür wir uns schämen.

Und wir erzählen uns die Geschichten von Wachstum und Entwicklung von der einen Sache zur nächsten. Wir erzählen uns, wer wir waren, wer wir jetzt sind und wer wir gerne werden würden. Manchmal sehen wir unsere Geschichte als die Geschichte eines Aufstiegs von der Unschuld hin zur Erfahrenheit, vom Bösen zum Guten, von Naivität hin zur Lebenserfahrung, bei der wir mit jedem Schritt dazulernen und auf unserem Lebensweg den einen oder anderen Bogen schlagen, um aber doch an einen Punkt zu gelangen, bei dem das Lernen belohnt wird und der den Schmerz wert ist. Und manchmal sehen wir sie auch als die Geschichte eines Abstiegs von der Verspieltheit hin zum Ernst, der Verschwendung unserer Talente, des Ausverkaufs unserer Träume, des Verfalls von Gesundheit in Krankheit, des Älter- und Schwächerwerdens, unserer Unbelehrbarkeit, des Verlusts dessen, was wir hatten, um uns langsam und ermüdend zu unserem traurigen, einsamen Ende auf diesem erbärmlichen Planeten zu schleppen.

Und wir erzählen uns eine Geschichte über das Leben und die Welt um uns herum: dass sie wundervoll, zauberhaft, stets im Wandel, dynamisch, inspirierend und mysteriös ist. Oder dass es sich dabei um eine tragische, vom Unglück durchzogene, sündige, hoffnungslose, unfaire, verdammte Angelegenheit handelt. Oder eine langweilige. Oder eine, die nicht mehr ist, was sie einmal war. Oder dass alles im Nullkommanichts zum Teufel geht. Oder dass es ein Mix ist oder mich unterstützt oder gegen mich ist oder indifferent mir gegenüber oder mich widerspiegelt.

Wir erzählen uns Geschichten über uns selbst und die Welt, die wir um uns her sehen. Aber das sind nur Geschichten. Und diese Geschichten – die guten, die schlechten, die indifferenten – können alle für uns zu Personen werden ... weil Geschichten einfach nicht notwendig die Wirklichkeit widerspiegeln. Geschichten fixieren alles.

Die *Fuck It*-Lösung zeigt uns, wie wir *Fuck It* zu der Geschichte sagen und Tuchfühlung mit dem Leben aufnehmen können.

Und das »Leben« ist nicht fixierbar. Es ist stets in Bewegung. Und es widersetzt sich den Geschichten, die wir über es zu erzählen versuchen. Wenn wir denken, jetzt hätten wir unser Leben – oder unsere Geschichte – in den Griff gekriegt, ist es schon weg, weitergezogen. Und wir stecken in dem Gefängnis der Geschichte fest, die wir erschaffen haben.

Die *Fuck It*-Lösung zeigt uns, wie wir *Fuck It* zur Geschichte sagen und Tuchfühlung mit dem Leben aufnehmen können.

Ein Gefängnis hat einen Zweck

Ein Gefängnis hat den Zweck, die Bevölkerung vor seinen Insassen zu schützen (und manchmal auch den, die Insassen vor der Bevölkerung zu beschützen), sowie den, die Gefangenen zu rehabilitieren, sodass sie in die Gesellschaft zurückkehren können (normalerweise).

Ähnlich ist es mit den Zielen, die wir uns setzen. Wir zielen darauf ab, bis zu einem bestimmten Alter etwas Bestimmtes zu erreichen: Wir haben das Ziel, unsere Examina zu bestehen, ein Haus zu kaufen, einen tollen Menschen zu treffen und uns niederzulassen, das Leben zu genießen, den Nobelpreis zu gewinnen, gesund zu werden, abzunehmen, mit mehr Leuten Sex zu haben, mit weniger Leuten Sex zu haben ...

Wir haben Ziele. Und wenn wir organisiert und entschlossen sind, dann schreiben wir sie auch noch auf. Wir setzen uns dafür sogar Deadlines. Wir arbeiten auf sie hin. Wir überwinden Hindernisse, um sie zu erreichen. Wir leiden für unsere Kunst, trotzen dem Sturm, um an Land zu kommen, tragen unser Kreuz, erklimmen Berge und nehmen so einiges hin, um unsere Ziele zu erreichen.

Doch unsere Ziele können für uns zum Gefängnis werden. Das Leben hat die Angewohnheit, sich nicht so zu entwickeln, wie wir es geplant haben. Andere Menschen haben die Angewohnheit, sich nicht so zu verhalten, wie wir das gerne hätten. Die Wirtschaft hat die Angewohnheit, im falschen Moment einzubrechen. Und eben weil wir dem Leben diesen Weg in Form von Zielen vorgeben, finden wir uns in einem Gefängnis aus vereitelten Zielen wieder, denn wenn das Leben sich durch eines auszeichnet, dann durch Unvorhersehbarkeit.

Ziele können natürlich hilfreich sein. Man kann viel mit ihnen erreichen und ohne sie vieles verspielen. Doch wenn Sie sich zu sehr an Ihre Ziele hängen, dann können sie zum Gefängnis werden. Halten Sie Ihre Ziele mit leichtem Griff. Sagen Sie *Fuck It* zu den Zielen, die Sie zu fest halten. Und lehnen Sie sich zurück und genießen Sie die Fahrt ein bisschen mehr.

Ein Gefängnis aus Gedanken

Alles beginnt mit Gedanken. Es mag schon sein, dass Gott am ersten Tag damit angefangen hat, Himmel und Erde zu erschaffen und dann das Licht anzuknipsen. Aber was der Bibel anscheinend entgeht, ist, dass Gott die Sache natürlich mit einem Gedanken angefangen hätte. Bevor Er Himmel und Erde SCHUF, muss Er den hellen Einfall gehabt haben, ein bisschen kreative Arbeit auszuprobieren. Bevor Er sich an seine sechs Tage harter Arbeit machte, muss Er die Füße hochgelegt und darüber nachgedacht haben, was es zum Abendessen geben könnte, als ihm sein heller Einfall kam:

Brillant. Ein Planet und etwas Raum. Ich bin brillant. Absolut, wahnsinnig brillant. Selbst wenn Ich es zu Mir Selber sage.

Er lehnte sich zurück und realisierte, dass Sein Gedanke gut war. Dann kam Ihm noch ein Gedanke und Er strich sich den Bart, während der Gedanke Gestalt annahm:

»Selbst… wenn… Ich… es zu Mir Selber sage« (selbst Gott benutzt Großbuchstaben in seinen eigenen Sätzen), »warum, verflixt noch mal, schaffe Ich nicht andere … äh, Wesen, die Mir sagen, wie brillant Ich bin, dann müsste Ich es Mir nicht mehr Selber sagen.

Der war gut, Gott.

Ich werde sie formen nach Meinem Bilde.

Ich sehe da ein Problem auf Dich zukommen, Gott. Damit schaffst Du Dir Konkurrenz.

Ah, aber Ich will keine Konkurrenz als Gott und höchstes Wesen, nicht wahr?

Mehr Bartkratzen.

Ich lasse Mir einen lächerlichen Test für diese Wesen einfallen. Ich erschaffe ein paar Mini-Ichs und dann erzähle Ich ihnen, dass es … hm, weiß nicht … einen Baum gibt, der sie weise macht (sodass sie glauben, sie könnten so weise werden wie Ich, obwohl sie nicht wissen, dass sie das schon sind). In diese ausgefuchste Falle locke Ich sie mit einer Schlange. Sie werden natürlich vom Baum der Erkenntnis essen und BÄM, schicke Ich sie für immer in die Wüste.

Gott schlug sich auf die Oberschenkel in seiner Begeisterung über einen so makellosen Mini-Gott-Erschaffungsplan …

So werden sie den Rest ihrer Existenz damit zubringen, Mich zu verehren, über Mich zu streiten und zu glauben, sie seien überhaupt nicht wie Ich, obwohl sie es eigentlich sind.

Doch zurück zu dem ersten Gedanken. Der schwierige Teil für Gott – und die Bibel versäumt, dies zu erwähnen – war eigentlich der Gedanke. Stellen Sie sich vor, wie es gewesen sein muss, den gesamten Plan für die Erde und den Weltraum und die Tiere und die Menschen und, nun ja, ALLES aus, nun ja, NICHTS hervorzuzaubern. Vorher gab es NICHTS; nur Gott, wie er dasaß, nicht im Raum, sondern im NICHTS. Er hatte nichts, von dem er ausgehen konnte. Er hatte keine Magazine, die er durchblättern konnte, um sich Ideen zu holen, keine Bücher, die er lesen konnte. Er konnte nicht im Salon vor Ort vorbeischauen (das heißt einen Salon, in dem man Ideen austauscht, nicht der, in dem Bärte geschnitten werden), um mit ein paar anderen Gottheits-Intellektuellen zu plaudern. Er konnte nicht brainstormen. Er stand nicht auf den Schultern von Riesen. Er hatte keinen Wettbewerb mit einem anderen Gott, bei dem es darum ging, wer den besten Schöpfungsplan vorlegen konnte. Alles entstand aus dem Nichts. NICHTS.

Danach war die ganze Schöpfung ein Zuckerschlecken. Projektmanagement und Bauarbeiten, das war's. Klar, es war schon gut gemacht. Es wurde sogar rechtzeitig (nach sechs Tagen) fertig, ohne das Budget zu sprengen. Aber Gott war der ARCHITEKT. Er war der Typ … äh … Gott mit den Ideen, der Ideengott.

Alles beginnt mit einem Gedanken. Alles, was Sie um sich her sehen, hat mit einem Gedanken begonnen. Alles, was Sie tun, beginnt mit einem Gedanken. Sie haben als Gedanke angefangen. Selbst wenn Sie sich einem Bereich zuwenden, der offenbar nicht von menschlichem Denken beeinflusst ist (wie beispielsweise die Wildnis), dann versuchen wir doch auch, da mitzumischen, zum Beispiel mit den Auswirkungen der menschenverursachten globalen Erwärmung. Und wenn wir damit die Erde nicht kriegen, dann kriegen wir sie mit unseren von Menschenhand geschaffenen Nuklearwaffen. Netter Gedanke, Einstein.

Es ist schon komisch, dass bei all den Denkhaubitzen, die die Zivilisation je hervorgebracht hat, gerade Einstein zur Symbol-Denkhaubitze geworden ist – mit seinem lustigen Gesicht und seinen verrückten Haaren. Ach, was für ein Genie. Und es ist ironisch, dass gerade seine Entdeckungen zu unserer finalen Vernichtung führen könnten. Begonnen mit einem Gedanken (Gottes), beendet durch einen Gedanken des schlauesten Kerls, der bisher gelebt hat (Einstein), wobei wahrscheinlich der dümmste Kerl, der je gelebt hat, auf den Knopf drücken darf (stellen Sie sich hier eine grinsende George-W.-Bush-artige Figur vor). Alles, was wir tun, beginnt mit einem Gedanken. Wir können mit unseren Gedanken Wunder hervorbringen. Wir können die erstaunlichsten Dinge erfinden. Unser Leben wird leichter durch die Produkte unserer Gedanken. Wir sind dank der Bemühungen hart arbeitender Wissenschaftler gesünder. Wir vergöttern die Erfinder, die Wissenschaftler und die Denker. Wir hängen an den Lippen des Wissenschaftlers, wie wir früher an den Lippen des Priesters hingen (natürlich tun das immer noch viele Leute, aber die Wissenschaft ist schon seit einiger Zeit die neue Religion für viele von uns). Wir erziehen unsere Kinder und ermutigen sie, ihren Weg in der Welt zu finden, indem sie ihren Kopf benutzen. Wir verlassen uns bei wichtigen Lebensentscheidungen auf unseren Verstand.

Aber was gibt es sonst noch? Die Frage müssen Sie sich stellen, Denn es gibt das Herz und den Bauch oder auch den Instinkt und die Intuition. Und es gibt noch weitere Aspekte: Kommt Inspiration aus dem Gehirn, aus dem Körper oder von außen? Wie ist es mit »spiritueller« Information?

Wenn wir uns nur auf unsere Gedanken verlassen, dann schaffen wir uns selbst ein Gefängnis. Wir sind, in vielerlei Hinsicht, noch immer von René Descartes und seiner Philosophie des »Ich denke, also bin ich« geprägt. Was aber, wenn wir mehr sind als nur Gedanken?

> Wenn Sie zu einer rein gedankenbasierten Herangehensweise in Sachen Leben *Fuck It* sagen, dann kann Ihnen das die erstaunlichsten Türen öffnen.

Wenn Sie zu einer rein gedankenbasierten Herangehensweise in Sachen Leben *Fuck It* sagen, dann kann Ihnen das die erstaunlichsten Türen öffnen. Es bedeutet auch, dass, wenn die Gedanken überhandnehmen, Sie wissen, dass Sie nicht *nur* das sind. In einer Depression beispielsweise oder nach einem Trauma können unsere Gedanken (Selbstzweifel, Über-Analysierung, Selbstanklage etc.) uns in den Wahnsinn treiben. Manchmal buchstäblich.

Meditieren Sie. Auf diese Weise realisieren Sie schnell, dass Sie nicht NUR Ihre Gedanken sind. Aber wenn Ihre Gedanken zum Gefängnis für Sie geworden sind, wenn sie Sie herunterziehen und Sie an der Nase herumführen, können Sie zu diesem gedankengesteuerten Leben *Fuck It* sagen, ohne dass Sie deshalb ein gedankenloses Leben führen müssen.

Ein Gefängnis der Emotion

Als wir gerade die Frage gestellt haben: »Was gibt es außer Ihren Gedanken sonst nocht?«, da tat sich womöglich bei vielen männlichen Lesern für einen Moment ein leerer Fleck auf. Die meisten Frauen jedoch hatten die Antwort vermutlich rasch parat: das Herz und unsere Gefühlswelt.

Ja, jetzt haben wir schön die übliche Geschlechter-Herz/Geist-Trennung aufgemacht. Gaia ist sehr herzzentriert. Ich bin ziemlich viel in meinem Kopf. Sie ist Liebe. Ich bin Ideen und Lachen. Sie ganz Wärme und Intuition. Ich bin ganz Träume und Reflexion.

Die meisten Leute, die zu *Fuck It*-Retreats kommen, stecken in ihrem Kopf fest (das heißt im Gefängnis der Gedanken), sodass sie oft sehr davon profitieren, mit ihrem Herzen zu arbeiten: sich mehr zu öffnen, ihre Emotionen besser zu spüren und sie mehr zum Ausdruck zu bringen. Gaia kann ihnen dann ganz besonders helfen, sich schneller frei zu fühlen, während ich ihnen helfe, sich zu entspannen, und sie zum Lachen bringe. Gaia öffnet ihnen das Herz, und die Tiefenheilung kann beginnen. Wir sind nicht *good cop, bad cop,* sondern *heart cop* und *head cop.*

Es ist also weniger verbreitet, in einem Gefängnis aus Emotionen in der Falle zu sitzen. Aber es ist möglich und wir kennen solche Fälle. Wie sieht das aus? So, dass Ihr Leben völlig von Emotionen diktiert wird. Sie fühlen alles zutiefst und nehmen alles persönlich. Sie weinen höchstwahrscheinlich viel und manchmal grundlos. Kleine Nebenbemerkung: Ich habe das nur bei Frauen gesehen und uns Männer verwirrt das. Nun, ich bin nicht länger verwirrt. Wenn Gaia weint und ich sie frage, warum, und sie antwortet »Nichts«, dann sagt sie »Nichts« nicht so, dass es eigentlich bedeutet, »Ja, natürlich, es ist etwas wirklich GROSSES, sonst würde ich ja nicht weinen, aber ich werde es dir nicht sagen, weil selbst wenn es diesmal nicht wegen dir ist, ist es das doch meistens und du wirst weiterfragen und ich kriege das Gefühl, dass du mich willst und dich um mich kümmerst, sodass ich jetzt erst noch mal ›Nichts‹ sage und dir dann beim dritten Nachfragen sage, was eigentlich los ist, okay?« … Gaia sagt »Nichts«, weil sie tatsächlich »Nichts« meint. Irgendwie fühlt sie sich manchmal aus keinem klar erkennbaren Grund aufgewühlt, und dann weint sie. Nun, jetzt sagt sie mir gerade, dass sie sich manchmal nicht einmal aufgewühlt fühlt, sondern ihr einfach nach Weinen zumute ist, also tut sie's.

Meine Damen, bitte überspringen Sie diesen Absatz. Botschaft an die Herren der Schöpfung: Bin es nur ich oder ist das MESCHUGGE? Es gibt einfach Dinge, die wir nie kapieren werden, oder? Jemand Lust auf ein Bier? Ich muss aus dieser verheulten Umgebung weg und zum Wasserloch, aber fix.

Hallo, hier sind wir wieder, meine Damen und Herren. Wir sind zurück. Ladys, reißt euch zusammen. »Au, Gaia, das hat wehgetan.« Nein, emotionieren ist gut. Wir Männer verschließen uns dem viel zu oft. Und manche Frauen natürlich auch. Aber verschüttet die Tränenflüsse nicht wahllos überall. Benutzt auch HIN UND WIEDER rationales Denken. Und lernt auch, wie man ein Excel-Spreadsheet verwendet. Das Programm ist hervorragend geeignet, diese Seite eures Gehirns zu entwickeln. Das ist mein Rat, wenn man sich sehr emotional fühlt, selbst wenn man nicht sicher ist, weswegen: Man öffne ein neues Excel-Spreadsheet und spiele ein wenig damit herum. Innerhalb einer Minute wird sich die Stimmung aufhellen.

Die Pointe: Es ist möglich, zu herzzentriert zu sein. Das Gehirn und sein rationales Denken haben auch ihren Stellenwert. Benutzen

Sie es hin und wieder. Ansonsten steckt man schnell im Gefängnis der Emotionen fest. Und wie auch alles andere bedarf es in diesem Fall eines netten *Fuck It*, um wieder herauszukommen.

Ein materialistisches Gefängnis

Mit »materialistisch« meinen wir in diesem Fall nicht die Leute, die gerne shoppen gehen und für die das, was sie besitzen, wichtiger ist als alles andere, obwohl das natürlich eines der kahlsten und restriktivsten Gefängnisse ist, die man sich zum Leben suchen kann.

Nein, mit Materialismus meinen wir hier die Vorstellung, dass alles Materie oder Energie ist (im traditionellen, Newton'schen Sinn von »Energie«, nicht im Östlichen). Wir sind separate, feste Menschenwesen, die innerhalb der Gesetze der Newton'schen Physik funktionieren, auf einem Planeten, der (größtenteils) von der Wissenschaft definiert wurde. Und die meisten Menschen leben ihr Leben nach dieser Auffassung (selbst wenn sie sagen, dass sie an Gott »glauben«, ist ihre alltägliche Interaktion mit der Welt materialistisch).

Ein Materialist erklärt praktisch alle Phänomene wissenschaftlich. Wir verstehen, wie so ziemlich alles funktioniert, und zwar auf eine Art, die uns vor 100 Jahren noch nicht zur Verfügung stand. Der Materialismus hat den Spiritualismus auf recht offensichtliche Art bei vielen Leuten verdrängt. In der Vergangenheit war alles ein großes Mysterium, von dem, was wir am Nachthimmel gesehen haben, über die Gründe, warum Regen fiel, bis hin zur Funktionsweise unserer Körper und der Entstehung des Lebens. Nicht in der Lage, diese Mysterien wissenschaftlich zu erklären, wie wir das heute können, erklärten die Menschen sie spirituell. Es gab Götter für die Elemente, Götter für die Liebe und den Krieg. Dann hatte jemand den Geistesblitz, es gebe nur einen Gott. Wie auch immer, die Götter oder Gott halfen, alles zu erklären, denn wir fühlen uns einfach nicht besonders wohl, wenn wir NICHT BESCHEID WISSEN. Wir wollen wissen.

Selbst wenn wir uns im Fernsehen einen »Mystery«-Film anschauen, sind wir mit dem Zustand des Nichtwissens nur eine Weile zufrieden und wollen wissen, wer es war, bevor wir ins Bett gehen. Also wissen die meisten Menschen heutzutage Bescheid. Wir wissen hinsichtlich der großen Fragen, wie die Dinge um uns her funktionieren, das meiste, und das dank der Wissenschaft. Was noch fehlt, müssen die Wissenschaftler einfach noch erforschen. Und sie strengen sich unglaublich an, um genau das zu tun – schauen Sie nur mal zur CERN (European Organization for Nuclear Research). Zugegeben, für einige Menschen ist nach wie vor Gott das Erklärungsmodell, um Dinge begreiflicher und verständlicher werden zu lassen.

Aber gehen wir davon aus, dass die meisten Leute in pragmatischer Hinsicht Materialisten sind. Um Antworten zu erhalten, wenden sie sich an die Wissenschaft. Und die Antworten sind im Normalfall klar und gut (selbst wenn sie nicht so schmackhaft daherkommen wie die spirituellen Antworten). Es ist keineswegs so, dass das alles kalte, trockene Rationalisten sind, wie ein spiritueller Mensch sich das vielleicht vorstellt. Die Schönheit, Vielfalt und Komplexität der Phänomene der Welt kann nach wie vor auch jemanden mit einer materialistischen Erklärung für die augenfälligen Besonderheiten um ihn her überwältigen. Der Materialist mag den Prozess der Reproduktion, des Wachstums eines Fötus basierend auf der Blaupause der DNS und der Geburt verstehen. Aber zerstört die Erklärung des Prozesses das Staunen ob seiner Manifestation? Für die meisten Menschen ist das nicht so. Sie sind im Gegenteil nicht weniger überwältigt von einer Geburt oder der Schönheit und Großartigkeit der Natur.

Gaia und ich ziehen es vor, offen zu bleiben. Den Zustand des Fragens zu bewahren, statt sich starr und stur auf eine Antwort festzulegen. Wir finden es in Ordnung, NICHT BESCHEID ZU WISSEN. Das bedeutet nicht, dass wir nicht neugierig wären. Wir sind Philosophen in dieser Hinsicht, denn wir lieben das unendliche Fragen. Aber wir geben uns nicht mit einer Antwort zufrieden, wir stellen weiter Fragen. Wir bleiben offen und wissbegierig. Wir genießen das Staunen und das Mysterium des Lebens, wie es sich in jedem Moment vor uns entfaltet.

Wir verwenden oft das Wort »Gefühl«. Das liefert einen leisen Hinweis darauf, dass unser Ansatz der des beständigen Fragens ist, dass wir keinerlei Antworten festgelegt haben und dass wir demütig genug sind, das Wort »wissen« nicht einmal zu verwenden. Wir haben viele Jahre mit Energie oder Qi gearbeitet. Wir haben das Gefühl, dass diese Energie allem zugrundeliegt und der Kanal für viele verblüffende nicht-materialistische Phänomene ist, genauso wie sie der Kern der ebenso verblüffenden materialistischen Phänomene ist, die wir beobachten können.

Sehen Sie, warum das Wort »Gefühl« hilft? Wir sagen nicht, »wir wissen«, wie eine materialistische oder eine religiöse Person das täte, und zwar nicht aus falscher Demut, sondern weil die Behauptung eines solchen Wissens die Sache fixiert. Und wenn wir irgendwas über Energie und die Phänomene, die sie zu manifestieren scheint, wissen, dann dass sie ständig im Wandel und unmöglich zu fixieren, ja sogar sehr schwer zu benennen ist. (Die Taoisten beispielsweise behaupten, dass dann, wenn Sie das Tao – die Kraft, die alles durchdringt/alles ist/alles erschafft – beschreiben können, Sie sie nicht erfasst haben.) Und, fürs Protokoll: Wir sind keine Taoisten.

Wir sind gar nichts. Wir stellen Fragen und machen Erfahrungen und leben im Staunen, und das, was wir fühlen, teilen wir mit Ihnen.

Aber ja, wir haben mehr Sympathien für den Materialisten als für den Fundamentalisten. Doch eine rigoros materialistische Herangehensweise an die Wirklichkeit ohne Fragen hinsichtlich nicht-materialistischer (spiritueller/energetischer/magischer) Erklärungen oder Phänomene kann ein Gefängnis aus Erfahrungen schaffen. Die beschränkte Reichweite von Erklärungen für die kom-

Wir sagen *Fuck It* dazu, irgendwas durch feste Theorien und Erklärungen zu fixieren.

plexen, vielfältigen Phänomene, die auf Ihre Sinne einströmen, wird zur Falle. Wir sagen *Fuck It* dazu, irgendwas durch feste Theorien und Erklärungen zu fixieren.

Ein Gefängnis der Spiritualität

Es ist wahrscheinlich offensichtlich für Sie, warum der fundamentalistische Ansatz in Sachen Spiritualität sich sein eigenes Gefängnis schafft. Das ist obendrein gefährlich für andere. Ich habe die Leute nie verstanden, die sich in der Lage fühlten zu sagen: »Ich habe recht. Du hast unrecht. Und du kommst in die Hölle.« Ich verstehe, dass man, wenn man wirklich glaubt, die Antwort auf die Fragen des Lebens, des Universums und des ganzen Rests gefunden hat, wahrscheinlich herumgehen und darüber reden möchte. Aber sagen Sie den Menschen nicht, dass sie unrecht haben. Machen Sie anderen nicht das Recht streitig, an etwas anderes zu glauben als Sie. Und was Sie ganz bestimmt nicht tun sollten, ist, jemanden zu töten, wenn er etwas anderes glaubt als Sie oder etwas über Ihren Glauben sagt.

Aber das alles ist Ihnen wahrscheinlich klar.

Und vermutlich gibt es sowieso nicht viele Fundamentalisten, die das hier lesen.

Aber es gibt vermutlich viele unter Ihnen, die sich als »spirituelle« Menschen verstehen. Ich liebe die Vielfalt in der westlichen Gesellschaft der heutigen Welt.

Es herrscht eine große Offenheit für spirituelle Ideen und es gibt eine enorme Bandbreite an geistigen Anschauungen, die alle leicht zugänglich sind (das war nicht immer so).

Viele von uns haben heute in Sachen Spiritualität einen »Pick 'n' mix«-Ansatz. Das bedeutet, dass man sich aus einer Reihe von Süßigkeiten bedient, zum Beispiel Gummibärchen, Karamellbonbons, Cola, Kaugummi, Schokoladenrosinen, Ananasstücke, Dauerlutscher

Lakritze, Colawürfel, Katzenzungen etc. Sie schauen sich die Riesen-auswahl köstlicher nummerierter Zuckerwerke in ihren Plastikbehältern an, haben eine Papiertüte in der Hand und benutzen dann die kleinen Schaufeln, um sich Ihre Mischung zusammenzustellen. Die spirituellen Süßigkeiten, die wir in unsere spirituelle Tüte schütten, sind nicht ganz so köstlich, aber besser für die Figur. Hier nur ein paar Beispiele aus dem Regal: Reiki, Astrologie, Buddhismus, Schamanismus, neurolinguistische Programmierung, Emotional Freedom Techniques (EFT), Kristallheilung, Fernheilung, Taoismus, Hinduismus, Engeltherapie, Heißstein-Therapie, Yoga, Tai-Chi, Energiekunst, schwarze Magie, Heilungswissen … und so weiter. Manche kommen in die Tüte, die anderen nicht, weil wir nichts mit ihnen anfangen können. Es gibt sehr wenig feste »Dogmen«, auf die sich der New-Age-Suchende verpflichten müsste – entweder sagen wir, dass wir »spirituell« sind oder eine »spirituelle Seite« haben oder dass wir versuchen, mit unserem »höheren Selbst« oder unserer »Seele« Tuchfühlung aufzunehmen. Das deckt sowohl den Geist wie die Seele ab, denn die Genres verschwimmen an den Grenzen. Und sie beinhalten ebenso den Körper wie den Geist und die Seele. Manche integrieren die drei (im Holismus – noch so ein »smus« – geht es oft genau darum, die gegenseitige Verbundenheit all dieser Elemente zu erkennen).

Nehmen wir beispielsweise Yoga, Körperarbeit, die mit einem spirituellen Ziel verbunden ist (und zwar der Herstellung der »Einheit« des Materiellen und des Spirituellen) und die die physischen Asanas nur benutzt, um diese Einheit herzustellen. Viele Leute praktizieren Yoga jedoch als Sport, wie eine Aerobic-Stunde für das 21. Jahrhundert. Da wir sieben Jahre lang einen Yoga-Retreat geleitet haben, wissen wir ein wenig über dieses Phänomen Bescheid. Ich habe zahllose Feedback-Fragebögen, die von diesen neuen Großstadt-Yogis ausgefüllt worden sind, gelesen, auf denen sich Gefühle wie etwa folgende niederschlugen: »Das Yoga war viel zu spirituell.« – »Das Yoga war

toll, nur nächstes Mal bitte weniger von dem spirituellen Zeug.« –
»Fand das Yoga super, toller Lehrer, aber hatte genug von den spirituellen Messages.« – »Lieber Priester, fand den Gottesdienst super …
die Choräle waren exzellent, das Knien habe ich wirklich genossen
und Brot und Wein waren köstlich … aber genug von Gott, für unsere Zeit ist das viel zu spirituell.«

In unserer spirituellen Papiertüte haben wir auch »spirituelle« Vorstellungen. Wir glauben, dass alles einen Grund hat; dass alles perfekt
ist. Wir versuchen, im Jetzt zu sein; wir reden viel über »Vertrauen«;
wir »folgen dem Strom«; wir erkennen, dass Gedanken Wirklichkeit
schaffen; wir wissen, dass wir spirituell alles in unserem Leben manifestieren können; wir glauben, dass alles eine Energie hat; wir mögen
die Energie anderer Leute (oder nicht); wir versuchen, die Dinge so
zu akzeptieren, wie sie sind; wir lieben das, was ist; wir versuchen,
nicht zu urteilen; wir sind »auf dem Weg« (ein spiritueller Weg noch
dazu) und alles ist Teil dieses Weges; wir glauben nicht an die traditionellen moralischen Vorstellungen von richtig und falsch, sondern
an die Liebe; wir glauben an freie Liebe (nett) und an den Frieden
und wir wollen negative Energie reinigen und Frieden verbreiten …

Wir füllen unsere spirituellen Taschen mit realen Dingen, die uns
auf unserem spirituellen Weg helfen sollen: Tarotkarten, Engelkar-
ten, Kristalle, ätherische Öle, Gebetsfahnen, Räucherstäbchen, Kräu-
terbündel, Redestäbe, Trommelstöcke …

Wir essen auch gut auf unserem spirituellen Weg: fleischlos, ohne
Milchprodukte, glutenfrei, grausamkeitsfrei, pestizidfrei, humorfrei
und ganz sicher niemals »frei«.

Und obwohl Gaia und ich es beide komisch finden, benutzen und
verwenden auch wir viele dieser Dinge und haben sie sozusagen
abonniert. Doch immer im Stil von »pick 'n' mix«. Und unsere Mischung ändert sich ständig. Wir bleiben nie an etwas hängen. Und
wir nehmen es immer »cum grano salis« (was nicht unbedingt mit der
Metapher von den Süßigkeiten zusammenpasst, die würden damit

alle WIDERLICH schmecken), weil ein Körnchen Salz sie zu einer spaßigen, faszinierenden Angelegenheit macht.

Also, wo versteckt sich das Gefängnis in dieser »pick 'n' mix«-Spiritualität? Im Zu-ernst-Nehmen der Dinge; darin, sich auf etwas zu fixieren; zu glauben, irgendeine Sache sei die ultimative Antwort (oder, noch schlimmer, zu glauben, es sei so und alle anderen lägen falsch). Es ist auch leicht, neue Hierarchien von »gut und schlecht« zu schaffen. Wir denken vielleicht nicht länger, dass Sex vor der Ehe »schlecht« ist, aber vielleicht betrachten wir Wut als böse oder den Materialismus oder Egoismus … oder wir entdecken schlechte Energie (in Leuten und Orten), schlechte »Vibes«. Wir sind gnadenlos dualistische Wesen, wir wollen ständig diskriminieren und die Dinge trennen. Wir trennen oft unsere »spirituelle Seite« ab, wir trennen das Gute vom Bösen, wir trennen unsere Vorstellungen von denen anderer Leute und wir trennen uns von den anderen. (Oder, was wahrscheinlich eher der Fall ist, wir erleben uns als getrennt von den anderen und machen uns Sorgen, die anderen könnten »besser« sein als wir, und so finden wir Wege, uns besser zu fühlen. Das ist eigentlich Religion. Ebenso ist es die Quelle eines Großteils unserer Schmerzen, unserer Kämpfe und Kriege. Weil wir glauben, wir seien getrennt, und uns sorgen, wir seien nicht gut genug, verstärken wir die Trennung noch, indem wir uns von anderen distanzieren und sie sogar bekämpfen.)

Sagen Sie *Fuck It* zum Fixieren von Vorstellungen. Nehmen Sie all das leicht. Und entwickeln Sie ein »Gefühl« für eine mögliche »spirituelle« Wahrheit: Dass wir überhaupt nicht getrennt sind, sondern dass wir alle verbunden, ja vielleicht sogar alle eins sind. Unsere Wahrnehmung des Getrenntseins ist nur Illusion – eine Illusion, die all das Leid erzeugt. Aber machen Sie jetzt nicht den »Sprung«, das zu »glauben«, denn es könnte Ihnen passieren, dass Sie damit in ein anderes Gefängnis springen.

> Sagen Sie *Fuck It* zum Fixieren von Vorstellungen.

Mannomann, wir mögen unsere Gefängnisse schon sehr, oder?

Warum gibt es Gefängnisse?

Ein Gefängnis ist sicher

Gelegentlich werden wir unsere Metapher überstrapazieren, besonders wenn ich sage, dass ein Gefängnis sicher ist. Denn in einem regulären Gefängnis ist man wahrscheinlich kaum in Sicherheit. Sie haben aus vielerlei Gründen ein Gefängnis für sich geschaffen, und einer davon ist wahrscheinlich der, dass es sich sicher anfühlt. Es fühlt sich beispielsweise sicherer an, Ihre Meinungen und Glaubenssätze zu fixieren, als in einem Zustand des Nichtwissens zu verbleiben, denn das ist nicht unbedingt bequem oder leicht. Ein einfacherer, fundamentalistischerer Glaube fühlt sich sicherer an als ein liberaler, offener Glaube, der Fragen stellt. Es ist sicherer zu glauben, dass da oben ein Gott ist, der sich um einen kümmert, und an ein Leben nach dem Tod, selbst wenn diese Glaubenssätze verhindern, dass Sie zu einem höherentwickelten Verständnis dessen kommen, was vermutlich das Wesen »Gottes« und die Bedeutung seiner Worte in den heiligen Schriften ist.

Sie sind unglücklich mit dem Gefängnis der Religion, in der Sie aufgewachsen sind? Dann suchen Sie sich eine andere. So wie jemand, der eine Beziehung beendet hat, oft im »Rebound« in die nächstgelegene Version derselben Sache springt, ist es auch mit der Religion. Oder es wird eine eigentlich interessante Philosophie zur Religion erhoben.

Der Buddhismus ist das Paradebeispiel hierfür. Buddha war – ist – kein Gott. Er war ein Mann, der zur »wahren Wirklichkeit« des Lebens »erwachte«. (Ich weiß, ich bin auch nicht unbedingt begeistert davon, hier alles in Anführungszeichen zu setzen, aber sie sind hilfreich, um zu zeigen, dass ich nicht sage, dass er zur wahren Wirklichkeit erwachte … wer weiß, aber er dachte, es wäre so, und die Buddhisten tun es auch.) Aber viele Buddhisten haben sich über ihn hinweggesetzt. Der entscheidende Punkt ist, dass er ein »gewöhnlicher Mann« war (oje, jetzt benutze ich die Sonderzeichen schon wieder … diesmal musste ich es tun, weil er zwar vielleicht ein Sterblicher war und kein Gott, aber keineswegs ein gewöhnlicher Jedermann, sondern als Prinz auf die Welt kam). Er war wie wir, also können auch wir erwachen … wenn wir nur diesen Bodhi-Baum finden.

Aber hier geht es nicht nur um Spiritualität und Religion. Wenn wir uns Schwierigkeiten gegenübersehen, dann finden wir oft Zuflucht an Orten, die später für uns zum Gefängnis werden können. Sagen wir, jemand erfährt, dass er eine ernste Krankheit hat, beispielsweise eine behandelbare Form von Krebs. Dann kann er in der ausgeklügelten Wissenschaft der Onkologie eine Zuflucht finden – indem er etwas über die guten Überlebenschancen, die unterschiedlichen Behandlungsmethoden und die ersten Schritte mit der richtigen Methode lernt. Oder er könnte sich der Idee einer Behandlung auch gänzlich verschließen und Zuflucht in dem Glauben finden, dass der Körper sein eigener, bester Heiler ist, und dann mithilfe einer Vielzahl natürlicher Therapien daran arbeiten, positiv und entspannt zu bleiben, und zwar dank des Wissens, dass sich die Heilung ganz natürlich vollziehen wird (das ist keine unwissenschaftliche Option; die Macht des Geistes bei einem Heilungsprozess ist wissenschaftlich erwiesen). Oder er könnte während der Behandlung eine Zuflucht in Gott finden, der einen Plan für ihn hat und somit in der Tatsache, dass das alles Teil des Plans ist – er vertraut auf Gott, egal, wo Gott ihn hinführt, und dieses Vertrauen ist sehr tröstlich. Oder er findet eine Zuflucht darin, anderen zu helfen, die die gleiche Diagnose erhalten haben, und schafft eine Unterstützungsgruppe für seine Mitleidenden. Oder findet Zuflucht darin, Geld für weitere Forschungen aufzubringen, um die Überlebensraten zu erhöhen. Oder er nimmt die Diagnose als weiteres Beispiel für sein ständiges Pech im Leben und die Tatsache, dass es immer ihm passiert. Oder er geht der Frage nach, welche »Lektionen« die Diagnose ihn lehren soll. Er arbeitet mit einem Berater, um den wahren Grund für seine Krankheit herauszufinden – die emotionalen Samen, aus denen so eine toxische Pflanze hervorgewachsen ist –, und glaubt, dass der Krebs zurückgehen wird, sobald diese Samen erst entdeckt sind und er mit ihnen gearbeitet hat. Es gibt zahllose Modelle, die wir erschaffen oder denen wir uns verschreiben, wenn wir bedürftig sind und uns Schwierigkeiten gegenübersehen. Alle haben ihren Wert und können helfen.

Sagen Sie *Fuck It* zu der Idee, sich an irgendeinem Modell festzuhalten, besonders wenn es sich einfach »sicher« anfühlt.

Doch alle können später zum Gefängnis für uns werden, weil fixe Modelle unflexibel sind und die Tendenz haben, den sich wandelnden Umständen gegenüber nicht anpassungsfähig genug zu sein.

Also, spielen Sie mit dem Gedanken, *Fuck It* zu der Idee zu sagen, sich an irgendeinem Modell festzuhalten, besonders wenn es sich einfach »sicher« anfühlt, und halten Sie stattdessen Ausschau nach dem, was sich in jedem Moment »wahr« anfühlt.

Ein Gefängnis ist natürlich

Es ist jedoch durchaus natürlich, den Wunsch zu hegen, alles zu fixieren. Es ist durchaus natürlich, sich ein Modell zu suchen, das funktioniert, und dann dabei zu bleiben. Wir sind Gewohnheitstiere.

Das neuronale Netzwerk im Gehirn funktioniert genau so: Wenn wir auf bestimmte Art auf eingehende Stimuli reagieren, wird diese Reaktion oder dieses Verhalten in Form eines neuronalen Pfades niedergelegt. Wenn wir uns das nächste Mal denselben Stimuli gegenübersehen und auf dieselbe Art reagieren, wird der neuronale Pfad verstärkt. Das ist ganz so, wie wenn Sie über ein Feld mit jungem Korn gehen: Dabei machen Sie einen Trampelpfad und wenn Sie am Tag darauf demselben Pfad wieder folgen, dann wird er dauerhafter verstärkt.

Genauso entstehen viele neuronale Pfade in Ihrem Gehirn. Und wenn sich diese Pfade einmal etablieren, dann bedeutet das, dass es äußerst unwahrscheinlich ist, dass Sie, wenn Sie sich denselben Stimuli gegenübersehen, auf eine andere Art als die gewohnte reagieren. Tatsächlich ist es nicht nur so, dass wir auf dieselbe Art auf unterschiedliche Stimuli reagieren. Nein, in der Tat wählen wir die Stimuli, die wir verarbeiten wollen, schon von Anfang an auf der Grundlage unserer Programmierung aus. Ihr Gehirn wird in jedem Augenblick mit Milliarden von Bits an Informationen bombardiert. Sie können sich das am einfachsten klarmachen, indem Sie sich vorstellen, dass Sie eine viel befahrene Hauptstraße entlanggehen, eine Straße mit all ihren Aktivitäten, Bewegungen, dem Lärm, den Gerüchen, der Hitze oder Kälte etc. Wenn Ihre Augen und die anderen Sinne voll funktionstüchtig sind, absorbieren Sie riesige Mengen von Information. Doch nur eines winzigen Bruchteils davon sind Sie sich bewusst und es ist der unbewusste Teil Ihres Gehirns, der das meiste davon registriert. Doch Sie filtern die eingehenden Informationen immer noch basierend auf Modellen dessen, was Sie bereits erlebt haben. Es ist überaus wahrscheinlich, dass Sie etwas gar nicht erkennen würden, das nicht innerhalb Ihres momentanen Erfahrungshorizonts liegt.

Das ist ein eigentümlicher Gedanke – und wenn es etwas äußerst Unbekanntes ist, dann hätte es vielleicht noch nicht einmal eine Chance, registriert zu werden! Das bedeutet, dass wir nur das erkennen, was wir bereits kennen. Um dieses Phänomen zu erklären, ist es hilfreich, das Beispiel der Eingeborenen heranzuziehen, die noch niemals Schiffe gesehen hatten, bevor die ersten Forschungsreisenden ankamen. Es gibt Berichte (von Captain Cook, Magellan und anderen), dass die Ortsansässigen zwar die kleinen Landungsboote grüßten, aber die Schiffe, die weiter draußen vor Anker lagen, tatsächlich nicht sehen konnten – selbst wenn sie in Richtung Meer schauten. Lächerlich? Geben Sie nicht mir die Schuld. Ich habe das

Beispiel nicht erfunden. Ich habe auch nicht die Gehirnforschung erfunden.

Es ist überaus natürlich, unsere Modelle zu fixieren, unser Netzwerk neuronaler Pfade zu verstärken, Gewohnheiten zu formen und sie zu Gefängnissen werden zu lassen. Und so ist es ein Teil des *Fuck It*-Lösungsprozesses, bewusste Anstrengungen zu unternehmen, diese Gewohnheiten zu durchbrechen. Es ist möglich, einige der Netzwerke des Gehirns neu zu verdrahten. Es ist ebenfalls möglich, diese Neuverkabelung so vorzunehmen, dass es eine offenere Reaktion auf Stimuli gibt, indem man neue Wahrnehmungsgewohnheiten entwickelt und einübt.

Tatsächlich sind Sie im *Fuck It*-Zustand, wie wir das nennen, ganz von selbst offener für Stimuli. Und das ist der Trick – Sie benutzen die *Fuck It*-Lösung, um in einen Zustand zu gelangen, in dem Sie von ganz von selbst offener sind, weil Ihnen das aus Ihrem von Natur aus beschränkteren Zustand heraushilft.

In einem Gefängnis gibt es Regeln und Vorschriften

In der Musik und in Filmen glorifizieren wir die Menschen, die Regeln brechen, die Rebellen und die Pioniere. Unsere Fantasie ist Freiheit; wir entledigen uns der Ketten, die uns fesseln, und machen uns auf den Weg in die Welt. Es gibt natürlich auch jene, die niemals diese Fantasie hatten; die zufrieden damit sind, von 9 bis 17 Uhr zu arbeiten, 2,2 Kinder und ein nettes Eigenheim in der Vorstadt zu haben, samt Standardfamilienauto, Wochenendausflügen, Urlaub zu Hause, Ersparnissen für den Ruhestand, Boccia-Spielen auf dem Rasen, dem Altersruhesitz, dem Sarg in mittlerer Preisklasse. Ich wiederhole: Diese Menschen sind glücklich damit, so zu leben. Also lassen Sie sie in Ruhe und verachten Sie sie nicht dafür.

Doch die meisten von uns finden die Freiheit und das Sich-über-Regeln-Hinwegsetzen überaus verlockend. Und deshalb haben Musik und Filme so eine starke Wirkung auf uns, allerdings nicht, weil wir frei und unterwegs sind. Glauben Sie, die wahren Rebellen und Pioniere schauen *Thelma und Louise* oder hören The Clash? Nein, sie arbeiten für uns, weil wir immer noch in Ketten liegen. Wissen Sie, wie viele Schlipsträger mit einem großen Motorrad es da draußen gibt? Oder wie viele Audi-Fahrer Eminem hören? Wie viele Großväter Punk hören? Wie viele Angestellte »cool« sagen? Wie viele Schulkameraden Finanzberater geworden sind? Verachten Sie sie nicht. Wahrscheinlich bin ich es. Wahrscheinlich sind Sie es. Warten Sie, bis Ihre Kinder Teenager sind, dann kriegen Sie die Liste.

Warum sind wir – mit so einer starken gemeinsamen Fantasie – noch in Ketten? Weil wir diesen Zustand natürlich auf einer bestimmten Ebene schätzen. Wir mögen die Gesetze und Vorschriften eines geregelten Lebens. Durch sie fühlen wir uns sicher. Egal, wie sehr wir davon träumen, diese Regeln zu brechen, haben wir doch insgeheim Angst davor, wie das Leben aussehen würde, wenn es sie nicht gäbe. Die Leute reden von Soldaten oder Gefangenen, die »institutionalisiert« werden, das heißt abhängig von Ordnung und Routine sind. Es ist leicht, jemand anzuschauen, der nach Langem das Militär verlässt oder aus dem Gefängnis freikommt, und zu erkennen, warum das schwierig ist, und dann zu sagen: »Ah ja, die sind institutionalisiert worden.« Und Sie glauben also, bei Ihnen sei das anders? Sie glauben, dass Sie sich nicht so stark auf Ihre Institutionen verlassen wie die Soldaten sich auf ihre? Sie glauben, dass Sie nicht von Ihrem Status in der Arbeit, Ihrer Routine, Ihrer Familie, der Unterstützung Ihrer Freunde, des ökonomischen Netzwerks, das Sie füttert und unterhält, von den Infrastrukturen, die Ihnen Dinge verkaufen, Sie von A nach B bringen, Sie auffangen und heilen, wenn Sie krank werden, abhängig sind?

Versuchen Sie einfach hin und wieder einige der Elemente der Regeln und Vorschriften, innerhalb derer Sie sich normalerweise bewegen, genauer unter die Lupe zu nehmen. Wenn Sie in einem Büro arbeiten und davon träumen, Ihr eigener Chef zu sein und die Freiheit zu haben, von zu Hause zu arbeiten, dann versuchen Sie es einmal ein paar Wochen, wenn Sie können. Und dann kriegen Sie den Weckruf, Sie begegnen der Wahrheit, die Sie unbewusst längst vermutet haben, nämlich dass es gar nicht so leicht ist. Nicht, dass es nicht eine brillante Idee wäre, eine Möglichkeit zu finden, den Nine-to-Five-Job an den Nagel zu hängen und sich mit etwas selbstständig zu machen, wobei Sie am Strand arbeiten können – wir geben Ihnen nachher ein paar Tipps, wie man genau das erreichen kann. Aber es ist eine eigentümliche Tatsache, dass Ihre Fantasie-Alternativexistenz umso weiter von Ihnen entfernt ist, als Sie sie idealisieren.

Sagen Sie *Fuck It* zu unerreichbaren Träumen.

Sie bleiben im Gefängnis, weil Sie sich in Wahrheit davor fürchten, ohne Regeln und Vorschriften zu leben. Wir werden lernen, wie man *Fuck It* zu unerreichbaren Träumen sagt und wie man herausarbeitet, was man tun will und was man dafür tun kann.

Ein Gefängnis kann äußerst bequem sein

Stellen Sie sich die Mafiabosse in ihren Luxuszellen vor, wie sie ihre Imperien mit Smartphones von Toiletten mit goldener Klobrille aus leiten. Jetzt verabschieden Sie sich von diesem Bild. Es ist unrealistisch und trägt wenig zum nächsten Punkt bei.

Das Gefängnis, das Sie für sich selbst schaffen, kann komfortabel sein. Nicht nur, weil es sich sicher anfühlt und es natürlich ist, so zu leben, oder weil all die Regeln und Vorschriften der bestimmten Institution, für die Sie sich entschieden haben, wunderbar Hand in Hand gehen, sondern weil ungeheure Ressourcen darauf verwendet wurden, es bequem für Sie zu machen. Ein Großteil der Gesellschaft ist darauf ausgerichtet, die individuellen und kollektiven Gefängnisse der Bevölkerung aufrechtzuerhalten.

Betrachten Sie beispielsweise Ihr Arbeitsleben. Obwohl ich dieses Buch mitten in einer Rezessionsphase schreibe, im Zeitalter der Einschränkungen, sind die meisten Leute über die letzten Jahrzehnte hinweg stetig wohlhabender geworden. Wir haben es wirklich noch nie so gut gehabt. Und dennoch arbeiten viele Menschen immer noch 40 Stunden jede Woche, selbst wenn die meisten davon träumen, weniger zu arbeiten, mehr Freizeit zu haben oder früh in den Ruhestand zu gehen. Unterdessen haben wir alle nur Augenblicke von einer leicht zu verwirklichenden Fantasie entfernt gelebt. Alles, was wir sagen müssen, ist: »Ich brauche kein größeres Haus, ich verzichte auf das neue Auto und arbeite weniger. Ich tausche meine materiellen Dinge gegen mehr Zeit ein.« Anders als beispielsweise noch vor 50 Jahren ist es möglich, sich Freizeit zu kaufen (denn sehen Sie, letztlich tun Sie genau das, wenn Sie weniger arbeiten, weniger verdienen und mehr Freizeit genießen). Die zunehmende Kluft zwischen dem, was es braucht, um ein angenehmes Leben zu führen, und dem, was wir alle haben, bedeutet, dass es ein Leichtes gewesen wäre, sich zu verkleinern und mehr Zeit zu genießen. Doch wie viele Leute haben das tatsächlich getan? Die Zahl ist relativ klein, wenn Sie berücksichtigen, wie viele Leute es getan haben *könnten*. Vor 15 Jahren war ich der erste Mann in unserer fortschrittlich denkenden Werbeagentur, der in die Teilzeit wechselte. Die Zeit, die ich mir so jede Woche erkauft hatte, nutzte ich zum Schreiben. Ich war verblüfft davon, wie viele Leute sagten: »John, gütiger Himmel, hast du ein Glück, wie hast du das nur gemacht?«

»Ich habe nachgefragt«, war meine Antwort.

Die Menschen haben mich angeschaut, als würden sie verstehen, was ich sagte: dass auch sie nachfragen konnten. Aber das würden sie nicht tun, oder? Es gab immer eine Pause und dann in etwa Folgendes: »Ah, nein, das könnte ich nicht machen, weil…« Und dieselbe alte Liste wurde heruntergeleiert. Aber das waren wohlhabende Leute. Auch sie hatten Unternehmergeist, Vorstellungskraft, Selbstvertrauen. Und dennoch betteten sie sich lieber auf der Annahme, sie könnten das nicht machen, weil man ihnen nicht die Gelegenheit dazu gegeben hätte, statt der Wahrheit ins Auge zu sehen, dass sie es niemals machen würden, weil sie die Entscheidung getroffen hatten, die Insignien beruflichen Erfolges zu genießen statt der Freiheit, die sich zu wünschen sie verkündeten.

Warum haben so wenige von uns die Gelegenheit ergriffen, sich zu verkleinern und das Leben mehr zu genießen? Weil wir uns an einen höheren Lebensstandard gewöhnt haben. Aber es ist mehr als das. Es lag einfach im Interesse von kaum jemanden, sich zu verkleinern, weniger zu arbeiten und mehr Zeit zum Entspannen zu haben. Stellen Sie sich nur die Auswirkungen auf die Wirtschaft vor. Je mehr wir arbeiten, desto höher das Bruttosozialprodukt unseres Landes ist, desto mehr Geld generiert unsere Firma, die mehr Dienstleistungen von anderen Firmen kaufen kann und uns mehr bezahlt, was wir wiederum für Dinge ausgeben, die von anderen Firmen produziert werden, die wieder Güter und Dienstleistungen von anderen Firmen kaufen und ihren Angestellten mehr bezahlen und so weiter und so fort. Das Problem dabei: Wie kriegt man eine Bevölkerung, die sowieso schon mehr hat, als sie braucht, dazu, immer noch mehr zu wollen? Die Lösung: Sie müssen diesen Leuten die folgenden Phrasen immer und immer wieder vorsagen:

»Sie werden nicht glücklich sein, bis Sie nicht Ihr Potenzial ausgeschöpft haben (Ihre Karriere vorangebracht, es ganz nach oben geschafft haben etc.), klüger geworden sind (indem Sie lesen, sich weiterbilden etc.), so gut aussehen wie nur möglich (die Diäten gemacht haben, Mitglied in den Fitnessstudios geworden sind, die Haarpflegemittel benutzt und sich Operationen unterzogen und die Zähne kosmetisch verschönert haben lassen etc.).«

> Alles um uns her ist darauf ausgelegt, uns davon zu überzeugen, dass die Gefängnisse, die wir für uns selbst geschaffen haben, die einzige Möglichkeit sind zu leben.

Und die Schuld liegt keineswegs nur bei den Werbeleuten. Sicher, sie sind es, die die »Musst-du-haben«-Steroide in den Markt pumpen und dafür sorgen, dass Sie sich ohne die Ware inadäquat und verzweifelt fühlen, aber das sind nur die Mittelsmänner zwischen den Firmen und Ihnen. Sie wollen es. Die liefern es. Die Schuld liegt bei uns. Die Schuld liegt bei den Medien. Das ist ein kranker, inzestuöser Kreislauf. Ruhm und Reichtum sind die stärksten Währungen in unserer Kultur. Als ich ein Kind war, war alles, wovon ich träumte, irgendetwas Tolles zu machen (ich wollte zuerst Fußballer werden, dann Rockstar und später Schriftsteller). Ich wollte diese aufregenden Sachen machen, weil ich es liebte, Fußball zu spielen, Gitarre zu spielen und später zu schreiben. Ich träumte nicht von dem Geld, das ich verdienen, oder dem Ruhm, den ich genießen würde. Obwohl ich natürlich annahm, dass man so auch reich und berühmt sein würde. Aber das war nicht das Ziel. Oliver James zitiert in seinem Buch *Affluenza* eine Studie, bei der Kinder gefragt wurden, was sie werden wollten, wenn sie groß sind. Die meisten antworteten: berühmt. Dann wurde weitergefragt: »Wofür willst du berühmt sein?« Die meisten Kinder wussten es nicht, weil das Berühmtsein an sich ihr Ziel war, nicht die Sache, die sie berühmt machen würde.

Wir leben im Zeitalter von *Big Brother*, in dem die Leute für einen Moment berühmt werden, nicht, weil sie irgendetwas Umwerfendes getan hätten, sondern weil sie in einem Haus herumsitzen und alle anderen ihnen dabei zuschauen.

Alles um uns herum ist darauf ausgelegt, uns davon zu überzeugen, dass die Gefängnisse, die wir für uns selbst geschaffen haben, die einzige Möglichkeit sind zu leben. Wir fühlen uns wohl, weil es ja ein materiell gesehen komfortables Leben ist, aber auch, weil alle im selben Boot sitzen. Oder im Gefängnis. Oder im Gefängnis-Schiff. Das ist es. Wir sitzen in einem riesigen Gefängnis-Schiff mit fellgepolsterten Zellen, goldenen Klobrillen und Firmenlakaien jeglichen Alters, Geschlechts und jeder Weltanschauung, die dafür bezahlt werden, uns Blowjobs zu geben, wann wir nur wollen, solange Sie nur WEITER KAUFEN und nur ja niemals daran denken, über Bord zu springen. *Fuck It*. Ziehen Sie die Badehose an.

Wann sind wir im Gefängnis?

Die Mauer durch-schauen

Sie könnten nun sagen, dass Sie nicht im Gefängnis sind und es auch niemals waren. Jemand, der Sie kennt, ist vielleicht anderer Meinung und könnte den Grund genau angeben: Sie waren schon immer im Gefängnis und werden es vielleicht immer sein. Es ist sicherlich nicht so einfach zu definieren wie bei einem Gefängnis aus Ziegeln und Mörtel. Aber es bedeutet auch, dass man dem metaphorischen Gefängnis, sobald man es einmal gesehen hat, leichter entkommen kann als dem echten. Tatsächlich genügt es manchmal schon, die metaphorischen Mauern nur zu sehen, damit sie sich auflösen.

Aber wenn ich einen gewissen Grad an Bewusstsein bei Ihnen voraussetze, dann befinden wir uns vermutlich im Land der nicht-übereinstimmenden Definitionen. Oder Sie sind zumindest glücklich mit den offenkundigen »Beschränkungen«, die in Ihrem Leben herrschen. Sie sind sich vielleicht bewusst, dass Ihr dialektischer Materialismus seine besten Tage hinter sich hat und Sie wahrscheinlich beschränkt, aber Sie sind zufrieden mit Ihrem Leben innerhalb dieser Grenzen, Ende der Diskussion.

Andere sehen ihre Beschränkungen und wollen ausbrechen. Wieder andere wissen gar nicht, dass sie »drinnen« feststecken.

Nach einer Weile vergessen die Insassen, dass sie im Gefängnis sind

Obwohl Sie vielleicht glauben mögen, dass die Mauern und die Gitterstäbe ein täglicher Denkzettel sind, dass man sich in einem Gefängnis befindet, werden diese doch nach einer Weile unsichtbar. Es sind andere Gefangene, die einen Gefangenen umgeben, nicht freie Menschen. Das Leben im Gefängnis fühlt sich nach einer Weile normal an. Also ersetzen irgendwann andere Themen das Thema »Ich bin im Gefängnis und will raus«. Wenn Sie in einer undefinierbaren und nicht wirklich hübschen Stadt leben – und jedes Land hat so eine oder mehrere davon, also wissen Sie, von welchem Ort ich spreche, egal, wo Sie sind (in Deutschland könnte das unter anderem Duisburg sein) –, dann sind Sie jeden Tag von Leuten umgeben, die auch dort leben. Es gibt nur wenige Außenstehende, die Ihnen sagen, wie schrecklich dieser Ort ist, oder sagen, wie hübsch es woanders ist (in Deutschland wäre das vermutlich Wildbad Kreuth – ein etwas entfernter, aber sehr angenehmer Ort). Und selbst jene, die zu Besuch kommen, können a) wieder wegfahren und würden b) Ihnen nicht sagen, wie schrecklich es ist, weil sie zu höflich sind (ganz besonders wenn es sich um Briten handelt). Nachdem Sie eine Zeit lang in so einer Stadt gelebt haben, umgeben von anderen Leuten, die dort leben, vergessen Sie, dass Sie gewissermaßen in der Hölle wohnen.

Dieser Grund sollte ausreichen, um regelmäßig weite Reisen zu unternehmen und sich so von dem hypnotischen und seelentötenden Effekt der falschen Art von Akzeptanz zu reinigen.

Also, für die Insassen, die vergessen, dass sie im Gefängnis sind (oder für Menschen aus hässlichen Städten, die nie reisen): Sie werden wahrscheinlich auf Gedeih und Verderb auf lange Sicht im Gefängnis bleiben. Welche Rolle es spielt, dass sie es vergessen haben? (Das werden Sie bald genug im Abschnitt »Warum sollten wir aus dem Gefängnis ausbrechen wollen?« erfahren.)

Nach einer Weile ist »die Welt draußen« ein Furcht einflößender Ort

Es gibt eine Szene in *Die Verurteilten* (siehe Appendix II: Unsere Top Fünf-Gefängnis-Filme), in der der alte Mann, der schon seit Ewigkeiten im Gefängnis ist, endlich entlassen wird. In den 40 Jahren, die er eingesperrt war, hat sich die Welt draußen unaufhaltsam verändert und ist nicht wiederzuerkennen. Er ist von jedem Aspekt dieser fremden, modernen Welt schockiert – von den hupenden Autos bis hin zur rauen Arbeitswelt. Innerhalb von ein paar Tagen hat er sich aufgehängt. (Entschuldigung, wenn ich jetzt etwas verraten habe, falls Sie den Film noch nicht kennen, auch wenn es nicht das Ende des Films ist. Wenn Sie keine Lust haben, den Film anzusehen, und das Ende trotzdem erfahren möchten und Sie ihn gleichzeitig für die Leute in Ihrer Familie und Ihrem Freundeskreis ruinieren wollen, die ihn ebenfalls nicht gesehen haben, sich aber die Mühe machen würden, ihn anzuschauen, blättern Sie vor zu Appendix IV, der den passenden Titel »Das Ende von *Die Verurteilten*« trägt.)

Am freiesten sind wir vermutlich als Kinder. Freisein ist da ganz natürlich. Wir müssen uns gar nicht anstrengen, um frei zu sein. Wir müssen uns nicht stählen oder uns unseren Ängsten stellen, um etwas zu tun. Wir tun es einfach. Doch wenn wir aufwachsen und die Mauern um uns hochziehen und uns daran gewöhnen, im Gefängnis zu sein, und uns mit anderen Gefangenen umgeben, dann kann uns schon der bloße Gedanke, »draußen« zu sein, Angst machen. Es ist so lange her, dass wir echte Freiheit erlebt haben, dass wir nicht mehr

Warum sollten wir aus dem Gefängnis ausbrechen wollen?

wissen, ob wir damit zurechtkämen. Es bedeutet, dass, obwohl wir uns vielleicht manchmal aus unseren Gefängnissen herauswagen (zum Beispiel wenn wir ein anderes Land oder einen anderen Ort besuchen oder ein paar Gläser Wein trinken), wir doch sehr bald in die Sicherheit der hohen Mauern um uns herum zurückkehren.

Wiederholungstäter

Dieser Mangel an Vertrautheit mit der Welt draußen, diese zugrunde liegende Furcht vor der Freiheit, die wir ständig erlebten, als wir jünger waren, bedeutet, dass – selbst bei denen von uns, die sich nach Freiheit sehnen und bewusst versuchen, die vielen Wälle unseres Gefängnisses niederzureißen – wir uns schnell wieder in die Sicherheit unseres Gefängnisses zurückbegeben. Wir sind Wiederholungstäter. Und manche Menschen leben ihr Leben auf diese Art. Sie durchleben Zeiten, in denen sie in der Falle sitzen und es auch spüren, aber sie scheinen nicht in der Lage zu sein, einen Weg hinaus oder hindurch zu finden. Dann versuchen sie zu entkommen und wieder Freiheit zu genießen, nehmen große Änderungen in ihrem Leben vor, fallen dann aber langsam wieder in Muster, Beziehungen, Jobs oder Orte zurück, mit denen sie erneut in der Falle sitzen.

Lebenslänglich

Einige Leute würden sagen, wir alle hätten lebenslänglich bekommen und nur sehr wenigen sei es vergönnt, in ihrem Leben echte Freiheit zu erfahren, die man üblicherweise über die Erfahrung der »Erleuchtung« definiert, womit sie das Durchschauen der Realität als den Geist fesselnden Traum meinen. Die wahre Wirklichkeit (das heißt die Welt außerhalb des Gefängnisses) ist aber ein anderer »erleuchteter« Bewusstseinszustand.

Wir könnten argumentieren (und werden das gegen Ende des Buches auch tun), dass das Gegenteil stimmt: Wir alle sind bereits frei; die Sache ist nur die, dass wir das nicht erkennen. Stattdessen sehen wir, wie wir »in der Falle sitzen«, und sehnen uns nach »Freiheit«. Tatsächlich scheint der natürliche Prozess etwa so auszusehen:

Wir fangen frei an, als Kinder, aber ohne uns dessen bewusst zu sein, denn wir kennen nichts anderes.

Wir wachsen heran und verlieren unsere Freiheit, ohne es zu merken.

Wir sitzen im Gefängnis, merken es aber nicht (und merken es vielleicht unser ganzes Leben nicht; das nennt man dann lebenslängliche Unbewusstheit).

Wir merken, dass wir gefangen sind, und versuchen, die Mauern niederzureißen, und haben Erfolg, normalerweise mithilfe einer guten *Fuck It*-Lösung.

Wir erfahren Freiheit und rutschen dann hin und wieder zurück ins Gefängnis, aber mit Achtsamkeit und einer guten Dosis *Fuck It* schaffen wir es, uns wieder zu befreien.

Schließlich erkennen wir, dass alle Zustände ihre Berechtigung haben, dass das Gefängnis dasselbe ist wie die Außenwelt, wenn wir das volle Potenzial unseres Bewusstseins ausschöpfen.

Aber ich habe Ihnen lediglich das Ende vorweggenommen. Bis Sie nicht alle oben beschriebenen Stationen durchlebt und erfahren haben, können Sie den Entwicklungsprozess, der sich in Ihnen vollziehen muss, nicht verstehen, egal, wie oft Sie darüber lesen: Es ist also so, als würde ich Ihnen das Ende von *Die Verurteilten* erzählen, (nochmals, siehe Appendix IV), Sie aber nicht in der Lage wären, auch nur ein Wort zu verstehen, bis Sie nicht den ganzen Film gesehen haben.

Welchen Sinn hat es also, darüber zu reden? *Fuck It*, warum nicht?

Warum sollten wir aus dem Gefängnis ausbrechen wollen?

Ein Gefängnis kann gefährlich sein

Gerade wie echte Gefängnisse können auch Ihre metaphorischen Gefängnisse gefährliche Orte sein. Wenn Sie schon vor langer Zeit Ihre Träume aufgegeben haben und sich (aus welchem Grund auch immer) in einen Job gefügt haben, den Sie nie wollten, mit einem Partner leben, der nie ideal für Sie war, und in Routinen leben, die Sie sich niemals vorgestellt hätten; wenn Sie das Gefühl haben, Sie würden das Leben eines anderen leben, dann stimmt bei Ihnen etwas nicht. Das ist eine gefährliche Angelegenheit. Sie haben nie ganz das Gefühl, Sie selbst oder entspannt zu sein.

Wenn wir in einer Situation fest- und gefangen sitzen, in einer Lebensweise, einem Gedankenprozess oder einer Religion, die einen Teil von uns wegsperrt, dann kann uns das krank machen. Wir werden später noch etwas darüber erfahren, wie Energie funktioniert, sowohl im Leben wie auch im Körper. Wenn wir einen Teil von uns unterdrücken, wenn wir ein starkes Verlangen blockieren, wenn wir bewusst eine starke Stimme in uns ignorieren, dann blockieren wir damit letztlich nur unsere eigene Energie. Und nach der traditionellen chinesischen Medizin (TCM) ist es genau das Blockieren von Energie, das zu Krankheit führt. Dies ist der Grund, aus dem bei den Sessions, die wir bei *Fuck It*-Retreats abhalten, oft erstaunliche Heilungsprozesse geschehen, wenn die Leute endlich wirklich loslassen, ihre Frustrationen freisetzen und ihre Körper frei bewegen. Und ich meine nicht nur physische Heilung, sondern auch tiefe emotionale Heilung.

Obwohl die meisten der Leute um Sie her im Gefängnis sind, obwohl jede Botschaft in der Gesellschaft eine Einladung ist, im Gefängnis zu bleiben, lassen Sie sich nicht in Versuchung führen, stehen zu bleiben, egal wie sicher es sich auf den ersten Blick anfühlen mag. Wenn wir die stärksten Sehnsüchte in uns nicht offenlegen oder unseren tiefsten Schmerz unterdrücken, dann haben diese Urkräfte die Unart, sich trotzdem einen Weg ins Freie zu bahnen. Es ist das Beste, sich zuerst aus dem Gefängnis zu befreien und diesen Kräften das Fließen zu erlauben, bevor sie Ihnen den »Fluss« aufzwingen.

Man kann das bei vielen Menschen beobachten, die ernsthaft krank werden oder an Traumata leiden. Jene, die ihrer Krankheit oder ihrem Trauma bewusst ins Gesicht schauen, erkennen alle ausnahmslos das Element der »Lektion« in der Krankheit oder den Ereignissen. Solche Erfah-

Warum die Dinge nicht zurechtrücken, bevor es die Dinge sind, die uns zurechtrücken?

rungen haben die Tendenz, die Leute aus ihren Gefängnissen herauszureißen, die sie sich selber geschaffen haben: Sie verwandeln das Leben über Nacht, sie tun endlich, was sie schon immer tun wollten – sie gehen auf Reisen, geben ihre Jobs und Beziehungen auf, die nicht funktionieren, sie folgen ihren Träumen. Wenn sie sich auch riesigen Herausforderungen gegenübersehen, erkennen sie, dass das, worüber sie sich solche Sorgen gemacht haben, eigentlich gar nicht so wichtig ist. Sie bekommen das Riesengeschenk, selbst inmitten schmerzlichster Erfahrungen die Dinge zurechtgerückt zu bekommen. Warum sollte man die Dinge also nicht zurechtrücken, bevor eine schwierige Lebenserfahrung einem dies aufzwingt? Warum die Dinge nicht zurechtrücken, bevor es die Dinge sind, die einen zurechtrücken?

Weil es noch eine Welt da draußen gibt (die vergessen wurde)

In dem Moment, in dem Sie beginnen, sich Ihres Gefängnisses bewusst zu werden, fangen Sie an zu sehen, wie das Leben draußen aussehen könnte.

Und allein das Wissen, dass es eine Außenwelt *gibt*, erzeugt die Sehnsucht, sie zu erleben. Aus diesem Grund ist es die Sache wert, hin und wieder von zu Hause weg zu reisen, denn ansonsten würden Sie niemals wissen, was die Welt noch bereithält.

Wenn Sie realisieren, dass es eine Außenwelt gibt, dann kommen Ihnen Erinnerungen daran, wie es ist, frei zu sein und zu träumen. Es passiert tatsächlich oft, dass Menschen, wenn sie sich auf einem *Fuck It*-Retreat tief entspannen, sich plötzlich an glückliche Ereignisse in der Kindheit erinnern. Es kann gut sein, dass dies das letzte Mal war, als sie wirklich frei waren.

Wenn Sie realisieren, dass es eine Außenwelt gibt, fangen Sie wieder an zu träumen. Sie sehen, dass es möglich ist herauszukommen und vom Leben das zu bekommen, was Sie wollen. Es ist ein bemerkenswertes Gefühl, das dann anfängt, die Freiheit zu erzeugen, die Sie bald erfahren werden. Ja, wirklich, nur dadurch, dass Sie das liebliche Gefühl der Freiheit erleben, fangen Sie an, tatsächliche Freiheit zu manifestieren – nur indem Sie sich vorstellen, wie es wäre, frei zu sein, selbst wenn es Ihnen gerade völlig unrealistisch vorkommt, erhöht das die Chancen, dass es wirklich passiert, immens.

Nun ist es an der Zeit, sich zurückzulehnen und zu träumen, träumen, träumen, und zwar davon, wie es draußen aussehen könnte. Denken Sie daran: Allein indem Sie das tun, fangen Sie an, Ihre Träume und die in Ihnen steckende Freiheit zu manifestieren.

TEIL 2
WIE MAN SICH DIE WELT AUSSERHALB DES GEFÄNGNISSES VORSTELLT

(Die Vorstellung eines *Fuck It*-Lebens)

Ein Hauch Zukunft

Dieser Teil des Buches ist eine Einladung innezuhalten: Versuchen Sie sich vorzustellen, wie ein *Fuck It*-Leben für Sie aussehen könnte, bevor wir Sie mit auf die Reise zur *Fuck It*-Lösung nehmen. Sie können das so betrachten, als würden Sie noch mal kurz Luft schnappen gehen, bevor Sie in unsere *Fuck It*-Lösungslimousine einsteigen und die luxuriöse Route in die Freiheit nehmen.

Und während Sie da so an der Limousine stehen und Luft schnappen, flüstern wir Ihnen kleine Vorschläge zu und lassen Sie dann allein, um über diese nachzusinnen. Und bitte: Sinnen Sie nach. Träumen Sie. Lassen Sie das Gefühl, was Freiheit für Sie bedeuten könnte, jetzt, in Ihrem Leben, an sich heran. Dadurch wird die darauf folgende Reise in der *Fuck It*-Lösungslimousine sogar noch faszinierender und transformierender.

Während Sie über die einzelnen Fragen und Vorschläge nachdenken, könnten Sie sich Notizen machen, wenn Sie das anspricht: Sie könnten jede als Übung nehmen, auf eine ausgedehnte Forschungsreise zu gehen.

Aber das liegt bei Ihnen. Sie haben sich ein Buch mit »*Fuck It*« im Titel gekauft, also ist das, wie alles andere, ganz Ihre Sache. Tatsächlich könnte das bereits ein entscheidender Teil der *Fuck It*-Lösung sein – einzusehen, dass alles bei Ihnen liegt.

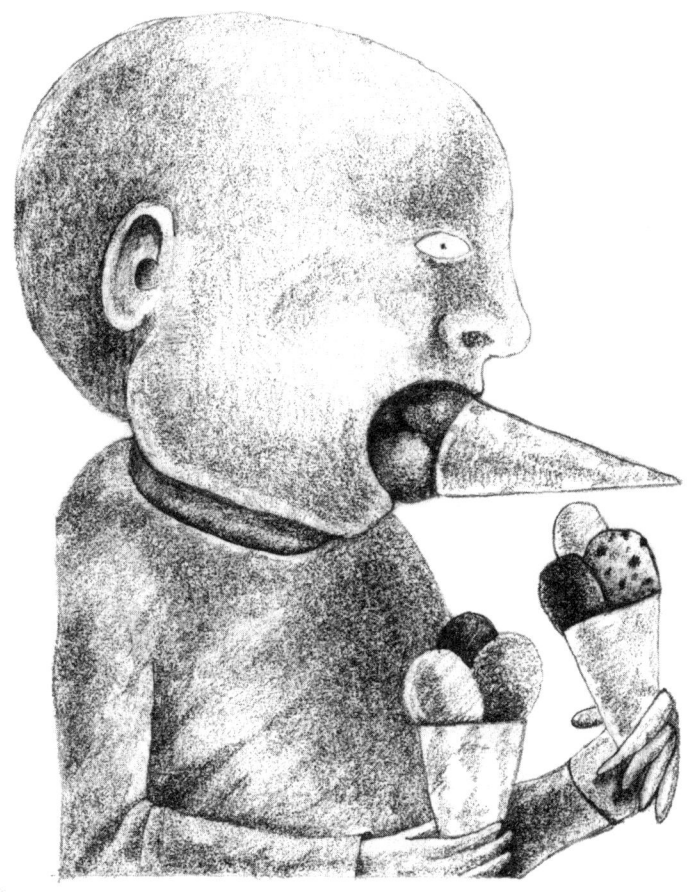

WAS HABEN SIE ALS KIND AM LIEBSTEN GEMACHT?

NEHMEN WIR AN, DAS LEBEN IST EINE ACHTERBAHN, KÖNNTEN SIE DIE GANZE FAHRT GENIESSEN?

Wenn man Ihnen sagen würde, dass sie nur noch ein Jahr zu leben haben, wie würden sie es verbringen?

STELLEN SIE SICH JEMANDEN VOR, DER SEHR *FUCK IT* IST: ZEICHNEN SIE DIESEN MENSCHEN UND ACHTEN SIE AUF SEINE EIGEN- SCHAFTEN.

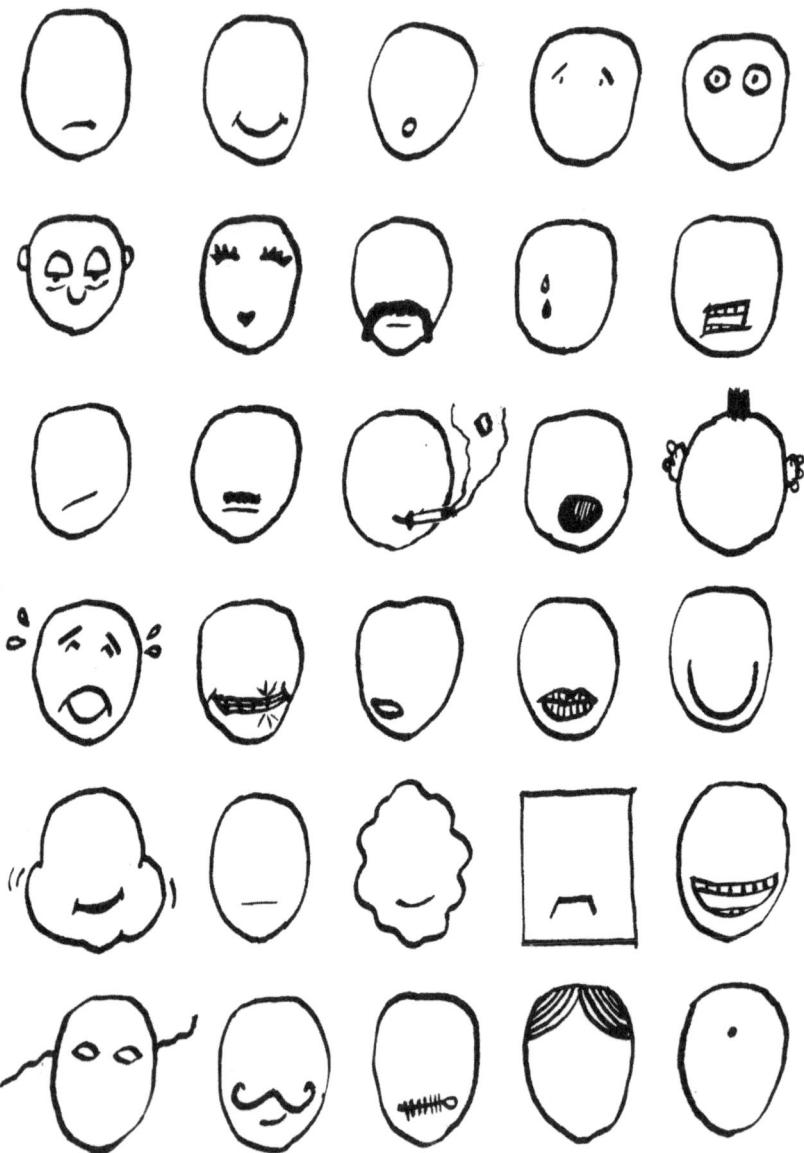

WIE WÄRE ES, WENN WIR MIT ALL UNSEREN UNTERSCHIEDLICHEN SEITEN
EINVERSTANDEN WÄREN (EGAL WELCHEN)?

Wie würde es
sich anfühlen,
frei zu sein?

Worauf
warten
sie noch?

noch okay

Wie wäre es, okay zu sein, auch wenn etwas schiefgeht?

WAS IST DAS SCHLIMMSTE, WAS PASSIEREN KÖNNTE, WENN SIE ANFANGEN WÜRDEN, IM GROSSEN STIL *FUCK IT* ZU SAGEN?

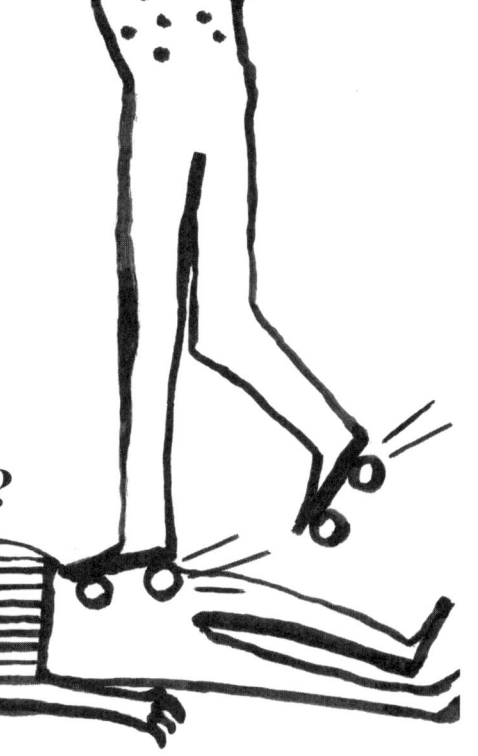

TEIL 3
WAS SIND IHRE MAUERN?

(Das Kartografieren der »It's«)

Block A: Geschichten

Wenn Sie dem Block A einen Besuch abstatten würden, dann wäre Ihr erster Eindruck der von Lärm. Die Gefangenen rufen Ihnen etwas aus den Zellen zu oder reden sanft über sich selbst oder flüstern sich über den Gang hinweg etwas zu. Nicht wie in *Schweigen der Lämmer*. Diese hier sind nicht bedrohlich. Sie wollen nur, dass man ihnen zuhört.

Sehen Sie, jeder in Block A hat seine oder ihre äußerst wichtige Geschichte und will, dass Sie sie hören. Wenn Sie nur für einen Tag hier bleiben würden, würden Sie viele davon zu hören bekommen. Dr. Jay beispielsweise. Sie hatte ihren Doktor in Harvard gemacht. In ihrer kurzen, glänzenden Karriere arbeitete sie als Beraterin für all die Top-Krankenhäuser und leistete Pionierarbeit bei der Erforschung des Effekts der Produktion von Cortisol auf die Hoden von Stieren unter Druck. Sie hatte Stars als Patienten, verdiente Unsummen und war eine Koryphäe auf dem Gebiet der Fruchtbarkeitssteigerung des Mannes. Sie wird endlos davon erzählen, was sie tat und wen sie kannte. Was sie Ihnen nicht erzählen wird, ist, wie sie überhaupt in dieses Gefängnis gekommen ist. Aber vielleicht hat sie es vergessen. Sie scheint sämtliche Teile ihrer Geschichte vergessen zu haben, die nicht zu ihrer hohen Selbsteinschätzung passen.

Oder dann wäre da Dave. Dave hat nicht so ein Selbstvertrauen und ist nicht so stolz auf seine Leistungen. Tatsächlich ist Dave ziemlich fertig mit dem Leben und damit, Dave zu sein. Er wird Ihnen alles über sein Pech erzählen. Wie er es GERADE nicht geschafft hat, in einen guten Highschool-Abschluss zu bekommen, und sich mit den falschen Leuten eingelassen hat. Dass es nicht seine Idee war, mit seinem Pick-up rückwärts in das Juweliergeschäft in seiner Heimatstadt hineinzufahren; es war also nicht wirklich fair, dass er der Einzige war, der erwischt wurde. Er kann nicht glauben, dass er die Ärzte mit einem frühen Ausbruch von Typ-2-Diabetes in Verwirrung gestürzt hat, die nur bei viel älteren Menschen vorkommen soll. Mit um die 30 gingen ihm bereits die Haare aus. Er hat schlechte Gene, was den Metabolismus betrifft, oder wie würden sich sonst die 30 Kilo zu viel erklären, die er mit sich herumträgt? Und sein Pech plagt ihn weiter jeden Tag. Ausgerechnet er ist der, der die zweifelhafte Wurst in der Kantine isst. Er ist der, der die schlimmste Schicht in der Wäscherei bekommt. Er ist der, der sich als Letzter die Bücher aus der Bibliothek aussuchen darf. Und die Pornohefte bekommt er erst, wenn sie schon zu abgegriffen sind, um noch etwas erkennen zu können. Es ist hart, Dave zu sein, wie er nicht müde werden wird, Ihnen zu erklären.

Aber vielleicht verstehen Sie sich mit Jim, einem der älteren Gefangenen. Er ist schon um die 60 Jahre alt und ein heller Kopf. Er kann Ihnen Geschichten über seine Jugend in den 1950er-Jahren erzählen, als die Welt noch ganz anders aussah. Es herrschte noch eine Moral und die Leute respektierten einander. Selbst die Kriminellen hatten damals noch einen Ehrenkodex, dem sie folgten, und überschritten bestimmte Grenzen einfach nicht. Bei ihm entwickelt man fast so etwas wie Nostalgie gegenüber einer Zeit, als auch die Unterwelt noch ein besserer Ort war – immer noch unten, aber nicht so weit unten. Er wünscht sich, die Leute heutzutage würden etwas mehr Respekt haben, für ihn und für die anderen, aber größtenteils für ihn. Er scheint durchaus ein anständiger Kerl zu sein, aber selbst bei Jim werden Sie kaum anders können, als sich, nun ja, GELANGWEILT zu fühlen.

Jeder in Block A hat seine Geschichte und alle sind scharf darauf, sie Ihnen zu erzählen. Kaum überraschend eigentlich, wenn Sie sich überlegen, was auf den Wänden steht:

Wenn Sie eine Geschichte zu erzählen haben, erzählen Sie sie.
Sie sind ein wichtiger Mensch.
Stehen Sie auf für Ihre Überzeugungen.
Die Wände haben Ohren und wir sind bereit, Ihnen zuzuhören.

Jeder Gefangene in Block A hat eine Geschichte, aber er steckt in ihr fest, wie ein Autor, der eine tolle Figur in einem spannenden Roman schreibt, dann aber zu dieser Figur wird und in dem Buch feststeckt. Die Geschichten, die sie über sich selbst geschrieben haben, sind manchmal stolz und glänzend (wie bei Dr. Jay) oder Geschichten von Pechvögeln (wie bei Dave) oder Geschichten mit einem moralischen Touch (wie bei Jim), aber es sind alles Geschichten. Die Gefangenen in Block A existieren nicht als richtige Leute, die im Jetzt leben und sich als menschliche Wesen entsprechend den sich wandelnden Umständen des Lebens weiterentwickeln. Nein, sie stecken in einer Geschichte über sich selbst fest: Darüber, wie sie gerne von anderen gesehen werden würden, oder wie sie glauben, dass das Leben sie behandelt hat, oder darüber, wie das Leben sein sollte. Aber das ist ein Leben in Stagnation. Es verändert sich nicht. Das ist wie eine Schallplatte, die hängen geblieben ist; die Melodie klang vielleicht einmal angenehm, aber jetzt, wo die Nadel festsitzt, ist es einfach nur nervtötend.

Ich gebe Ihnen einen Tag in Block A, dann klettern Sie aus Frustration und Langeweile über die Mauern. Sie werden sich nach etwas

Action sehen, etwas Aufregung und dem Aroma des wirklichen Lebens … Himmel, wahrscheinlich ziehen Sie sogar das Adrenalin echter Angst dieser Hölle von Geschichten vor.

Wenn Sie lieber direkt zum Kapitel »Das Durchbrechen der Geschichtenmauer« gehen wollen, blättern Sie vor zu Seite 99.

Block B: Angst

Diejenigen, die in den Block B geschickt werden, stellen sich wahrscheinlich vor, dass es sich dabei um eine größere Version von Raum 101 (Googeln Sie's!) handelt – ein Ort, an dem Ihre schlimmsten Ängste wahr werden. Wenn Sie Angst vor Schlangen haben, wird man Sie zwingen, in einer Zelle voller Schlangen zu leben, wie bei *Indiana Jones*, aber ohne die Fackel. Mit Schlangen schlafen: Schon der Gedanke würde Sie wahnsinnig machen (wobei ich mich jetzt gerade, da ich das tippe, frage, wie wohl ein Film mit diesem Titel aussähe.)

Wenn Sie Angst vor dem Fliegen haben, sperrt man Sie in einen Flugsimulator ein, nur dass der die Erfahrung des Passagiers simuliert, nicht die des Piloten. Der Gefangene müsste jeden Tag stundenlang die endlose Wiederholung der Notfallmaßnahmen ertragen, ausgeführt von den stämmigen Gefängniswärtern, die die Kostüme der Crew tragen. Sie müssten über Stunden durchleben, wie die Triebwerke zum Starten warmlaufen: all die Momente, in denen die nervösen Passagiere vor krankhaften Vorahnungen zu zittern anfangen. Und dann wird jeden Tag ein sechsstündiger Flug simuliert: so, als würde man jeden Tag von London nach New York fliegen, aber ohne am Ende der Reise die Freude zu haben, in New York zu sein. Und, die traurige Nachricht, auf seinem 623. Flug stürzt der Flieger über dem Atlantik ab. Er schlägt auf dem Wasser auf, ein schrecklicher 35-minütiger Kampf um das Leben der Insassen, und das trotz brennender Maschinen und abgebrochenem Heck.

Andere wieder haben riesige Angst, sich nackt in einem Zimmer voller matronenhafter, jedoch üppiger russischer Frauen wiederzufinden, ohne Hoffnung auf Entkommen. Oder sie sagen es zumindest.

Aber Block B ist in Wirklichkeit ganz anders. Oberflächlich betrachtet ist es überhaupt kein Furcht einflößender Ort. Im Gegenteil, es sieht nach einem recht sicheren Platz aus. Alles ist ordentlich. Die Gefangenen wissen sich zu benehmen und sind normalerweise ruhig, bleiben untereinander. Die Wächter sehen vorsichtig und zugeknöpft aus, aber so sollten Wächter aussehen, nicht wahr? Sie tragen ständig Helme und haben ihre Pistolen stets griffbereit. Aber es sieht nach keinem unangenehmen Ort aus, wenn es darum geht, eine Strafe abzusitzen. Immerhin schreit hier niemand herum.

Die Mauern sind, wie alles andere in Block B, gepflegt und sauber geschrubbt. Niemand würde es wagen, hier Graffiti hinzusprühen. Stattdessen gibt es hier offizielle Beschriftungen für die Wände:

68 Prozent der Gefangenen sterben, bevor sie entlassen werden.

Gefängnisnahrung vermutlich Ursache für hohe Raten von Darmkrebs unter den Gefangenen.

Im vergangenen Jahr 454 Gefangene in Duschen verletzt.

Traumatisierter Wächter dreht durch und pulverisiert Gefangenen.

Die vielen Mauern sind mit Angst einflößenden Tatsachen über das tägliche Leben im Gefängnis beschriftet. Nicht über Katastrophen an weit entfernten Orten, sondern über die Gefahren, die überall lauern – selbst Gefahren, die man nicht sehen kann.

Superkäfer in Gefängnissen außer Kontrolle geraten.

Selbst Gefahren, an die Sie normalerweise nie denken würden.

Zu viel Schlaf kann zu Atemproblemen führen.

Und Gefahren, die Sie einfach nur in Verwirrung stürzen.

Zu wenig Schlaf kann zu Herzproblemen führen.

Also, wie viel SOLL ich denn schlafen? Und das ist eine der Fragen, die die Gefangenen endlos diskutieren – besonders spätnachts. Es ist eine Frage, die sie wach hält, also dafür sorgt, dass sie eher das Risiko von Herzproblemen als von Atemproblemen eingehen. Sind acht Stunden zu viel oder zu wenig? Was sind die Fakten? Ah, aber die Wissenschaftler sind sich über die Fakten uneins. Tatsächlich hat gerade ein Historiker verkündet, dass wir bis vor 300 Jahren zweimal am Tag geschlafen haben: Wir sind ins Bett gegangen und haben für drei oder vier Stunden geschlafen, dann sind wir für eine Stunde aufgestanden, haben etwas gegessen, ein Buch gelesen oder einen Freund besucht und sind dann noch mal für drei oder vier Stunden ins Bett gegangen. Vielleicht sollten wir das ausprobieren?

Wenn man in Block B lebt, ist das so, als wäre man in einer Welt, in der es nichts zu lesen gibt außer der *Bild*-Zeitung. Tatsächlich ist das die bevorzugte Zeitung der Gefangenen: Dabei hat man das Gefühl, es sei der beste Platz, um aktuelle Informationen über alles zu bekommen, wovor man sich fürchten soll und was an Schrecklichem in der Welt geschieht. Und wenn es etwas gibt, das einem Gefangenen Zuversicht geben kann, der sich vor den schrecklichen Dingen, die passieren, fürchtet, dann ist es das Wissen, dass ein paar WIRKLICH schlimme Dinge anderswo auf der Welt passieren.

Nicht, dass es etwas gäbe, was ihr Leiden lindern könnte. Sie machen sich Sorgen von dem Moment an, an dem sie aufstehen, bis zum Schlafengehen. Und dann leiden sie unter schlaflosen Nächten, weil ihre Sorgen sich auch in ihrem Unterbewusstsein eingenistet haben und sich auf elaborierte, dramatische Weise als apokalyptische Albträume manifestieren. Die Gefangenen reden endlos über ihre Ängste: über ihre Gesundheit, ihre Sicherheit an so einem gefährlichen Ort, die schrecklichen Dinge, die in der Kantine oder in den Sanitärräumen oder auf dem Trainingsplatz auf sie lauern. Sie sind ständig hin- und hergerissen, ob sie nicht etwas tun sollen, das gefährlich scheinen könnte.

Verletzungen mit Gewichten steigen um 33 Prozent.

Oder ob es nicht gefährlicher ist, nichts zu tun:

Muskelschwund bei Gefangenen Ursache für frühe Arthritis.

Ihre Ängste machen sie zu passiven, zugeknöpften und misstrauischen Menschen. Obwohl die Kriminalitätsrate in Block B bemerkenswert niedrig ist (auch wenn auf den Mauern niemals stehen würde: HIER IST MAN ZIEMLICH IN SICHERHEIT, weil es keine gute Schlagzeile abgäbe) und die Gefangenen viel miteinander reden (und verängstigte Menschen reden verdammt viel), denken sie immer das Schlimmste darüber, was ihnen jemand anderes antun oder über sie sagen könnte. Es entwickeln sich also keine richtigen Freundschaften, man tauscht sich über nichts Vertrauliches aus. Es ist besser, bei harmlosen Themen zu bleiben:

Gefahren, Risiken und Bedrohungen.

Und es ist schon irgendwie lustig, dass die Gefangenen sich in ihren wenigen stillen, einsamen Momenten dafür entscheiden, Zeitungen zu lesen, Fernsehshows mit Nachrichten anzuschauen oder im

Internet nach weiteren Schauergeschichten zu forschen. Es ist fast so, als ob sie diese unheimlichen Informationen MÖGEN würden. Das ist eine traurige Tatsache. Block B ist der Beweis, dass die Leute, wenn sie in einer Umgebung der Angst leben, tatsächlich anfangen, nach dieser zu gieren, ja, sie sogar zu mögen. Sie wollen wissen, wie viel schlimmer es werden könnte. Sie wollen über all die feinen Details der Gefahren Bescheid wissen, die überall um sie her lauern.

In Block B ist Angst eine Droge. Und die gibt es kostenlos. Alle Gefangenen sind süchtig. Und niemand hat über die Langzeitfolgen dieser Form von Drogenkonsum auch nur nachgedacht. Niemand hat auch nur einen Gedanken daran verschwendet, dass das, wovor man sich am meisten fürchten sollte … die Furcht selbst ist.

Wenn Sie lieber direkt zum Kapitel»Das Durchbrechen der Angstmauer« *gehen wollen, blättern Sie vor zu Seite 104.*

Block C: Ernst

Auf wirklich jeder Wand von Block C befindet sich ein großer Plasmabildschirm. In die Decken eingelassen sind Lautsprecher mit Surround-Sound mit hervorragender Audio-Qualität zur beständigen Beschallung der Gefangenen in Block C, Tag und Nacht. Selbst die Gitterstäbe der Zellen sind aus transparentem, gehärtetem Plexiglas, um den Gefangenen einen ungehinderten Ausblick auf die Schirme zu gestatten.

Übertragen wird die Stimme eines Mannes, der zu den Gefangenen spricht – üblicherweise ist es derselbe Mann, aber manchmal auch ein anderer, der dem ersten bemerkenswert ähnlich sieht. Die Männer haben eckige Gesichter und zurückfrisiertes, pomadisiertes Haar. Sie haben beide Schnurrbärte und sprechen im selben monotonen Tonfall. Es ist genau wie wenn Ihr Onkel Ted mit dem Vorarbeiter oder dem Management sprechen muss oder zufällig in der Bank oder auf der Post auf jemanden mit höherer sozialer Stellung trifft.

Die Gefangenen sehen nicht länger hin. Sie wissen schließlich, was kommt. Aber sie müssen es sich anschauen. Die einzige Möglichkeit, die Bilder nicht zu sehen, ist, die Augen zu schließen. Klar, die Schirme zeigen nicht nur die Gesichter der schnurrbärtigen Männer: Hin und wieder sind bei den Übertragungen Szenen zu sehen, die die Argumente des Sprechers illustrieren, aber die Gefangenen haben sie schon oft gesehen.

Es ist nicht so, dass die Leitung von Block C nicht versuchen würde, den Inhalt der Übertragungen zu variieren. Sie haben ein Studio und probieren ständig, neue Botschaften mit neuem Material zu generieren. Doch angesichts des 24/7-Wesens dieser Übertragungen können sie gar nicht anders, als Wiederholungen zuzulassen. Block C ist ein Langzeitexperiment mit Unterstützung der Regierung: ein System für die Gefängnisse auf der ganzen Welt zu schaffen. Die Regierungsverordnungen legen jedoch fest, dass das System für zehn Jahre getestet werden muss und die Gefangenen auf ihre Reaktionen und ihr Verhalten hin untersucht werden, bevor das System dann schließlich implementiert wird. Wir sind jetzt in Jahr sieben.

Aber es scheint gut zu laufen. Die Gefangenen bleiben unter sich (auch wenn es schwierig ist, bei dem ständigen Dröhnen der Sendungen ein Gespräch aufrechtzuerhalten), verrichten die nötigen Pflichten und benehmen sich gut. Jeden Monat werden sie mittels eines Interviews durchgecheckt, um Veränderungen in ihren Reaktionen auf eine Reihe von Fragen festzustellen, die den Grad Ihrer Ehrlichkeit, Bedachtsamkeit und moralischen Einstellung überprüfen … in der Tat alles, was einen guten Bürger ausmacht. Und es gibt signifikante Verbesserungen.

Sehen wir uns an, was in diesem Moment übertragen wird. Wir schalten uns mitten in eine Sendung, aber ich bin mir sicher, Sie kommen schnell mit:

… in der Lage zu sein, Ihre Pflichten für die Menschen um Sie her zu erfüllen. Denken Sie daran, ein guter Bürger nimmt seine Verantwortung für die Gesellschaft ernst. Ein Bürger ist nicht nur für sich selbst und sein Wohlbefinden verantwortlich. Er muss an andere denken und sich entsprechend verhalten. Sie müssen Ihre Arbeit ernst nehmen, weil diese – davon abgesehen, dass sie Ihnen in Form eines Lohns nützt – dem Wohl Ihres Landes dient und das Geschäftsleben Ihrer Gemeinde davon profitiert und obendrein alle anderen Bürger in der Form von Steuern.

Als guter Bürger müssen Sie anderen stets ein Beispiel geben: Sie dürfen nicht fluchen, keinen Alkohol trinken oder Zigaretten rauchen oder in der Öffentlichkeit ausspucken. Als guter Bürger müssen Sie Ihre Pflicht gegenüber Ihrer Familie ernst nehmen: sei es gegenüber Ihren Eltern, Ihrem Ehegatten oder Ihren Kindern. Sie dürfen niemals etwas tun, das diese Beziehungen gefährden könnte, und stets im Interesse der anderen, niemals Ihrer selbst handeln. Wenn ein Bürger Bedürfnisse hat, die anderen Bürgern in irgendeiner Form schaden könnten, dann müssen diese Bedürfnisse unterdrückt werden. Es ist die Pflicht der Bürger, sämtliche Bedürfnisse zu unterdrücken, die irgendeinem Mitglied der Gemeinschaft Schaden oder Unwohlsein verursachen könnten.

Der gute Bürger nutzt all seine wachen Stunden für Arbeit, die seiner Familie oder seiner Gemeinschaft nützt. Er hat keine Zeit zum Spielen oder Faulenzen. Spielen, auch das Spielen mit Kindern, bringt keine ernsthaften Ergebnisse. Kinder können miteinander spielen. Spielen korrumpiert die Gesellschaft. Es macht die Leute faul und respektlos. In Gesellschaften, in denen das Spielen vorherrschend ist, brechen die ernst zu nehmenden Werte und Absichten eines Gemeinwesens zusammen.

Ein ernsthafter Bürger trinkt kein Bier, verbringt seine Zeit nicht draußen mit Sport oder Grillen.

Nehmen Sie Kommunikation ernst. Sagen Sie das, was Sie sagen möchten, sorgfältig, prägnant, ohne Füllworte oder grammatikalische Faulheit. Nehmen Sie Ihre Gesundheit ernst. Essen Sie gut. Trainieren Sie um Ihrer Gesundheit willen, nicht zum Spaß. Wenn Sie krank werden, suchen Sie einen Arzt auf und folgen Sie den Anweisungen ganz genau. Nehmen Sie Ärzte ernst. Nehmen Sie jegliche Autoritätsfigur ernst. Sehen Sie sich im Fernsehen nur Sachprogramme an. Vermeiden Sie Sitcoms, Quizshows, Dramen oder fiktionale Filme. Sehen Sie sich Sendungen an, die Sie über die ernsten Ereignisse, die sich auf der Welt ereignen, informieren oder Sie über Dinge aufklären, von denen Sie nichts wissen. Lernen Sie stets weiter: Nehmen Sie Bildung ernst …

Wenn Sie Freude an einem guten Film oder einer Dose Bier haben, dann hoffen wir mal, dass Sie nicht in Block C landen, denn nach ein paar Monaten dieser endlosen Übertragungen werden Sie kaum noch Lust haben, sich jemals wieder etwas anzuschauen.

Wenn Sie lieber direkt zum Kapitel »Das Durchbrechen der Ernstmauer« *gehen wollen, blättern Sie vor zu Seite 111.*

Block D: Selbstzweifel

Der Block D ist eine beispielhafte »Umerziehungsanstalt«. Der Direktor hat seine Pflicht, das Verhalten seiner auf Abwege geratenen Gefangenen zu »korrigieren« so ernst genommen, dass man seinen Umgang mit dieser Aufgabe schon fast als Kunst bezeichnen kann. Überall in Block D sind Kameras und Mikrofone installiert, sodass die Wächter das Verhalten der Gefangenen im Blick behalten und ihnen dann Feedback geben können, wie sie sich verbessern können. Das Feedback kommt über die Wände: Man kann seine Kommentare zu jedem Gefangenen zu bestimmten Mauern im Gefängnis übertragen. Auf diese Art liefern die Mauern, die die Gefangenen umgeben, ein kontinuierliches Feedback-System für das täglich erforderliche Verhalten. Wayne ist seit lediglich zwei Monaten in Block D. Wenn er morgens die Augen öffnet, kann er Feedback über sein Verhalten vom Vorabend an der Mauer ablesen.

Wayne, wir möchten dir vorschlagen, deinen Lesestoff zu verbessern. Alles, worüber du jemals liest, ist Sport. Wenn es nicht Baseball ist, ist es Golf, und wenn es nicht gerade Golf ist, ist es Tennis. Wie kannst du hoffen, dich weiterzubilden, wenn du dir nicht Lektüre suchst, die eine etwas größere Herausforderung darstellt?

Gleich am selben Morgen geht Wayne in die Bibliothek von Block D und leiht sich ein paar Romane aus – Krimis über das Leben in den Gangs. Er versinkt in dem ersten Buch und ist zu Mittag fertig. Er mag diese Art von Literatur und kann es kaum erwarten, mit dem nächsten Roman anzufangen. Er ist froh und zufrieden.

Doch als er sein Mittagessen zu sich nimmt, taucht auf der Mauer eine Nachricht auf:

Wayne, ist das alles, was du kannst – über die widerlichen kriminellen Machenschaften anderer Leute wie dir zu lesen? Wir möchten dir vorschlagen, dass du etwas liest, das dir hilft, aus dem stinkenden kriminellen Sumpf herauszukommen, in dem du momentan steckst.

Wayne ist ernüchtert. Er versucht stets, positiv auf das Feedback zu reagieren, das er bekommt. Immerhin erinnert man ihn ständig:

Gefangene, wir geben euch das Feedback zu eurem eigenen Besten.

Oder:

Wir sind dazu da, euch zu helfen, euch zu verbessern.

Wayne will sich verbessern. Doch das ist schwierig, wenn man ständig nur so negatives Feedback bekommt.

Jane ist eine vorbildliche Gefangene. Sie sitzt in Block D, weil sie Hunderte von Menschen mit einem ausgeklügelten Investitionsschwindel um Millionen gebracht hat. Sie geht mit gesenktem Kopf und bleibt für sich. Sie versucht nur, ihre Zeit abzusitzen, ohne Ärger zu bekommen. Doch sie hat angefangen, sich davor zu fürchten, ihren Namen auf der Mauer zu sehen.

Jane, wir haben gesehen, dass du gestern Paula beim Schachspielen geschlagen hast. Hast du dich auch ganz bestimmt an die Regeln gehalten? Paula ist eine sehr gute Schachspielerin. Wir werden das Material durchgehen, um sicherzugehen, dass du nicht betrogen hast.

Die Wächter haben die Angewohnheit, subtile Anspielungen auf die Schuldsprüche der Gefangenen zu machen. Sie finden an allem etwas auszusetzen und schaffen es immer, es mit dem ursprünglichen Verbrechen in Verbindung zu bringen:

Jane, du hast heute morgen nach dem Zähneputzen das Waschbecken nicht abgewischt. Denkst du gar nicht an deine Mitgefangenen?

Positiv kann man eines über die Wächter sagen, nämlich dass sie bei ihren Feedback-Kommentaren alle Gefangenen gleich behandeln. Hier ein Ausblick auf das, was man genau jetzt auf den Mauern von Block D lesen kann:

Samantha, wir wollen dir nicht noch mal sagen, dass du nach dem Essen dein Tablett wieder ins Regal stellen sollst.

Manuel, hast du Verständnisprobleme? Kannst du lesen? Du musst bei deinen täglichen Aufgaben einen Zahn zulegen. Der alte Cyril hat das schneller geschafft als du.

Ben, du denkst vielleicht, du bist ein Geschenk Gottes, aber wir wissen es besser. Leg jetzt das Haargel weg und konzentriere dich darauf, hier etwas Hilfreiches beizutragen.

Gillian, was, glaubst du, ist diese Zelle? Dein Kinderzimmer? Räum auf.

Davina, ein Lächeln kostet nichts, weißt du? Wenn du nicht anfängst, etwas mehr zu lächeln, kürzen wir dir deinen Unterhalt, und dann kostet es dich etwas, nicht zu lächeln.

Andrew, wir haben die Pornos gefunden.

Wenn Sie lieber direkt zum Kapitel »Das Durchbrechen der Selbstzweifelmauer« *gehen wollen, blättern Sie vor zu Seite 115.*

Block E: Bewusstseinsmangel

Der Block E ist ein Drecksloch. Er sieht so aus, wie Sie sich wahrscheinlich ein Gefängnis in der Dritten Welt vorstellen würden: Die Mauern sind bröckelig, alles ist feucht, die Korridore sind mit Müll übersät, die Gitterstäbe rostig, die Bäder dreckig, mit einer Kantine, die wöchentlich drei Gefangene auf die Krankenstation bringt, und einer Krankenstation, die jeden Monat einen Gefangenen ins Leichenschauhaus bringt – ein Leichenschauhaus, das für die meisten geistig gesunden Menschen ein angenehmeres Heim abgäbe als Block E.

Nicht, dass das den Gefangenen von Block E auffallen würde. Ihnen fällt nicht mal auf, dass viele von den anderen Gefangenen keine Menschen sind. Das hat vor 20 Jahren als Experiment angefangen – ein Experiment, das funktioniert hat ... jedenfalls in mancherlei Hinsicht. Dem Direktor fiel auf, dass die Gefangenen von Block E formbarer zu sein schienen als der durchschnittliche Gefangene der anderen Blöcke. Sie dachten nicht groß darüber nach, was sie taten oder warum sie es taten, machten selten Ärger und versuchten nie, zu entkommen. Sie schienen äußerst beeinflusst davon, was die anderen Gefangenen taten, machten einfach das, was die anderen taten, egal was. Also fing der Direktor mit etwas Einfachem an: Er filmte einen Schauspieler mit Gefängnisklamotten, wie er einfach nur auf einer Bank saß und still etwas las. Dieses Filmchen war nun wirklich kein Action-Kracher. Und lang war es auch nicht, gerade einmal zehn Minuten. Doch man erstellte eine Endlosschleife aus diesem Material und projizierte es auf eine Gefängniswand, in Lebensgröße, um den (eher unrealistischen) Effekt zu erzeugen, als würde ein Gefangener auf einer Bank sitzen und still etwas lesen. Doch so unrealistisch es auch war, der lesende Gefangene wurde imitiert. Innerhalb von ein paar Tagen saßen Dutzende der Gefangenen aus dem E-Block auf Bänken und lasen still vor sich hin.

Das ermutigte den Direktor, mehr kleine Filmchen von Gefangenen zu machen, die bei unschuldigen Aktivitäten zu sehen waren oder bewusst etwas taten, was Teil des Gefängnislebens war. Über die Jahre nahm die Anzahl der Projektionen im Gefängnis zu; die »schauspielerische« Qualität verbesserte sich ebenso wie der Realismus der Projektionen. Der gegenwärtige Direktor experimentiert momentan mit Hologrammen gehorsamer Gefangener. Doch das ist nur die Feinabstimmung. Denn im Großen und Ganzen funktioniert das Experiment. Es gilt genauso viele projizierte Gefangene wie echte. Und die echten Gefangenen haben die Fähigkeit verloren, so sie sie denn je besessen haben, zwischen den echten und den projizierten Gefangenen um sich her zu unterscheiden. Das alltägliche Leben in Block E ist ein etwas seltsamer Anblick, weil die Leute die Tätigkeiten der Projektionen in Endlosschleife imitieren. Oder sind die Projektionen schon Liveaufnahmen der Gefangenen? Wenn das Verhältnis wirklich halbe-halbe ist, sind die Projektionen verblasste Schatten der lebenden Gefangenen oder sind die lebenden Gefangenen 3-D-Schatten der Projektionen?

Schwer zu sagen. Und in Block E könnte es Ihnen auch niemand sagen oder auch nur daran denken, mit dem Unterscheidungsprozess zu beginnen.

Der Block E bringt keine interessanten Menschen hervor: Gefangene, die sich resozialisieren, in die Welt zurückkehren und etwas bewirken. Er produziert gehorsame Automaten. Und es gibt nicht genügend Hinweise, was diese Automaten tun würden, wenn man sie von ihren Programmierungen (den Projektionen) entkoppeln würde. Es gab ein paar hässliche Zwischenfälle – Messerstechereien, Morde – als das Projektionssystem einmal ausfiel. Die Gefangenen drehten durch. Doch Verbrechen gibt es in jedem Gefängnis. Immerhin sind sie voller Krimineller.

Doch alles in allem funktioniert es. Die Gefangenen in Block E sind im Allgemeinen ein gehorsamer Haufen. Und die Kosten für die Führung des Blocks sind äußerst niedrig – er ist der billigste im ganzen Gefängnis. Tatsächlich gibt es im gesamten Block nicht einen Wächter oder eine Reinigungskraft. Die drei projizierten Gefangenen, die beim Saubermachen zu sehen sind, reichen aus, um dafür zu sorgen, dass das absolute Minimum halbherziger Reinigungsarbeiten von den tatsächlichen Gefangenen erledigt wird. Und für den Block E reicht das.

Wenn Sie lieber direkt zum Kapitel »Das Durchbrechen der Mauer des Bewusstseinsmangels« *gehen wollen, blättern Sie vor zu Seite 120.*

Block F: Perfektionismus

Der Direktor von Block F ist selbst ein Perfektionist. Er ist ein Getriebener, der den besten Gefängnisblock mit den besten Statistiken zum Verhalten der Gefangenen und deren Rehabilitierung schaffen will. Er hat stets die Zahlen der anderen Blocks im Blick und führt ein strenges Regiment über seine Wächter, um dafür zu sorgen, dass der Block F die Nase vorn behält. Und Block F steht in der Tat sehr gut da. Es ist stets die Vorstellung des Direktors gewesen, dasselbe Streben nach Perfektion in seinem Team und seinen Gefangenen zu verankern. Er will, dass auch alle anderen das Gefühl haben, die Besten sein zu können, und stolz darauf sind, großartige Arbeit zu leisten. Er schreibt alle Mitteilungen für die Mauern selbst. Und wenn eine davon nicht motivierend genug ist, wird sie bald durch eine bessere ersetzt. Er will auch nicht, dass einfach nur Mitteilungen auf die Mauern geschrieben werden wie in den anderen Blocks: Er hat bei einer Firma vor Ort Schilder machen lassen, die pfiffig aussehen. Er hatte eine äußerst klare Vorstellung davon, was er mit jeder seiner Mitteilungen bezwecken wollte, sogar das Design stammt von ihm. Wenn die Firma die Schilder nicht genau so lieferte, wie er sie sich vorstellte, schickte er sie zurück. Unweigerlich kam es zu einem Streit mit dem Besitzer der Firma, der glaubte, er hätte die Anweisungen adäquat befolgt, und die Schilder nur widerwillig wegwarf, um von vorne anzufangen. Doch der Direktor bestand darauf und bekam schließlich, was er wollte. Und jetzt nehmen sich die Dinger auf den Gefängnismauern doch recht schick aus:

Gib immer dein Bestes.

Das Gute ist der Feind des Besten.

Der Spruch gefällt ihm ganz besonders. Und er stellt sich dabei tatsächlich vor, wie die Armee der »Guten« gegen die der »Besten« kämpft. Er liebt es, dabei zuzuschauen, wie die Armee der Besten die Armee der Guten vor seinem geistigen Auge abschlachtet.

Niemand erinnert sich an den Zweiten.

Drückeberger gewinnen nie und Gewinner sind keine Drückeberger.

Greif nach den Sternen, und du endest nicht mit einer Handvoll Schlamm.

Für diesen Spruch hat er sogar eine ganze Szenerie auf den Mauern entworfen: ein sternengesprenkelter Hintergrund illustriert den Gedanken.

Also scheint alles zu funktionieren. Block F ist der Spitzenreiter, seine Gefangenen die Vorzeigegefangenen, die Statistiken vorbildlich.

Doch wenn Sie die makellosen Gänge von Block F entlanggehen, geschmückt mit den glitzernden, inspirierenden Schildern, können Sie ein paar eher unangenehme Konversationen unter den Gefangenen belauschen. Gehen wir in die Küche, wo die Gefangenen damit beschäftigt sind, das Mittagessen für Block F fertig zu machen. Oh ja, in Block F hat man kein Küchenteam angestellt. Warum? Nun, das haben die Gefangenen schon vor Jahren übernommen, als sie mit der Qualität des Essen unzufrieden wurden und entschieden, sie könnten es selbst besser. Und das können sie tatsächlich. Und tatsächlich ist das Essen in Block F in Gefängnissen auf der ganzen

Welt berühmt. Das Essen wurde überall in Magazinen und Fernsehshows gezeigt. Einige der besten Köche aus dieser Küche sind berühmt geworden – draußen haben sie es zu Sterneköchen gebracht. Der berühmteste von ihnen, Billy Gulliver, ein ziemlich großer, tougher Schotte, hat in London ein ungeheuer erfolgreiches Dreisternerestaurant eröffnet (das in New York kam kurz danach), und zwar mit dem Namen »Block F« (F steht für Food, sehen Sie?).

Wir sind also in der Küche und hören, wie der momentane Chefkoch einen anderen Gefangenen anschreit: »Was zum Teufel machst du da drüben? Ist dir nicht gut, oder was? Das sieht nämlich aus, als hättest du in die Pfanne gekotzt. Das würde ich nicht mal dem Hund des Direktors vorsetzen, da lasse ich mir lieber von dem Hund die Eier ablecken, als ihm auch nur einen Teller von diesem Zeug vorzusetzen. Weg damit und von vorn anfangen! Und wenn von dir bis zum Mittagessen nichts kommt, worüber ich vor Freude weine, dann lasse ich mir von DIR meine verdammten Eier ablecken!«

Nicht schön zu hören. Nicht schön zu sehen. Und es muss die Hölle sein, der Adressat dieser Tirade zu sein, selbst wenn es nicht zum angedrohten Eier-Lecken kommt.

Aber wenn Sie sich eine Stunde später zum Essen hinsetzen, dann verpufft sämtlicher Widerwille, den Sie angesichts dieser Szene verspürt haben mögen, sofort. Sie haben niemals so ein Essen probiert. Sie fangen tatsächlich an, darüber nachzudenken, welche Verbrechen Sie wohl begehen könnten, um in Block F zu kommen. Sie würden sich sogar über »lebenslänglich« freuen.

Wenn Sie lieber direkt zum Kapitel »Das Durchbrechen der Perfektionismusmauer« *gehen wollen, blättern Sie vor zu Seite 124.*

Block G: Fantasielosigkeit

Der Block G ist ein ruhiger und relativ zivilisierter Ort, zumindest für ein Gefängnis. Wenn Prinz Charles seinen ruhelosen Geist dereinst der architektonischen Gestaltung eines Gefängnisses zuwenden sollte, käme genau das heraus: ein klassischer Retrolook. Für ein Gefängnis ist es nicht unangenehm: Alles sieht ordentlich und sauber aus. Im Block G weiß man, wo man sich befindet (nicht, dass man vergäße, dass man im Gefängnis ist). Tatsächlich kann Ihnen in diesem Block gar nicht entgehen, wo Sie sind, weil für Notfallmaßnahmen überall kleine Karten des Blocks angebracht sind, ganz so wie in Hotels und Restaurants. Tatsächlich sind die kleinen Karten das Einzige auf den Mauern. Anders als in allen anderen Blocks sind auf den Mauern von Block G keine Schriftzüge zu sehen. Als die Architekten das Team von Block G ursprünglich fragten, was sie gern auf die Wände geschrieben hätten, war die Antwort:

»Das sind Wände. Was sollte man da draufschreiben wollen?«

Sie sagten das so, als wären die Architekten beschränkt. Also zogen die Architekten los und schrieben noch ein paar große Schlagzeilen für die Insassen von Block B, was sich viel leichter bewerkstelligen ließ und mehr Spaß machte.

Die Gefangenen in Block G erledigen das, was ein notwendiger Teil der Gefängnisroutine ist: waschen, essen, zum Trainieren und Luftschnappen auf den Übungsplatz gehen und ein wenig fernsehen. Im Allgemeinen sitzen sie jedoch nur herum, sagen nicht viel und starren Löcher in die Luft. Sie wissen schon, wie diese Leute im Bus oder im Zug, die nichts machen – nicht lesen oder mit ihrem Telefon herumspielen oder mit jemandem plaudern oder neugierig auf die Welt, die draußen vorbeizieht, schauen. Sie starren einfach nur ins Nichts. Aber nicht auf die Zen-Art im Sinne von »Ich habe normalerweise meinen Kopf so voll mit Zeug, mit den Dingen, die ich zu tun habe, mit Ideen, was ich tun könnte, dass es schön ist, einfach nur dazusitzen und zu atmen, wie eine nette kleine Meditation«. Nein. In deren Köpfen geht gar nichts vor sich, und das auf keine gute Art, oder auch auf die »Da läuft nichts«-Art. Das ist keine willkommene Pause im Spiel oder im schnellen Vorlauf eines geschäftigen Lebens. Es ist so, als ob der Film noch gar nicht angefangen hätte. Sie könnten tatsächlich weder die DVD finden, weil es gar keine DVD gibt, weil der Film noch nicht gemacht worden ist ... noch hätten sie nicht über den Film nachdenken können. Vielleicht deshalb, weil die Person, die sich den Film hätte ausdenken können, ebendiese Person ist – voller Potenzial, aber mit ausgeknipstem Licht.

Im Block G sind alle so. Ein totes Gebiet. Es ist nicht der Frieden und die Ruhe eines ... nun ja ... friedlichen und ruhigen Ortes. Es ist der Frieden und die Ruhe eines Friedhofs. Und auf Friedhöfe gehe ich nicht, um Ruhe und Frieden zu finden. Wenn ich gehe, gehe ich dorthin, um die Toten zu besuchen. Willkommen im Block G voller toter Menschen, Menschen aber, die noch an irgendeiner wundersamen Beatmungsmaschine hängen, die sie so aussehen und handeln lässt, als wären sie lebendig. Aber das sind sie nicht. Nicht wirklich. Es mangelt ihnen an Fantasie. Sie haben nicht die Einbildungskraft, um die anderen Dinge zu sehen, die sie tun könnten. Sie haben nicht genug Ideen, um sich etwas einfallen zu lassen, das über das hinausgeht, was direkt vor ihnen liegt, egal, wie unangenehm ihre gegenwärtige Lage ist. In etwa so wie bei dem Gleichnis vom Frosch, der sich zu Tode kochen lässt: während das Wasser, in dem er sitzt, heißer und heißer wird, haben die Gefangenen in Block G nicht das Vorstellungsvermögen, das es bräuchte, um auf die Möglichkeit zu kommen herauszuspringen. Da sie noch nicht einmal daran gedacht haben, dass es eine Möglichkeit geben könnte, aus dem Gefängnis zu entkommen, versucht es auch keiner von ihnen jemals. Das macht das Leben für die Wächter recht leicht und langweilig. Auch sie sitzen eigentlich nur herum und starren Löcher in die Luft.

Aber Moment mal, Parkin, und kurz weg mit der Feder. Ich bin heute morgen aufgestanden, um das nächste Kapitel zu schreiben, und habe folgendes im *Guardian* über »Gefängnisse« gelesen:

Gefängnisinsasse benutzt Plastikgabel, um sich durch 1,50 Meter dicke Mauer zu graben.

Ein Gefangener, der sich mithilfe von Plastikgabeln durch eine 1,50 Meter dicke Mauer gegraben hatte, wurde ertappt, als Ziegelstaub auf dem Boden sichtbar wurde. Simeon Langford fertigte seine Werkzeuge, indem er die Schrauben in seinem Schreibtisch entfernte und sie an Plastikgabeln klebte. Danach brachte er einige Wochen damit zu, den Mörtel von den Mauern seiner Zelle im Gefängnis von Exeter zu kratzen. Die Löcher verdeckte er mit Pappmaschee. Der Fluchtversuch wurde vereitelt, als ein Beamter einen Haufen Schutt unter Langfords Fenster entdeckte. Langford wurde in Untersuchungshaft gehalten, nachdem er drei Wächter in einem anderen Gefängnis angegriffen hatte, und zwar vier Tage bevor er aus der Haft für ein früheres Verbrechen entlassen werden sollte.

Nun, ich habe Folgendes noch nicht erwähnt, aber es scheint ein guter Zeitpunkt, es jetzt zu tun. Es besteht bei der Verwendung der Gefängnismetapher das Risiko, dass wir uns Gefängnisklischees bedienen, die wir aus Film und Fernsehen kennen. Meine Perspektive auf Gefängnisse besteht wohl zum Teil aus *Die Verurteilten* und zum Teil aus Fernsehserien, die vom Gefängnisleben handeln. Außerdem aus Gefängnisszenen von Filmen (unmittelbar fallen mir ein: *Charlie staubt Millionen ab*, *Das Schweigen der Lämmer*, *American History X* etc.). Das einzige Gefängnis, das ich je betreten habe, ist Alcatraz, und das wurde 1963 geschlossen. Nichts davon repräsentiert wirklich die Realität des Gefängnislebens unserer heutigen Zeit. Wenn Sie das also im Gefängnis lesen oder wissen, wie es dort wirklich zugeht, dann lassen Sie sich bitte von den Ungenauigkeiten und aus Unwissenheit bemühten Klischees nicht abschrecken. Wir schreiben hier kein Buch über Gefängnisse, sondern über die Freiheit. Und die Gefängnismetapher hilft uns zu sehen, wie wir frei werden können. Tatsächlich wird der durchschnittliche Leser mit unseren Bezugnahmen auf Gefängnisse mehr anfangen können als mit einer realistischeren Darstellung der rauen Wirklichkeit des Gefängnislebens – ganz einfach weil unsere Bezüge wahrscheinlich auch seine sind.

Als wir die Kapitel des Abschnitts »Das Durchbrechen der Mauern« geplant haben, ist uns zunächst eine Liste von Möglichkeiten eingefallen, wie man aus einem Gefängnis ausbrechen kann, zum Beispiel »Tunnel graben«, »durch die Kanalisation fliehen«. Diese Beispiele verwenden wir als Analogien für therapeutische Wege, mit denen sich die persönlichen Mauern durchbrechen lassen. Wir hatten eine Fluchtmöglichkeit, die den Titel »ein Küchenmesser benutzen« trug. Die Idee stammt aus *Die Verurteilten*, wo Tim Robbins sich durch die Mauern gräbt und dann ein Poster benutzt, um das Loch zu verdecken. Und uns fiel Folgendes ein: Er benutzte einen kleinen Hammer, den er in einer ausgehöhlten Bibel versteckte. Aber wir dachten, ein Küchenmesser würde funktionieren.

Natürlich würde keine Gefängnis, das etwas auf sich hält, metallene Küchenmesser verwenden, wenn man darüber nachdenkt. Ich dachte, es sei schwierig, sich mit einem relativ stumpfen Tafelmesser zu verletzten (wir reden hier natürlich nicht von Messern zum Gemüseschneiden oder zum Holzschnitzen). Aber es ist wahrscheinlich sogar mit einem stumpfen Tafelmesser recht leicht, jemanden zu verletzen, wenn Sie es ihm in den Unterleib rammen, statt zu versuchen, ein zähes Stück Fleisch damit zu schneiden. Also, vergessen Sie die Küchenmesser. Was *wird* also zum Schneiden von Fleisch benutzt? Küchenmesser aus Plastik? Nun, ich bin mir nicht absolut sicher, dass man mit der gezackten Klinge von so einem Gerät nicht auch Schaden anrichten kann. Gibt es also nur Plastikgabeln? Was machen die Gefangenen dann mit Fleischstücken oder schlecht gekochten Karotten? Kommen die Wächter vorbei und schneiden den Gefangenen das Fleisch in Stücke, wie man das für ein Kind machen würde? Wenn man es für ein Kind macht, dann ist die bequemste Art doch, sich hinter das Kind zu stellen, die Arme um es zu legen und ihm dann das Essen zu schneiden. Können Sie sich vorstellen, dass die Wächter das machen? Wohl kaum, oder? Ah, vielleicht gibt es nur Hackfleisch. Vielleicht gibt es jemanden, der das ganze Gemüse darauf überprüft, dass es richtig gekocht ist. Vielleicht überprüft ein Wächter sämtliche Stücke auf dem Teller mit einer Testgabel aus Plastik (er trägt den Titel »Chefgabler«), um sicherzustellen, dass es sich bequem mit einer Plastikgabel essen lässt. Oder einem Löffel. Löffel muss es doch geben. Was würde man sonst mit Suppe machen? Ja, Löffel muss es geben.

Was uns zurück zu Simeon Langford bringt, unserem echten Gefangenen in einem modernen Gefängnis mit seiner Plastikgabel.

Als ich den Artikel das erste Mal las, dachte ich nur »Hurra!, wie ein aufgeregter Junge in einem Roman von Enid Blyton. (Für jeden, der nicht als Kind *Fünf Freunde* gelesen hat: Googeln Sie danach. Die Bücher sind dunkle, beunruhigende Geschichten für Kinder, die sie mit den Schattenseiten des Lebens vertraut machen … Dinge, die Tim Burton liebend gern verfilmen würde.) Also, ich dachte »hurra!«, weil hier ein echter Gefangener war, der etwas tat, von dem ich annahm, dass es nur die Gefangenen, die in meinem Kopf einsitzen, tun würden. *Hier ist ein Mann, der sich einen Tunnel nach draußen gräbt, und zwar mit einer Gabel, und nicht nur einer Gabel, sondern einer Plastikgabel*, so mein Gedanke. Wunderbar. Es muss Monate gedauert haben, und das Loch mit Pappmaschee abzudecken, einfach brillant. Obwohl ich immer noch gern mehr über die Geschichte wüsste. Die Information »Pappmaschee« reicht mir einfach nicht. War die Mauer verputzt oder eine reine Ziegelmauer?

Doch egal, wie es dort ausgesehen hat, wie hat er es geschafft, dem Pappmaschee die Farbe und die Textur der Mauer zu verleihen? Hatte er auch Farben? Wer ist dieser Mann? Ein auf Abwege geratener Designer? Worin bestand sein Verbrechen? Ist er mit einem Plastikbohrer in einen Banktresor eingebrochen? Hat er eine Safetür mit Chinaböllern aufgesprengt? Hat er die gestohlenen Banknoten mit Geld aus Monopoly ersetzt, sodass es niemandem auffiel? Ist er als Ronald McDonald verkleidet geflohen (niemand käme auf die Idee, dass *der* eine Bank ausrauben würde!)? Wartete er, bis der Sturm vorüber war, am einzigen Ort, an dem niemand damit rechnen würde, dass er sich dort versteckte: im Wartezimmer der Polizeistation?

Oder war er einfach ein Gabelfetischist (er fand das Wort einfach so BÖSE) und hat aus jedem Restaurant, in den er jemals einen Fuß setzte, eine Handvoll Gabeln mitgehen lassen? Man meldete ihn öfter der Polizei und er bekam einige Verwarnungen (immerhin ist das kein gefährliches Verbrechen), doch er konnte einfach nicht widerstehen, sodass man ihn schließlich einsperrte, weil er eine Bedrohung für das Besteckbudget kleiner, ums Überleben kämpfender Restaurants in seiner Heimatstadt war.

Ich will mehr wissen. Wenn also irgendjemand genauere Informationen hat oder wenn Sie, Simeon Langford, dies lesen, bitte nehmen Sie Kontakt zu mir auf. Ich weiß nicht, ob es völlig unmöglich ist. Simeon versucht, im Gefängnis einen Schritt weiterzukommen (oder ist vielleicht, wenn er dies liest, schon wieder draußen), es mag ihm also vielleicht wirklich helfen, wenn man ihm einen Ratgeber schenkt, dessen Kernthema Gefängnisse sind.

Doch zurück zu Ihren Leistungen, Simeon: brillante Arbeit, mit all dem Graben und dem Trick mit dem Pappmaschee. Aber dann sind Sie losgeprescht und haben den ganzen Schutt durch das Loch geschoben, sodass ein Wächter ihn unter Ihrem Fenster bemerkte. Simeon:

1. Haben Sie nicht *Flucht oder Sieg* und viele andere Filme gesehen, in denen der Schutt und der Staub in Taschen verschwindet und langsam auf dem Hof verteilt wird? Nein? Also, wenn Sie jemals wieder verurteilt werden sollten – und ich hoffe, dass es dazu nicht

kommt – dann verbringen Sie ein paar Tage damit, sich Gefängnisfilme herunterzuladen. Bestellen Sie sich eine Pizza und genießen Sie für eine Weile das letzte Mal das Gefühl, ein Messer aus Metall zu benutzen.

2. Ich weiß, was Sie jetzt sagen:»Wie soll man denn den Steinstaub mit einer Gabel wegbekommen?« Simeon, Simeon. Einen LÖFFEL hätten Sie gebraucht – einen PlastikLÖFFEL. Wenn Sie nur daran gedacht hätten, auch einen Plastiklöffel zusammen mit einer Plastikgabel aus der Kantine mitgehen zu lassen, wäre es Ihnen ein Leichtes gewesen, sich den Sieg und damit die Freiheit zu sichern.

Doch dann, Simeon, wenn man mehr von dieser kurzen Zusammenfassung Ihrer Fluchtbemühungen liest, stößt man auf eine Enthüllung, die einfach unglaublich ist. Darf ich erinnern?

Langford wurde in Untersuchungshaft gehalten, nachdem er drei Wächter in einem anderen Gefängnis angegriffen hatte, und zwar vier Tage bevor er aus der Haft für ein früheres Verbrechen entlassen werden sollte.

Vier Tage? Sie hätten nicht die vier Tage bis zu Ihrer Freilassung abwarten können? War das der Grund, aus dem Sie sich entschlossen haben, die Kunst der Geduld zu erlernen? Dachten Sie:»Als Test meiner neu erworbenen Geduld werde ich mir den Weg aus diesem viktorianischen Gefängnis-Haus graben, und zwar nur … MIT EINER PLASTIKGABEL?«

Simeon, ich hoffe, nächstes Mal schaffen Sie es nach draußen (durchs Tor, wenn Sie Ihre Strafe abgesessen haben, statt durch die Mauer). Und ich hoffe, Sie benutzen die Fähigkeiten, die Sie ja ganz offensichtlich besitzen, draußen auf konstruktive Art und Weise und führen ein erfüllendes Leben. Ich würde Ihnen sogar ein Buch schicken, wenn ich wüsste, wohin, und ich würde es mit den Worten

»Fork It« signieren.

Wenn Sie lieber direkt zum Kapitel »Das Durchbrechen der Mauer aus Fantasielosigkeit« *gehen wollen, blättern Sie vor zu Seite 129.*

Wir haben an dieser Stelle aus Platzgründen zwei Kapitel herausgenommen. Aber wer diese und andere Kapitel, die wir kürzen mussten, und eine ganze Menge weiterer interessanter Ideen, die uns jetzt gerade noch nicht eingefallen sind, aber ergänzt sein werden, wenn Sie das Buch bereits lesen, wissen möchte, kann all das auf unserer Website einsehen:

www.thefuckitlife.com/extras

Block H: Glauben, dass es Wirklichkeit ist

Den Block H bewohnen die Materialisten, Rationalisten, Realisten und Atheisten zusammen mit jenen, die gar nichts glauben, bis ein Expertenkomitee aus Wissenschaftlern bestätigt hat, dass es stimmt. Alle anderen offensichtlichen Beweise des Gegenteils werden als Hokuspokus verworfen. Jedoch treibt der Hokuspokus gern seinen Schabernack mit Block H, indem er ihn mit eigenartigen Phänomenen füllt und umgibt. Block H ist der Ort, an dem die Feen ihren Spaß haben, die Engel sich vom Gutsein erholen und die gemeinsten Geister zusammen mit den Außerirdischen Ringelreihen tanzen und an dem die erstaunlichsten Zufälle, die den meisten Leuten einmal alle heilige Zeiten passieren, ständig vorkommen.

Die Insassen von Block H haben die bemerkenswerte Fähigkeit, alles zu ignorieren, was nicht zu ihrem vorgefertigten Weltbild passt. Block H ist wie eine äußerst ausgeklügelte Geisterbahn in einem Vergnügungspark, der jedoch von ergrauenden Rationalisten bevölkert ist, die weiter ihre Runden machen und insistieren, sie wüssten, wie der Hase läuft. Ihre Kindheit haben sie lange vergessen. Magie hat da keinen Platz. Und die Möglichkeit, es könnte anders sein, als sie denken, sowieso nicht.

An einem einzigen Tag ging ein als Wächter verkleideter Geist durch eine der Mauern des Gefängnisses und die Gefangene, die Zeugin war, redete sich ein, sie hätte sich das nur eingebildet. Eine Fee ging in der Suppe von Harrison Fairweather schwimmen, sah ihm in die Augen und spuckte ihm sodann Suppe ins Gesicht. Fairweather ging zurück zur Essensausgabe und behauptete, in seiner Suppe sei eine Fliege. Eine Stunde lang verlieh der Geist der Telepathie den Insassen die höchsten telepathischen Kräfte, sodass jeder wusste, was alle anderen dachten, oder wusste, was sie sagen würden, noch bevor sie es taten. Viele Gefangene brachten diese Stunde damit zu zu sagen: »Ich wusste, dass du das sagen würdest«, doch nicht einer kam auf die Idee, dass sie das Geschenk phänomenaler, paranormaler Wahrnehmung erhalten hatten.

Ein paar Stunden später fiel ein Gefangener hin und brach sich das Bein und einer der Wächter knackste mit den Knöcheln, sodass die Wunde sofort verheilte. Der Gefangene nahm an, dass das regelmäßige Zusichnehmen von Spinat diesen bemerkenswerten Effekt auf die Gerinnungsfähigkeit seiner Blutzellen erklärte. Jimmy Wagfinger, der wegen eines Motorradunfalls seit seinem 20. Lebensjahr im Rollstuhl saß, stand auf und tanzte aufgrund einer Wette einen Jig aus den Highlands, den traditionellen schottischen Kilt-Tanz. Doch als er das Geld in der Tasche hatte, war auch der Anreiz zum Tanzen weg, also setzte er sich wieder hin und stand für den Rest seines Lebens nicht noch einmal auf. Die Zeugen des Spektakels fragten sich, ob er irgendeine starke Droge in die Hände bekommen hatte, und dachten dann nicht mehr darüber nach.

Als es aufs Abendessen zuging, sah es so aus, als würde sich ein Sturm zusammenbrauen. Und wirklich brach über Block H bald ein unglaublich schwerer, dunkler Sturm herein. Er war wild, aber kurz. Danach kam die Sonne heraus, und wenn sich jemand die Mühe gemacht hätte, aus den vergitterten Fenstern zu schauen, hätte er sehen können, dass das Gefängnis nun von einem smaragdgrünen Meer umgeben war, das gegen einen goldenen Sandstrand spülte, der zuvor nur ein Kiesplatz gewesen war. Doch niemand machte sich die Mühe, nach draußen zu schauen.

Nachts statteten die Geister der Verschollenen der *Titanic* dem Block auf ihrer Wohltätigkeitstour um die ganze Welt einen Besuch ab; Greifen machten im Sportzentrum ein Feuer aus alten Ausgaben des *Elfischen Wochenblattes* und tanzten bis zur Morgendämmerung darum herum; Gott kam ebenfalls für einen Kurzbesuch vorbei und ging im Privatbad des Direktors so richtig scheißen; und die Maskottchen-Maus des Gefängnisses entzündete sich spontan selbst. Zum Glück wurden aus sämtlichen Funken dieser Selbstentzündung kleine Babymäuse, jedoch mit besserer DNS, als ihre Mutter sie hatte. Diese (DNS) erlaubte es ihnen, sich durch das Auge einer Ameise zu quetschen, die auf einer Nadelspitze saß, die auf einem Anisbonbon balancierte.

Und das war nur ein Tag (und eine Nacht).

Wenn Sie lieber direkt zum Kapitel »Das Durchbrechen der Mauer des Glaubens, es sei Wirklichkeit« *gehen wollen, blättern Sie vor zu Seite 135.*

TEIL 4
DAS DURCHBRECHEN DER MAUERN
(Fucking the »It's«)

Das Durchbrechen der Geschichtenmauer

Wir alle haben eine Geschichte, natürlich. Manche sind gut. Manche sind schlecht. Die meisten sind gemischt. Und wenn Sie ein Insasse von Block A sind, dann stecken Sie in Ihrer fest.

Ein interessanter Aspekt des Medieninteresses, dem ich mich nach der Veröffentlichung von *Fuck It* ausgesetzt sah, war, dass ich merkte, dass man seine Geschichte auf viele unterschiedliche Weisen erzählen kann. Für jemanden wie mich, der nicht oft zurückblickt oder viel über sich redet, war es seltsam, ständig nach meiner Geschichte gefragt zu werden (ja, die Leute wollten immer wissen, was meine *Fuck It*-Story ist). Das Problem dabei war, dass sie meine Geschichte in lediglich zwei Minuten oder 200 Wörtern hören wollten, um dann zum nächsten Thema oder Artikel weiterzuziehen, zur nächsten Geschichte. Und die Medien sind, genauso wenig wie die meisten anderen Leute, nicht an einer normalen Geschichte interessiert. Sie wollen richtige Scoops, Höhepunkte und berichtenswerte Leckerbissen, Geschichten, die sich auf Schlagzeilen zusammendampfen lassen. Und damit will ich weder die Medien noch andere Leute kritisieren. Wir leben auf einem Marktplatz der Informationen, werden von

Tausenden von Bits an Information (Geschichten) bombardiert, und es ist nur natürlich, dass man die unterhaltsamsten gern in mundgerechten, einprägsamen Häppchen serviert haben möchte. Also schnitt ich meine Vergangenheit auf, um zu sehen, was eine hübsche Geschichte ergeben würde. Ich war der chronisch Kranke, der *Fuck It* zur vollen Genesung sagt und plötzlich über Nacht wundersam geheilt war.

Wahr, durchaus, aber ist das meine ganze Geschichte?

Ich war der Mann, der eine physische und emotionale Lebenskrise durchmachte und schließlich im Zug saß und wie ein Baby heulte, doch in einem Geistesblitz verzweifelter Einsicht realisierte, dass es mir nicht länger wichtig war, was die Leute von mir dachten, was mein Selbstgefühl in Beziehung auf andere für immer veränderte.

Stimmt, aber ist es die ganze Geschichte?

Ich bin der Sohn eines Paars christlicher Prediger und probierte zahlreiche spirituelle Traditionen des Ostens und schmolz aus allen das Beste zusammen, in eine Philosophie, die auf dem westlichen Fluch *Fuck It* aufgebaut war.

Stimmt, aber ist es die ganze Geschichte?

Ich war der kreative Werbetexter, der eine glamouröse Karriere aufgab, um ein Retreat-Zentrum in Italien zu gründen. Und ich war der Besitzer von »Europe's Best Retreat«, den er aufgab, um das zu tun, was er am meisten wollte – *Fuck It* lehren, durch Bücher, Veranstaltungen und hin und wieder durch Retreats (an anderen Orten).

Stimmt. Stimmt. Stimmt. Stimmt.

Also, warum fühlt es sich nicht nach der ganzen Geschichte an? Warum fühlt sich nichts davon nach der *echten* Geschichte an? Weil die echte Geschichte – die sich in Echtzeit entwickelnde Geschichte, die wir LEBEN nennen – anders ist, ganz so, wie ein Fußballspiel sich nicht in den 20 Sekunden Highlights nachts im Sportkanal adäquat wiedergeben lässt. Das eigentliche Spiel lässt sich vielleicht weder durch das Ergebnis noch durch die Traumtore wiedergeben. Eines der Teams hat das Spiel vielleicht größtenteils dominiert – aber keine Tore geschossen. Das ganze Spiel könnte von mittelmäßigen Spielzügen, langweiligen, vorgefertigten Bewegungen und schlechter Taktik dominiert gewesen sein, aber in den letzten fünf Minuten könnten wir zwei Tore von den göttlichsten, leichtfüßigsten Spielern gesehen haben, die dann auf den Fernsehschirmen und iPads und zukünftigen Pads in alle Ewigkeit wiederholt werden. Repräsentieren die das Spiel? Nein, aber man sieht sie gern.

Ich bin nicht meine Geschichte. Obwohl sie umso realer zu werden scheint, je öfter ich nach meiner Geschichte gefragt werde und desto mehr ich mich bemühen muss, sie konsistent zu halten (selbst wenn mir das manchmal langweilig wird). Ich bin nicht meine Geschichte. Und Sie sind nicht Ihre Geschichte. Sie sind ein lebendes (normalerweise – meine Leser sind für gewöhnlich am Leben, obwohl ich kürzlich von Medium und Autor Gordon Smith gehört habe, dass ich auch durchaus ein paar Fans in der Geisterwelt habe), lernendes, sich veränderndes, inkonsistentes, chaotisches und manchmal kaputtes Menschenwesen.

Alles um uns her fordert üblicherweise, dass die Geschichte konsistent ist (ganz so würden es die Medien wohl kaum schätzen, wenn ich jedes Mal ein anderes »Stück« meiner Geschichte wählen würde, das ich dann einem Interviewer präsentiere). Wir wollen konsistent sein. Wir sind nicht mehr so wie in unserer Kindheit, nicht wahr? Damals haben wir uns kaum danach gesehnt, konsistent zu sein, und hatten auch keine Vorstellung, was unser Charakter ist, zumindest nicht als junge Kinder. Aber dann machen sich die Leute daran, einem das zu verderben, oder nicht? Sie erzählen Ihnen, wie Sie sind:

»Oh, du bist so ein guter/s Junge/Mädchen.«

»Das ist lieb von dir, danke, dass du so aufmerksam bist.«

Oder:

»Musst du so egoistisch sein?«

»Warum kannst du dich nicht benehmen wie jeder normale Mensch?«

Und so werden Sie bald der aufmerksame Junge/das aufmerksame Mädchen. Oder der/das egoistische, exzentrische Junge/Mädchen. Was Sie eigentlich sind/waren, ist ein guter/s, egoistischer/s, aufmerksamer/s, ungezogener/s, lieber/s, exzentrischer/s, normaler/s Junge oder Mädchen.

Das sind/waren wir alle.

Es ist nur diese abstruse Vorstellung, wir sollten eine konsistente, unterhaltsame Geschichte vorzuweisen haben. Wir machen vermutlich eine Phase durch, in der wir versuchen, uns dieser Typisierung unseres Lebens zu widersetzen. Üblicherweise ist das unsere Teenagerzeit. Aber das ist harte Arbeit. Und nach einer Weile internalisieren die meisten von uns die externe Sehnsucht nach einem konsistenten Selbst und begnügen sich mit etwas, das sich für sie in Ordnung anfühlt, eine mittlere Annäherung an unsere vielen Selbsts, so wie man einen langweiligen Politiker wählt, um die vielen disparaten Elemente des Wahlbezirks »Selbst« zu repräsentieren.

> **Wenn Ihre Geschichte eines Ihrer »It's« ist, und das ist sie höchstwahrscheinlich, dann *Fuck It*.**

Nun, *Fuck It*. Wenn Ihre Geschichte eines Ihrer »It's« ist, und das ist sie höchstwahrscheinlich, dann *Fuck It*.

Ja, eine Geschichte haben werden Sie immer. Und manchmal wird es Ihnen Spaß machen, sie zu erzählen. Aber vergessen Sie niemals, dass es nur eine Geschichte ist. Vergessen Sie niemals, dass sie nicht Ihre Geschichte ist. Geschichte ist Ego. Das ist okay, aber es kann langweilig sein. Leben ist auch ES. ES ist der *Fuck It*-Zustand.

Hey – und machen Sie sich keine Sorgen. Sie müssen sich bei vielen dieser Dinge nicht groß anstrengen. Lassen Sie's zum einen Ohr rein, denn selbst wenn einiges davon sofort wieder zum anderen Ohr rausgeht, wird doch genug im Stück dazwischen hängen bleiben, um etwas zu bewirken. Permanent.

Habe ich Ihnen eigentlich die Geschichte erzählt, dass ich als junger Mann für einen besonderen Preis nominiert worden bin? Das war …

Menge schreit: »Langweilig! Verzieh dich!«

Und er verzog sich. Und alles, was auf der Bühne zurückblieb, war das ES.

Gaias magische Worte

Geben Sie dem »Creep« in sich nach

Momentan habe ich mich völlig in den Song »Creep« von Radiohead verliebt und spiele ihn oft in unseren Gruppen. (Wenn Sie ihn nicht kennen, können Sie einen Link auf unserer Seite finden, wo Sie ihn downloaden können: www.thefuckitlife.com/extras.)

Wir alle wollen in dieser wilden Welt etwas Besonderes sein (ganz so, wie es der Song sagt). Wir wollen perfekt sein. Aber die Realität sieht so aus, dass wir inkohärent sind, stets weniger, als wir gerne wären; wir ergeben keinen Sinn und unser Leben ergibt keinen Sinn; wir können uns nie ganz beweisen, dass wir gut genug sind. Sehen Sie, wir sind »Creeps« und Verrückte.

Genau dann, wenn wir das einsehen, können wir den Versuch aufgeben, normal zu sein.

Je eher wir aufhören, den makellosen Körper und die unbefleckte Seele zu wollen, desto eher fangen wir an, Spaß zu haben.

Je eher wir dem »Creep« in uns nachgeben, desto besser. Denn wenn wir »Creeps« sind, haben wir damit alle Freiheit dieser Welt, über die Stränge zu schlagen, uns zu verirren, real auszusehen und einfach nur zu sein. Und das ist sexyer als Sie glauben (auf diese kompromisslose Art).

Das Durchbrechen der Angstmauer

Wenn Sie als Insasse des B-Blocks den Putz von den Mauern der Angst gekratzt haben, dann liegt unter all diesen unheimlichen Fakten und Warnungen eine riesige, Furcht einflößende Tatsache verborgen: SIE UND DIE MENSCHEN, DIE SIE LIEBEN, WERDEN STERBEN.

Unter all dem, wovor Sie sich fürchten, unter allem, wovor ich mich fürchte, nahezu allem, vor dem sich fast jeder Mensch auf diesem Planeten fürchtet, liegt die simple Angst vor Tod und Verlust: der ständige Unterton des Bewusstseins, dass *das hier* nicht ewig dauern wird. Und das bereitet uns Kummer. Gestern Abend habe ich mir eine Episode von *Family Guy* angeschaut, bei der es nur um den Tod ging. (Was schon irgendwie komisch ist, wenn man bedenkt, dass ich ja wusste, dass ich heute Morgen dieses Kapitel schreiben würde.) Die Frau von Peter Griffin findet einen »Klumpen« in seiner Brust und sie denken sofort, es könnte Krebs sein. Anfangs will er es, wie wir es wohl alle täten, ignorieren, aber später geht er doch zum Arzt. Nachdem er die Entwarnung bekommen hat, isst er mit seiner Familie zu Abend und er freut sich, am Leben zu sein, und kann die Dinge wertschätzen, die er noch vor Kurzem für selbstverständlich hielt. Doch dann klopft es an der Tür. Man weiß schon, was kommt, aber Chris (sein Sohn) öffnet dem Tod die Tür, dem Sensenmann, der gekommen ist, um seinen Vater wegzuholen. Also muss Peter sich von seiner Familie verabschieden. Seine Familie darf ihm noch Lebewohl sagen. Natürlich ist das eine animierte Komödie, es ist also lustig. Aber … aber ich fand es sehr traurig, als er Lebewohl sagte. Ich dachte: »Wie bemerkenswert, es ist nur ein Cartoon, ich kenne diese Figuren noch nicht einmal, und trotzdem fühle ich mich zutiefst traurig.« Natürlich projizierte ich die Szene auf mein Leben, fragte mich, wie es wäre, für immer Abschied von Gaia und meinen

Jungen nehmen zu müssen. Doch das muss auf einer tieferen Ebene abgelaufen sein, denn in diesem Moment war ich seinetwegen traurig, wegen seiner Frau und seinen Kindern – Zeichentrickfiguren!

Ich will nicht gehen. Ich will nie gehen. Ich will niemals von meiner Familie Abschied nehmen müssen. Ich will, dass das Leben ewig dauert.

Das ist die Wahrheit, ich will, dass das Leben ewig dauert. Und alles, was mich daran erinnert, dass es nicht so ist, tut mir weh. Und es sind so viele Dinge, die mich und uns daran erinnern, dass es nicht ewig dauern wird. Tatsächlich erinnert uns fast alles daran, dass es nicht ewig dauern wird. Und zwar nicht nur die Angst schürenden Medien. Selbst der Herbst bewirkt, dass ich mich ein wenig traurig fühle: es ist das Ende des lange Sommers und seiner Freuden – keine faulen Tage am Strand mehr, keine langen Abende, an denen man draußen essen kann. Der Herbst ist der Tod des Sommers. Alles in der Natur zieht sich zurück und beginnt, tot auszusehen (wobei es das meistens nicht ist, sondern schläft).

Und man kann diese Traurigkeit über Verlust und potenziellen Verlust fast überall fühlen, wo man sich umsieht. »ALLES MUSS WEG« liest man auf dem Schild im Fenster eines der Geschäfte in der Straße vor diesem Hotel. Und es stimmt, früher oder später muss ALLES weg. Nicht nur die billigen Möbel in dem Geschäft, das zumacht, sondern auch der Besitzer des Geschäfts und das Gebäude. Und jedes Körnchen Ziegelstein dieser Straße und dieser Stadt. Jeder einzelne Mensch mit seinen Hoffnungen und Träumen sowie seine Familie und seine Freunde werden irgendwann gehen. Jedes Lebewesen, jeder leblose Gegenstand, jedes Wesen, jeder Löffel, jeder König, jeder Arbeiter, jeder Fußballspieler, jede Uhr, jedes Telefon, jeder Gedanke, jede Erinnerung, jeder Liebesbrief, jede Träne … muss weg.

Auf meinem Schreibtisch zu Hause liegt ein schweres, erstaunliches Buch mit dem Titel *Panoramas of Lost London*. Und schwer und erstaunlich ist es auf tausenderlei Art. Es enthält Fotografien eines »verlorenen« London zwischen 1870 und 1945. Fotografien von Gebäuden, die es nicht mehr gibt: Orte, die für die Leute, die 100 Jahre später denselben Raum bewohnen, noch nicht einmal mehr eine Erinnerung sind; Leute, die man in einem Augenblick ihres Lebens eingefangen hat, das nun Vergangenheit ist. Dieses Buch fasziniert mich. Die Szenen und die Leute sind bekannt genug, um eine Verbindung zu ihnen zu fühlen: Immerhin handelt es sich um die Generation unserer Urgroßeltern. Es ist nun nicht etwa so, als würde man Fotografien der Römer im Rom von vor 2000 Jahren betrachten (wobei das, für sich genommen, erstaunlich und überwältigend wäre und ein exzellentes, wenn auch teures, Fotoprojekt.) Das ist neuere Geschichte. Doch es ist auch eine andere Welt. Die Orte haben sich verändert und sind nicht wiederzuerkennen. Die Leute sind längst weg. Doch nicht nur das – ihre Lebensweise, ihre Häuser, die Läden, in denen sie eingekauft haben, sind ebenfalls längst weg. Es ist dieser Schnittpunkt des Bekannten mit der auf immer verlorenen Fremdheit, die diese Fotografien so faszinierend, bewegend und, ja, traurig macht.

Alles muss weg. Aber das heißt nicht, dass das leicht zu akzeptieren ist.

Also, stimmt es für Sie, dass, wenn Sie der Sache auf den Grund gehen, die meisten, wenn nicht alle, Ihrer Ängste auf Ihrer Angst vor Verlust und im Letzten vor Ihrem eigenen Tod und dem Tod der anderen basieren? Denken Sie darüber nach. Wovor haben Sie Angst? Haben Sie Angst davor, Ihren Job zu verlieren, davor, dass Ihr Haus in Flammen aufgeht, krank zu werden, davor, dass Ihre Kinder auf der Straße getötet werden oder dass Ihre Wertpapiere an Wert verlieren, dass Ihre Eltern sterben, dass Sie Ihr gutes Aussehen verlieren, vor der globalen Erwärmung, zuzunehmen, das Auto zu Schrott zu fahren, davor, dass Ihnen die Haare ausgehen, dass das Meeting schlecht läuft, dass die Zeit verstreicht, etwas zu verpassen, Ihr Potenzial nicht zu nutzen, vor einem Nuklearkrieg, vor Meteoriteneinschlägen, vor Wasserknappheit, davor, dass Ihre Kinder groß werden, zu bleiben, wo Sie sind, oder davor wegzugehen? Wovor haben Sie Angst? Und liegt nicht all dem Verlustangst zugrunde?

Mir scheint, dass wir diese Verlustsache direkt angehen müssen, auf die eine oder auf die andere Art: Die Sache ist es wert, sich anzusehen, wovor man sich fürchtet, und die Quelle der Angst zu verstehen. Wir müssen uns mit dieser unvermeidlichen Tatsache, vor der es kein Entkommen gibt, konfrontieren (egal wie sehr wir versuchen, ihr zu entrinnen): Alles muss weg.

Fuck It in diesem Kontext bedeutet nicht, *Fuck It* zur Angst zu sagen. Das würde bedeuten, dass wir die Angst ignorieren, die unter all dem pulsiert, was wir tun, um dann weiterzumachen wie bisher. Nein, sagen Sie *Fuck It* und schauen Sie Ihrer Angst ins Gesicht. Und schauen Sie vor allem den großen Ängsten unter Ihren kleinen Ängsten ins Gesicht.

Und hier ein paar Aspekte, die Ihnen vielleicht helfen können, wenn Sie Schritte unternehmen, um sich Ihren Ängsten zu stellen:

- Wir alle fürchten etwas. Und viele von uns haben Angst vor so manchem.
- Selbst die Leute, die tough aussehen, fürchten sich irgendwo unter der rauen Schale. Lesen Sie zum Beispiel den Bericht meines Freundes Peter M. Hammond, wie er eine Krebserkrankung überlebte (*The Bad Times Bible*), wenn Sie etwas darüber erfahren wollen, wie blinde Furcht uns alle drankriegen kann.
- Egal, wovor Sie Angst haben, andere Menschen sehen sich jeden Tag einer Wirklichkeit gegenüber, die viel schlimmer ist.
- Es ist okay und natürlich, Angst zu haben, traurig zu sein und deswegen hin und wieder zu weinen. Kürzlich habe ich etwas über Charles Dickens gelesen.

Ganz anders, als unser stereotypes Bild vom Engländer mit steifem Kragen uns weismachen will, traf sich Dickens mit seinen männlichen Freunden und man erzählte sich Geschichten und weinte über die traurigen Stellen. Natürlich war damals der Tod eine viel alltäglichere Erfahrung als heute (besonders bei kleinen Kindern). Doch das verhärtete die Leute nicht gegenüber Schmerz, Trauer und Furcht. Sie standen in Kontakt mit ihrem Schmerz und weinten zusammen.

✴ Versuchen Sie, der Tatsache Ihres eigenen Todes ins Auge zu schauen. Akzeptieren Sie, dass es passieren wird. Versuchen Sie, in Akzeptanz dieser Tatsache zu leben, doch weiter jeden Tag das Leben zu lieben.

Es ist ein trauriger kosmischer Witz, dass, je mehr wir das Leben lieben, wir auch umso mehr an ihm hängen und umso mehr Furcht und Trauer empfinden, dass wir es verlieren könnten. Tatsächlich kann es passieren, dass wir uns, wenn wir uns von der Angst und der Traurigkeit, die aus unserer Liebe und unserem Enthusiasmus für das Leben erwachsen sind, überwältigen lassen, was zu Depressionen und geringerer Lebenslust führen kann. Vielleicht ist das natürlich so. Es ist wie die natürlichen Gezeiten der Lebensenergie: das natürliche Karussell von Spannung und Entspannung, das ewig-kreishafte Expandieren und Kontrahieren des Universums. Vielleicht ist das ein selbstregulierender Mechanismus: Wir lieben das Leben immer mehr, bis wir es so sehr lieben, dass wir den Gedanken nicht mehr aushalten können, es zu verlieren, und werden depressiv und gleichgültiger, ob wir es verlieren, werden so wieder den Schmerz der Verlustangst los, sodass wir wieder anfangen, das Leben zu lieben, bis wir das Leben so sehr lieben, dass wir den Gedanken nicht aushalten können, es zu verlieren … und so weiter.

Ich habe *Fuck It* zur Angst gesagt

Als eine 24-Jährige, die seit ihrem 16. Lebensjahr unter Angstzuständen litt, kann ich die Erleichterung gar nicht richtig ausdrücken, die ich fühlte, als ich die *Fuck It*-Bücher las.

Ich war der Fußabtreter für so viele Leute und litt unter so erstickender Angst, dass sie ein normales Leben für mich unmöglich machte. Ich erinnere mich noch, als ich das Buch zum ersten Mal in einem Buchladen sah. Ich habe es nicht gleich gekauft. Ich fühlte mich davon angezogen, als ob es unter den anderen Büchern der Selbsthilfe-Abteilung herausgestochen hätte. Am nächsten Tag kam ich wieder, denn, ehrlich, ich konnte die Worte »*Fuck It*« nicht aus dem Kopf kriegen. Ich kaufte es und habe seitdem nicht zurückgeschaut.

Ich habe *Fuck It* zu den Leuten in meinem Leben gesagt, die entschieden hatten, dass sie auf mir herumtrampeln und mich wie Dreck behandeln können. Ich habe *Fuck It* zu der Stimme in meinem Kopf gesagt, die mir sagte, ich könne nichts anderes machen, weil ich nicht gut genug sei. Ich gebe zu, ich bin immer noch nicht 100 Prozent geheilt und habe immer noch Tage, an denen ich mich am liebsten wegsperren würde. Aber das Schöne daran ist, dass ich tatsächlich auch dazu *Fuck It* sagen und einen Tag daraus machen kann, den ich mit einem flotten Dreier mit Ben & Jerry beende, auf dem Sofa bei laufendem Fernseher. Ich glaube wirklich, dass ich jetzt endlich das »*Fuck It*-Leben« erfahre, lebe.

Emma Stone, UK

Das ist nur eine von 100 *Fuck It*-Geschichten in dem neuen E-Book »I Said *Fuck It*«, erhältlich unter www.thefuckitlife.com/extras.

Sagen Sie *Fuck It* und schauen Sie Ihrer Angst ins Gesicht. Stück für Stück. Finden Sie heraus, ob Sie mit diesen zwei scheinbaren Gegensätzen leben können: Liebe und unschuldige Freude über die grenzenlose Großartigkeit des Lebens, gemischt mit einem sanften Bewusstsein für die Tatsache seiner Vergänglichkeit.

Sie kennen wahrscheinlich eine der unzähligen Versionen der Geschichte von dem König, der nach einem Stück Weisheit sucht, das ihm helfen kann, mit allen Situationen fertigzuwerden, egal ob gut oder schlecht. Seine weisesten Berater dachten lange intensiv nach und lieferten schließlich Folgendes:

AUCH DAS VERGEHT.

Schreiben Sie sich das auf. In Großbuchstaben. Hängen Sie es an die Wand. Diese Worte sollten wie HOLLYWOOD über all unseren Städten und Dörfern errichtet werden.

Tatsächlich hatte ich vor ein paar Jahren die Idee, diese Worte aus Metall fertigen zu lassen und sie an die Hauptmauer von unserem Zentrum »The Hill That Breathes« zu hängen. Ich wollte, dass die Leute daran erinnert würden, dass dieser Ort und diese Erfahrung, so schön sie auch sind, ebenfalls vergehen würden. Na klar, ich dachte, es würde ziemlich lang dauern, bis es vergeht, aber schließlich würde das doch unfehlbar eintreten. Selbst ich war überrascht, wie schnell es vergangen ist, zumindest die Form, die es damals hatte.

Es verging und auch das hier wird vergehen.

Das Durchbrechen der Ernstmauer

Wir alle fangen als Kinder an und Kinder nehmen die Dinge nicht so ernst: Sie spielen, lachen viel, sind spontan und tun, was ihnen in den Sinn kommt.

Und wir enden als Erwachsene. Erwachsene nehmen üblicherweise alles sehr ernst: Sie arbeiten hart, sie machen sich oft Sorgen, sie lachen und spielen nicht besonders viel und tun meistens das, was sie für ihre Pflicht halten, statt das, worauf sie Lust haben. Was also ist passiert?

Wir haben auf die Stimmen von draußen gehört, das ist passiert. Die ewigen Übertragungen, denen die Leute im Block C ausgesetzt sind, sind das, was wir während des Heranwachsens geliefert kriegen. Eine Weile müssen wir nur anderen Kindern und ihren Sendungen zuhören. Doch dann schaffen es die Erwachsenen immer öfter, ihre Botschaften dazwischenzuschalten. Schulen sind dazu da, den Kindern die Botschaften der Erwachsenen zu verkaufen und ihnen so zu helfen, den Übergang von der Kinderzeit ins Erwachsenenalter zu bewältigen. Und man betrachte einmal, wie erfolgreich die Schulen sind. Manchmal haben sie vielleicht damit zu kämpfen, den Kindern gut lesen und schreiben beizubringen. Manchmal ist es vielleicht ein Problem, die Schüler davon zu überzeugen, nicht zu raufen oder Messer mitzunehmen. Doch worin die Schulen äußerst, äußerst gut sind, ist, die Schüler von verspielten, spontanen, sorglosen Kindern in seriöse, sorgfältige Erwachsene zu verwandeln.

So sieht es aus. Und es wirkt alles so natürlich. Wir bringen unseren Kindern bei, sich um die Umwelt zu sorgen (das kann doch nicht so schlecht sein, oder?), um ihre Freunde und Familie (dito), darum, wohlauf zu sein, sorgfältig ihre Hausaufgaben zu machen, sodass sie auf die Universität gehen können, um einen ordentlichen Job zu kriegen, um ordentlich Geld zu verdienen, um ein nettes Haus zu kaufen und eine netten Familie zu haben, nette Auslandsreisen zu machen, einen besseren Job zu kriegen, um mehr Geld zu verdienen, um ein schöneres Haus zu kaufen und schönere Auslandsreisen zu machen … und gleichzeitig sagen wir ihnen, sie sollen sorgfältig mit ihrer Gesundheit umgehen – etwas Anständiges essen und trainieren –, ein guter Ehepartner sein, ein guter Sohn oder eine gute Tochter und gut in der Küche sein, im Haushalt etc. etc.

Man hat uns beigebracht, Sorgfalt walten zu lassen, denn wo kämen wir denn hin, wenn wir das nicht täten?

Man bringt uns bei, Sorgfalt walten zu lassen, weil Erwachsene das eben so machen.

Warum sorgen sich Erwachsene? Weil sie all die Dinge mögen, mit denen sie sich umgeben haben, und sie nicht verlieren wollen. Und nicht nur die Dinge, sondern jeden Aspekt ihres Lebens. Ein Erwachsener entwickelt sehr schnell Anhaftung gegenüber den Dingen, die er oder sie mag. Wenn wir erwachsen werden, ist das so, als würden wir Kleidung voller Klett tragen, an dem alles hängen bleibt. Wir machen uns alles zu eigen, was uns gefällt, von den Dingen, die wir mögen, über Eigenschaften, von denen wir das Gefühl haben, dass sie für uns funktionieren, bis hin zu der Idee, etwas Bestimmtes zu sein, oder der Idee eines bestimmten Gewichts oder von Gesundheit. Das ist nur natürlich, doch wir entwickeln eine noch tiefere Anhaftung an alles, wenn wir älter werden. Je mehr wir, sagen wir einmal, von unserem Haus und einem bestimmten Lebensstandard abhängig sind, entwickeln wir auch Anhaftung gegenüber bestimmten Vorstellungen, wie das Leben sein soll.

Wir alle machen uns Sorgen. Natürlich machen wir uns Sorgen. Wenn Sie etwas nicht verlieren wollen, sorgen Sie dafür. Wenn Sie sich nicht sorgen würden, es zu verlieren oder es überhaupt erst zu haben, dann wäre es Ihnen egal. Und weil Sie sich darum sorgen, nehmen Sie es ernst. Wäre es Ihnen egal, würden Sie die ganze Sache nicht so ernst nehmen, oder?

Also, warum soll dann das Sich-Sorgen-Machen ein Problem sein, selbst wenn es Sie ein wenig ernster macht?

Das Problem ist, dass wir uns zu viel und um zu viele Dinge sorgen. Und das ist normalerweise nicht nachhaltig – nicht im ökologischen Sinn, wobei unsere tiefen Sorgen um diese ganzen Dinge auch nicht nachhaltig sind. Es hat schon ein bisschen den Anschein, als ob unsere Zwickmühle mit der globalen Erwärmung in diesem Sinne so was wie ein *Catch-22* ist. Die Umweltschützer wollen die ganze Zeit, dass wir uns mehr sorgen, die Dinge ernster nehmen, doch wenn wir uns allgemein weniger sorgen würden und die Dinge weniger ernst nähmen, würden wir auch weniger arbeiten, weniger verdienen, weniger ausgeben, weniger Zeug haben, weniger reisen, weniger Energie verbrauchen und all das ganz von selbst.

Nein, wenn wir uns um so vieles so sehr sorgen, dann stehen wir schön da, wenn sich die Dinge ändern. Und die Dinge ändern sich ständig. Die Aktien können genauso gut sinken wie steigen. Und auch im Leben geht es auf und ab. Mit der Gesundheit geht es auf und ab. Beziehungen haben ihre Höhen und Tiefen. Die Immobilienpreise steigen und fallen. Jobaussichten können günstiger werden oder ungünstiger, man kann zu- oder abnehmen, die Brüste können wachsen oder schrumpfen, Erektionen können steigen und fallen, die Kinder wachsen heran, die Temperaturen auf unserem Planeten steigen, das Eis schmilzt und die Meeresspiegel steigen, die Wirtschaft im Osten wächst, die Wirtschaft im Westen geht zurück.

Lassen Sie sich davon nicht herunterziehen.

Aber es wird natürlich immer Dinge geben, um die Sie sich sorgen und die Sie ernst nehmen (und Sie alle haben sich für jeweils anderes entschieden).

Doch das eigentliche Problem ist, sich zu sehr um zu vieles zu sorgen. Deshalb arbeiten Sie zu hart, um die ganze Mühle am Laufen zu halten, deshalb haben Sie Stress, wenn ein Teil der Mühle auseinanderfällt, deshalb haben Sie genug von den beiden ersten Punkten.

Daher folgen hier ein paar Übungen, die Sie machen können, um zu sehen, was Ihnen wirklich wichtig ist:

1. Stellen Sie sich vor, Sie wären wieder 18 und könnten Ihrem älteren Selbst von heute einen Brief schreiben.
2. Stellen Sie sich vor, Sie wären 85 und könnten Ihrem jüngeren Selbst von heute einen Brief schreiben.

Na los, fangen Sie an! Es funktioniert prima, glauben Sie mir. Tatsächlich gehe ich jetzt zum Abendessen und mache die Übungen selber noch einmal und schaue, was dabei herauskommt.

Bis später.

John x

Okay, bin wieder da.

Ich weiß ja nicht, was Sie herausgefunden haben, aber die grundlegende Nachricht an mich selbst war die übliche: das loszuwerden, was mich belastet, und aufzuhören, mir um Dinge sorgen zu machen, die im großen Rahmen überhaupt keine Rolle spielen … blablabla.

Stellen Sie sich mal vor, wie es wäre, wenn Sie Ihren eigenen Rat befolgen würden, stellen Sie sich vor, wie es wäre, sich WENIGER Sorgen um so vieles in Ihrem Leben zu machen (und dann sehen Sie zu, wie sich die Wunder einstellen, weil Sie dann mehr von Ihrer Energie auf das verwenden können, was wirklich zählt.

Fuck It. Es ist gar nicht so wichtig. Das ist ein Akt des *Fuck It*-Sagens, und zwar zu vielen Dingen in Ihrem Leben, um die Sie sich momentan sorgen. Für uns ist eine der zentralen Bedeutungen von *Fuck It* die folgende: Es ist gar nicht so wichtig.

Das ist eines meiner liebsten *Fuck It*-Mantras und ich sage es mir immer wieder vor (wie man das mit einem Mantra eben macht).

Fuck It. Es ist gar nicht so wichtig.
Fuck It. Es ist gar nicht so wichtig.
Fuck It. Es ist gar nicht so wichtig.

Singen Sie es. Tätowieren Sie es sich auf Ihren Bauch, sodass Sie es lesen können, wenn Sie nach unten schauen.

Magie ist es, sage ich ... ein magisches Mantra.

Und wissen Sie, was passiert, wenn diese Magie anfängt zu wirken? Sie fangen an, die Dinge weniger ernst zu nehmen. Im großen Stil. Nicht, weil Sie das eine oder andere Glas getrunken und eine gute Komödie angeschaut haben, sondern weil Sie sich weniger sorgen.

Sie sind leichter, freier, ja, Sie bekommen die richtige *Fuck It*-Einstellung.

Singen Sie auch das, wenn Sie Lust haben.

»Ich bin leichter, freier, ich bekomme endlich die *Fuck It*-Einstellung.«

Das Durchbrechen der Selbstzweifelmauer

Die Leute, die uns »Feedback« geben, sagen immer, dass sie das in unserem Interesse tun – besonders die Chefs, Lehrer und Eltern. Sie tun es, um uns zu helfen, uns zu verbessern, denn sonst wären wir verloren, hoffnungslose Fälle. Und auch daran erinnern sie uns ständig. Sie glauben, es sei ihre Aufgabe auf Erden, uns zu helfen, das Licht zu sehen und den besseren Pfad und das bessere Leben zu finden, die auf uns warten. Wenn wir ihnen nur zuhören würden, sie ernst nähmen, sähen, dass sie nur versuchen, uns zu helfen, dann könnten wir von ihrer konstruktiven Weisheit profitieren.

Doch warum fühlt es sich so anders an? Warum fühlt es sich so an, als würde an uns herumgenörgelt? Warum haben wir das Gefühl, dass sie diesen »Ich tu das nur für dich«-Spruch als Versteck benutzen, hinter dem sie all ihre Unsicherheiten und Blockaden an uns auslassen können? Warum?

Die traurige Tatsache ist, dass viele von uns konstanter Kritik unterworfen worden sind (und manchmal dauert das noch heute an), besonders als Kinder. Nun müssen Eltern und Erwachsene natürlich Kindern gewisse Verhaltensgrundsätze beibringen. Doch wir alle kennen den Unterschied zwischen:

»Kylie, würdest du bitte auf die anderen warten, bevor du mit dem Essen anfängst?!«

Und …

»Kylie, warum bist du so egoistisch? Muss ich dir wirklich jeden Tag sagen, dass du nicht vor uns anderen zu essen anfangen sollst? Siehst du nicht, dass ich mich noch nicht hingesetzt habe? Ich mache mich krumm, um dir ein Essen auf den Tisch zu stellen, und du willst es einfach herunterschlingen, um zurück zu deinen Videospielen zu kommen. Weißt du, wie ich mich damit fühle? Wart mal, bis du selber Kinder hast, junge Dame, dann verstehst du es vielleicht.«

Kinder sind freie, spontane, unschuldige Seelen. Und es kann wunderschön und inspirierend sein, das zu beobachten. Es sei denn, Sie sind jemand, der in der Falle seines eigenen Stresses, seines Ärgers, Zorns und seiner Unbewusstheit feststeckt. In diesem Fall erinnert Sie ein Kind ständig an alles, was Sie selbst nicht sind – oder was Sie verloren haben und nie zurückgewinnen werden. Das macht Sie sogar noch wütender, und das ist falsch und unfair. Wenn Sie schon kein schönes Leben haben, wie kann es dann sein, dass die Kinder dasitzen und sich so frei fühlen? Darüber würden Sie natürlich niemals nachdenken oder es gar realisieren. Sonst könnte es ja passieren, dass der Schmerz zu Ihrem zugefrorenen Herzen durchdringt. Nein, Sie tun das den anderen zuliebe. Und wir haben ja gesehen, wie

Sie das auch außerhalb der Schule, im Restaurant oder im Einkaufs-
laden ihnen zuliebe machen.

»Kylie, würdest du bitte aufhören herumzutoben? Halt Schritt. Ich
habe hier genug zu tun. Nein, es gibt keine Kekse. Weißt du, wie viel
die kosten? Glaubst du, Geld wächst auf den Bäumen? Warte mal,
bis du selbst Geld verdienen musst, dann merkst du das schon. Du
bist so egoistisch.«

Das und eine Bandbreite ähnlicher Kommentare hören wir täglich
und haben es auch als Kinder gehört.

Jetzt hören Sie zu, ich bin selbst Vater und ich weiß, dass Eltern-
sein kein Zuckerschlecken ist. Es ist annähernd unmöglich zu verhindern, dass sich hin und wieder mal Ihre eigenen Belange in die
Sache einmischen. Sie verlieren leichter die Geduld mit Ihren Kindern, weil Sie etwas in der Arbeit aufgeregt hat, nicht weil das, was
Ihre Kinder getan haben, es rechtfertigt. Wir alle haben es getan. Wir
alle tun es. Wir alle machen damit weiter. Aber bitte achten Sie darauf, wann es in Wirklichkeit um Sie geht und wann tatsächlich die
Kinder etwas ausgefressen haben, das Ihre Empörung rechtfertigt.
Gehen Sie sanft mit den Kleinen um.

Gehen Sie sanft mit sich selbst um – selbst wenn Sie gerade nicht
so sanft mit den Kleinen umgehen.

Gehen Sie sanft mit sich selbst um, denn niemand sonst hat es
getan. Es liegt also an Ihnen. Sehen Sie, all die Kritik, der man Sie
unterworfen hat, egal aus welchem Grund, hatte einen Effekt. Sicher
sind einige der Effekte von Kritik offenkundig positiv. Sie sind vielleicht ein äußerst bedachter, höflicher Mensch. Doch es hat auch
viele negative Effekte. Denn alles, was die Erwachsenen Ihnen gesagt haben (natürlich in Ihrem eigenen Interesse), war: »Du liegst
falsch. Du machst es falsch. Mit dir ist nicht viel los. Du bist nicht gut
genug.«

Das ist die Botschaft, die wir kriegen. Und wir bekommen sie von
Leuten, die in unserer Welt Riesen sind: die Eltern und Lehrer, die

unsere Welt dominieren, zu denen wir oft aufsehen und die wir manchmal lieben. Doch diese Riesen sagen uns:»DU BIST NICHT GUT GENUG. DU BIST NICHT GUT GENUG.«Wenn man uns sagt:»Kannst du vielleicht einmal versuchen, dein verdammtes Zimmer in Ordnung zu halten, bitte?«, dann hören wir:»DU BIST NICHT GUT GENUG.«Wenn wir in der Schule alles geben und zu hören bekommen:»Könnte besser sein, könnte sich mehr bemühen«, heißt das für uns:»DU BIST NICHT GUT GENUG.«

Und nicht nur als Kinder. Wenn wir einen Job nicht bekommen, der uns offengestanden wäre, wenn wir ein schlechtes Arbeitszeugnis bekommen, wenn uns ein Partner verlässt, wenn wir zu spät zum Meeting erscheinen und man uns auf diese vielsagende Art ansieht, dann kommt bei uns an:»DU BIST NICHT GUT GENUG.«

Also fangen wir auch langsam, aber unaufhaltsam an zu fühlen:»DU BIST NICHT GUT GENUG.« Bis wir fast in jeder Hinsicht das Gefühl haben:»ICH BIN NICHT GUT GENUG.« Und wir zweifeln bei allem, was wir tun, an uns selbst. Und gehen hart mit uns selbst um. Und treiben uns stärker voran. Aber die Stimme ist immer da.»DU BIST NICHT GUT GENUG.« Und weil wir mittlerweile so tief in Selbstzweifeln stecken (und dieser Zweifel lautet stets»DU BIST NICHT GUT GENUG«), fangen wir an, auch hart mit den anderen ins Gericht zu gehen. Also fangen wir an, den Menschen in unserer Umgebung auf die eine oder andere Art zu sagen:»DU BIST NICHT GUT GENUG.« Und der Kreislauf geht immer weiter und saugt jeden Tag Millionen von Menschen das Selbstwertgefühl ab, da immer mehr in chronischen und manchmal permanenten Selbstzweifel absinken.

Also, was tun?

Als Erstes müssen Sie anfangen, zu diesen Stimmen und dieser Programmierung *Fuck It* zu sagen. Denn es ist eine Art von Programmierung, Sie können sehen, was mit den Leuten in Block D passiert. Wer ständig gesagt bekommt, er mache nichts richtig, fängt natürlich irgendwann an zu glauben, dass das stimmt. Tatsächlich machen sich die meisten von uns diese äußeren Stimmen mit der Zeit zu eigen. Die Chancen stehen also gut, dass die Dinge, die Sie sich den ganzen Tag selbst vorsagen, eigentlich die Stimmen anderer Leute sind, die Sie übernommen haben. Das stimmt, oder? Wenn Sie genau genug hinhören, was für Unsinn den lieben langen Tag in Ihrem Gehirn abläuft, können Sie tatsächlich die Quelle dieser Stimmen ausmachen. Oh ja, das ist die Stimme von meinem Vater, das die von meiner Mutter, das die von Tante Helga, das die von Herrn Müller.

Fangen Sie an, zu diesen negativen Stimmen und Einflüssen *Fuck It* zu sagen. Dann liegt der Schlüssel zur Heilung in der Formulierung »Selbst-Zweifel« selbst. Was ist das Gegenteil von Zweifeln? Vertrauen. Ersetzen Sie also Selbstzweifel durch Selbstvertrauen. Fangen Sie an, dem, was Sie fühlen, mehr zu vertrauen. Lernen Sie, sich mit dem zu synchronisieren, was eigentlich in Ihnen steckt. Fangen Sie an, darauf zu vertrauen, dass das, was Sie tun, tatsächlich gut genug IST. Lernen Sie, sich mit dem zu synchronisieren, was Sie eigentlich wollen. Lernen Sie, sich mit dem zu synchronisieren, was Sie in einer bestimmten Situation für richtig halten.

> Sagen Sie *Fuck It* zu den negativen Stimmen und Einflüssen.

Und um diese Synchronisation zu bewerkstelligen, müssen wir zu den Stimmen und Botschaften von außen *Fuck It* sagen – und zu all den Dingen, die in unser Gehirn gesickert sind.

Beispielsweise:

Sie lieben Musik. Und vor 20 Jahren in der Schule haben Sie Klavier gespielt. Und Sie merken, dass Sie gern wieder zu spielen anfangen würden. Denn Sie haben es geliebt.

Die Sache ist nur die, dass die Leute glaubten, Sie hätten kein besonderes Talent. Der Klavierlehrer schien andere Schüler zu bevorzugen und sagte Ihnen immer ab. Also gaben Sie die Sache auf und dachten nicht mehr daran. Bis jetzt …

Und nun, da Sie feststellen, dass Sie gern wieder zu spielen anfangen würden, denken Sie:»Sei nicht albern, du warst nie gut, warum solltest du das jetzt machen?«

Realisieren Sie, dass das die Stimme Ihres Klavierlehrers ist, die Sie übernommen haben. Sagen Sie *Fuck It* zu dieser Stimme. Und dann hören (VERTRAUEN) Sie auf die andere Stimme in sich, die sagt: »Ich würde wahnsinnig gern wieder Klavier spielen, ich habe das so geliebt.« Mit dem entsprechenden Bewusstsein können Sie zwischen diesen Stimmen unterscheiden. Mit Vertrauen können Sie anfangen, die alten Mauern aus Selbstzweifel niederzureißen. Und wenn Sie regelmäßig *Fuck It* zu den zweifelnden Stimmen sagen, können Sie sich in Kürze vom Selbstzweifel hin zu ständigem Selbstvertrauen entwickeln.

Das Durchbrechen der Mauer des Bewusstseinsmangels

Die unbewussten Gefangenen in Block E versuchen niemals zu entkommen, denn sie sind sich nicht einmal darüber im Klaren, dass sie sich im Gefängnis befinden, genauso wenig wie sie verstehen, dass viele der Gefangenen nur Projektionen sind. Sie schauen sich nie etwas genauer an. Es interessiert sie ebenso wenig, was um sie herum vorgeht, wie was in ihren eigenen Köpfen passiert. Sie folgen blind. Sie absolvieren die Bewegungsabläufe. Sie sind Sklaven dessen, was man ihnen sagt, genauso wie sie Sklaven ihrer Gefühle sind. Hin und wieder dreht ein Insasse des Blocks E durch, weil er keine Ahnung hat, was in ihm vor sich geht. Also bricht die unbewusst unterdrückte Furcht manchmal nach außen durch. Der unbewusste Insasse von Block E ist eine menschliche Maschine, empfänglich für Programmierungen, aber wegen der schlechten Schaltkreise auch anfällig für Fehlfunktionen.

Aber es ist kaum überraschend, dass die Gefangenen in Block E sind, wie sie sind, und viele von uns ihnen ähneln. Es gehört einiges dazu, bewusst zu sein, wirklich bewusst. Es ist leichter, Anweisungen von Eltern, Schulen, der Gesellschaft und den Medien zu folgen. Es ist leichter, sich einzufügen, der Herde zu folgen, den Kopf unten zu lassen und nicht zu viel nachzudenken. Es ist leichter, schwierige Gefühle zu ignorieren und stattdessen den Fernseher anzumachen. Es ist einfacher, den Mund zu halten, als die (oft unbequeme) Wahrheit zu sagen. Subtile Heuchelei ist einfacher als Geradlinigkeit und Aufrichtigkeit. Es ist leichter, um den heißen Brei herumzureden, als die Sache direkt anzugehen. Es ist leichter, in einem unerträglichen Job oder einer Beziehung zu bleiben, als der harschen Realität eines unerfüllten Lebens ins Auge zu schauen sowie der grimmigen, kalten Suche nach einer Alternative. Besser bleibt man beim bekannten Übel. Es ist leichter, in der warmen Komfortzone zu bleiben. Es ist leichter, still zu sein, als aufzustehen und etwas zu sagen. Es ist leichter, sich mit den Dingen abzufinden und den Mund zu halten. Es ist leichter, zu folgen als zu führen.

Immerhin, wer glauben Sie eigentlich, wer Sie sind, dass Sie meinen, Sie wüssten es besser, dass Sie glauben, Sie hätten das Recht, mir die »Wahrheit« zu sagen? Wer sind Sie, dass Sie es wagen auszuscheren, eine Szene zu machen, den Wagen zum Schaukeln zu bringen? Die Sache ist gut, so, wie sie ist. Ihresgleichen brauchen wir hier nicht. Wir sind zufrieden damit, wie es ist, vielen Dank.

Es gehört einiges dazu, bewusst zu leben. Dazu gehört, dass Sie in den Spiegel schauen, feststellen, wer Sie sind, was Sie sind und was Sie tun, alles im kalten Licht des Tages – und dann den Tatsachen, die sich ergeben, ins Gesicht zu sehen. Bewusstsein bedeutet, sich umzusehen und das aufzunehmen, was passiert und was die Leute tun – und den Tatsachen ins Auge zu sehen. Zum Bewusstsein gehört auszusprechen, wie man denkt, dass es sich verhält, wenn man denkt, man wisse, wie es sich verhält. Es bedeutet, dass man sagt, was man denkt, egal, welche Konsequenzen das hat. Es beinhaltet ein ständiges Untersuchen dessen, was sich ereignet – und das in Klarheit. Es bedeutet, der Wahrheit ins Gesicht zu blicken, egal, wie ungenießbar diese sein möge.

Und oft ist sie wirklich unschön. Denn der Grund, aus dem die meisten von uns überhaupt erst unbewusst werden, ist, dass die Wahrheit, wer wir sind, was wir fühlen und was um uns her passiert, zu unerfreulich ist, um sich ihr direkt zu stellen.

Also, Bewusstsein bedeutet, den Dingen direkt ins Gesicht zu sehen.

Das erfordert Mut.

Das mag sich ein wenig kalt und hart anfühlen, denn manchmal ist es eben kalt und hart in der Welt des Bewusstseins.

Aber es gibt Wege, sie etwas aufzuweichen und wärmer zu machen …

Wenn Sie den Tatsachen endlich ins Gesicht sehen, egal, wie schwierig sich das ausnehmen mag, und Sie den Schmerz fühlen, der damit einhergeht, werden die Dinge – schließlich – leichter. Sie finden sich mit den Dingen ab. Sie schließen Frieden damit. Sie finden Frieden in sich selbst, egal, wie Sie sich fühlen, egal, was Sie tun. Sie machen Ihren Frieden mit der Welt um sich her, egal, wie sie ist, egal, was sie tut. Anfangs, wenn man sich mit der Wahrheit konfrontiert, ist es sehr schwierig. Wenn Sie sich die Sache anschauen, kann es sehr unbequem sein, sogar schmerzhaft. Doch nach einer Weile sehen Sie, wie die Augen weicher werden, und Sie merken, dass Sie selbst weicher werden, und vielleicht sehen Sie sogar Liebe tief in diesen Augen, in die zu schauen Sie sich so gefürchtet haben. Denn in allem, von dem wir glauben, es könnte schwierig sein, ist irgendwo tief drinnen Liebe. Das ist jetzt vielleicht etwas schwer vorzustellen. Und anfangs auch schwer zu sehen.

Doch bevor Sie Liebe sehen, gerade wenn Sie anfangen, bewusster zu werden und den Tatsachen ins Gesicht zu schauen, fangen Sie an, sich freier zu fühlen. Ja, Sie glauben, Sie haben sich gut gefühlt, als Sie Ihre Augen vor den Tatsachen verschlossen haben und alles getan, was Sie konnten, um sie auszublenden (unterdrückt, ignoriert, ferngesehen, unglaublich viel gegessen, sind höflich gewesen, haben es nie erwähnt, sich betrunken, Drogen genommen, die Linie gehalten, den Kopf unten gelassen etc. etc.). Der Schokoladenkuchen und das heiße Bad waren wunderbar, oder? Aber das Problem ist dadurch nicht verschwunden, nicht wahr? Tatsächlich ist es nicht nur, dass die Probleme und Fragen, denen man sich nicht zuwendet, nicht verschwinden, sie vervielfältigen sich, weil sie Ihre Aufmerksamkeit wollen. Und wenn Sie ihnen endlich Aufmerksamkeit schenken, dann werden Sie weicher und Sie sehen die Liebe.

> Sagen Sie *Fuck It* und führen Sie ein bewusstes Leben.

Bewusst zu bleiben erfordert Mut. Sie müssen immer wieder *Fuck It* sagen. Denn Ihr Instinkt wird Ihnen raten, die Tatsachen zu ignorieren und wieder auf Unbewusstheit zu schalten. Sagen Sie: »*Fuck It*, ich schau der Sache ins Gesicht.« Sagen Sie: »*Fuck It*, ich werde mich selbst, mein Leben und das Leben da draußen anschauen.« Es braucht schon ein toughes *Fuck It* mit geballter Faust, um das zu tun. Aber die Sache ist es wert.

Und *Fuck It* hat natürlich zwei Seiten. Bei *Fuck It* geht es immer darum, sich des Mutes, der in einem steckt, zu bedienen und richtig loszulegen. UND es geht darum aufzugeben, wenn es zu viel wird. Also treten Sie in Ihrem Ringen um ein höheres Bewusstsein auch hin und wieder den Rückzug in die Wärme der Unbewusstheit an. Es geht nichts darüber zu chillen, abzuschalten, es auszublenden, sich auszuschlafen, wenn Sie genug davon haben, den Tatsachen ins Gesicht zu sehen.

Sie sollten das nur nicht zu Ihrem Lebenszweck machen.

Sagen Sie *Fuck It* und führen Sie ein bewusstes Leben.

Das Durchbrechen der Perfektionismusmauer

In Ihren Händen halten Sie das Produkt von Perfektionisten (das heißt natürlich, wenn Sie gerade das Buch in der Hand halten. Wenn Sie den Text auf irgendeinem elektronischen iGerät lesen, dann halten Sie auch ein Produkt eines der berühmtesten Perfektionisten der Welt in der Hand. RIP. Wobei ich mir nicht vorstellen kann, dass Herr Jobs da oben ruht, und das auch noch in Frieden. Er hat wahrscheinlich einen ganzen Haufen von Ideen, an denen er im Himmel arbeiten kann. Es ist nur eine Frage der Zeit, bis jemand in Brasilien ein Zeichen von Gott bekommt, das cooler, einfacher und mächtiger ist als irgendein früheres Zeichen von ihm. Aber Gott überschwemmt den Markt nicht mit Zeichen. Er mag es, wenn seine Herde sich nach mehr Zeichen sehnt. Und selbst jene, die die Zeichen von diesem Jahr erfahren haben, tauschen fröhlich ihre alte Erfahrung seiner Zeichen auf eBay ein, wenn er wieder mit neueren und besseren Zeichen daherkommt. Doch wird irgendjemand die Hand von Jobs in den Zeichen der Hand Gottes erkennen. Zunächst natürlich nicht. Doch nach ein paar Jahren erscheint ein Artikel in einer kleinen Provinzzeitung von irgendeinem Kaff in Frankreich – das ist bestimmt nur ein Jux –, dass sich die geschnitzte Holzstatue der Madonna in der Kirche des Ortes über Nacht ein wenig verändert hat … in ihrer ausgestreckten, nach oben gekehrten Handfläche (ganz bestimmt im Gebet zum Herrn) lag ein geschnitzter, hölzerner … Apfel.)

Wir Insassen im Block F sind Perfektionisten. Wir haben Monate allein mit der Planung dieses Buches zugebracht. Wir haben einen Monat nur darauf verwendet, das Cover richtig zu gestalten. Wir haben 16-Stunden-Tage lang geschrieben, gezeichnet, überprüft und angepasst. Wir haben viele Ideen verworfen. Wir haben viele Kapitel gestrichen. Wir sind oft bis spät in die Nacht aufgeblieben und genauso oft früh aufgestanden (es ist gerade 5.30 Uhr morgens). Wir haben nichts im Buch oder um das Buch herum akzeptiert, ohne es zu überprüfen, anzupassen und schließlich abzusegnen. Wir hoffen, dass Sie die Früchte dieses Perfektionismus genießen. Wir hoffen, es ist besser, weil wir endlos dafür gearbeitet haben, diesen Ausdruck der *Fuck It*-Lösung so gut wie nur möglich zu machen.

Also, angenommen, Ihnen gefällt das Buch und es hilft Ihnen wirklich weiter und inspiriert Sie, warum sollten Sie dann (gesetzt, Sie sind selbst Perfektionist) die Mauern des Perfektionismus durchbrechen wollen? Warum sollten wir uns vom Perfektionismus befreien wollen, wenn er doch so gute Ergebnisse hervorzubringen scheint?

Nun, 16 Stunden am Tag zu arbeiten fordert seinen Tribut. Ich (und das ist in diesem Fall John, wobei Gaia bewusst ausgeklammert wird, weil es für mich mehr gilt als für sie) habe meine Jungs seit einer Woche nicht mehr gesehen. Wenn ich voll damit beschäftigt bin, zu Hause zu schreiben, dann kann ich grummelig, launisch, abgelenkt und pampig sein. Ich bin kein angenehmer Zeitgenosse, wenn ich eine Deadline habe oder in irgendeiner Frage meinen Kopf durchsetzen will. Und üblicherweise will ich meinen Kopf durchsetzen. Ich denke, ich weiß am besten, wie die Dinge aussehen oder klingen sollten, ausgedrückt oder präsentiert werden müssten. Und das macht mich manchmal zu einem echten Ekel.

Natürlich bin ich nicht nur so und auch nicht die ganze Zeit. Aber ich kann so sein und ich bringe meine schlimmste Seite zum Ausdruck, sodass Sie sich wirklich ein Bild machen können. Diese Seite von mir rechtfertigt ein solches Verhalten mit dem Hinweis auf die Leute auf diesem Planeten, die wirklich Großes vollbringen und großen Erfolg mit dem haben, was sie tun. Das sind oft keine besonders angenehmen Leute im Umgang als Kollegen oder Bosse. Ich bin wahrscheinlich viel netter, als sie es sind (hauptsächlich, weil ich das mit der »Bewusstheit« ziemlich gut beherrsche). Aber ich kann trotzdem manchmal verdammt unangenehm sein.

All das ist ein Grund, den Perfektionismus unter die Lupe zu nehmen und zu klären, ob er ein Gefängnis ist, aus dem auszubrechen sich wirklich lohnen würde.

Eine Option ist natürlich, *Fuck It* zu sagen und das besessene Streben nach Perfektion aufzugeben. Zu entscheiden, dass es die Mühe, den Kummer, die Streitereien, die Müdigkeit, die Frustration und die vor den Kopf gestoßenen Leute nicht wert ist. Egal wie erfolgreich Sie sind oder wie brillant Ihre Designs, Kreationen und Projekte daherkommen, das ist es einfach nicht wert. Schließen Sie Ihren Feind, das »Gute« in die Arme und kehren Sie dem »Besten« den Rücken. Fahren Sie mehr weg. Verbringen Sie mehr Zeit mit Ihren Kindern. Delegieren Sie mehr. Werden Sie Ihren Prinzipien untreu. Raus aus dem Büro! Werden Sie Mitglied im Club der Mittelmaßes: Der ist voll, aber die Mitglieder sind viel entspannter.

Dazu braucht es ein großes *Fuck It*, aber es ist keineswegs unmöglich. Sie müssen zu vielen Dingen *Fuck It* sagen, die Ihnen zur zweiten Natur geworden sind, aber das Neue, das Ihr Leben ausfüllt, muss Ihnen wichtiger sein als der Drive, den Sie hinter sich lassen.

Ich habe diesen Weg ausprobiert. Und bis zu einem gewissen Grad hat es funktioniert. Aber für mich ist das nichts.

Nächste Option: Werden Sie gut im Neinsagen. Laden Sie sich nur ein paar Dinge auf. So können Sie alles selbst machen und in kleinen Dosen hart arbeiten. Sie behalten die Kontrolle und die Sache läuft so, wie Sie wollen. Sie schaffen es, das hinzukriegen, was Sie wollen und so gut Sie es wollen. Das bedeutet, zu vielen Gelegenheiten *Fuck It* zu sagen. Da Sie ein Perfektionist sind, sind Sie vermutlich sehr gut in dem, was Sie tun, also bekommen Sie viele Angebote, mehr zu machen.

Die ganze Sache mit *Fuck It* ist sehr gut gelaufen und wird ständig größer. Und dieser Erfolg bedeutet, dass uns viele Angebote offeriert wurden, spannende Projekte zu verwirklichen. Wir hatten Einladungen zu Workshops und Retreats auf der ganzen Welt, wir wurden gebeten, Artikel und Bücher zu schreiben etc. Wir haben es gelernt, Nein zu sagen – egal wie verführerisch die Angebote waren, wenn wir erkannt haben, dass es uns zu viel wird. Wir haben gelernt, dass dieses kleine Wort »nein« ein machtvolles Werkzeug ist, wenn es darum geht, den eigenen Perfektionismus in einer managebaren Größe zu halten. Also drei großartige Worte: »*Fuck It*. Nein.« Okay, vier, wenn es Ihnen so wichtig ist: »*Fuck It*. Nein danke.«

Und es sind nicht nur die Angebote, die wir von anderen Leuten bekommen. Wir haben so viele Ideen, was wir alles Neues ausprobieren könnten. Also müssen wir auch oft zu uns selbst und zueinander Nein sagen. Wir sagen nur Ja zu Ideen, die unsere Herzen wirklich höherschlagen lassen. Die, von denen wir meinen, dass sie auch die Herzen aller anderen höherschlagen lassen würden – der Grund, aus dem wir die *Fuck It*-Schokolade auf den Weg gebracht haben. Ich liebe Schokolade. Und ich muss *Fuck It* sagen, wenn ich Schokolade esse. Also, die Idee, einen Riegel köstlicher Bioschokolade zu schaffen, bei der »*Fuck It*. Eat Chocolate« auf dem Label steht, lässt mein Herz höherschlagen.*

Das ist eine Option, und zwar die, für die wir uns normalerweise entscheiden. Dabei muss man immer noch hin und wieder hart arbeiten und hin und wieder das Pensum rücksichtslosen Einsatzes auf sich nehmen (zum Beispiel, wenn man so ein Buch schreibt), aber das ist eine Frage der Balance … es ist die Sache wert wegen der Befriedigung, die wir aus dem Produkt und seinen Auswirkungen auf andere Menschen ziehen … die zahllosen Dankes-E-Mails, die wir bekommen, erinnern uns daran, dass es die Sache wirklich wert ist.

Nächste Option: Finden Sie sehr (sehr) gute Leute, die Ihnen helfen. Finden Sie die allerbesten auf ihrem Gebiet. Seien Sie bereit, Leuten mehr zu zahlen, die willens sind, Ihnen mehr zu geben. Ler-

---

* Und sie kann auch Ihr Herz höherschlagen lassen. *Fuck It*- Schokolade ist erhältlich im *Fuck It* -Shop unter www.thefuckitlife.com.

nen Sie zu delegieren und Leute heranzubilden, zu betreuen und zu lehren, das zu tun, was Sie tun. Investieren Sie Zeit, die besten Leute zu finden, um Ihnen zu helfen, und investieren Sie Zeit, ihnen dabei zu helfen, in ihre Rolle hineinzuwachsen. Höchstwahrscheinlich sind es Perfektionisten, hinter denen Sie her sind.

Finden Sie Leute, die in einigen Punkten dessen, was Sie tun, besser sind als Sie. Das allein braucht schon einiges an Mut. Perfektionisten wollen die Besten sein. Es ist also auf bestimmte Art bequemer, von Leuten umgeben zu sein, die nicht so herausragend in dem sind, was sie tun: Das bestätigt Sie in Ihrer Auffassung, dass Sie der Beste sind und die Sache am besten selbst machen, wenn Sie wollen, dass etwas Vernünftiges daraus wird. Es ist besser, Leute zu finden, die besser sind als Sie.

Wir haben das Glück, mit großartigen Menschen arbeiten zu dürfen, Menschen, die in so manchem besser sind als wir. Um nur ein paar von diesen tollen Leuten mit Namen zu nennen: Hay House, unser Verleger; Rachel und Saul im Headquarter von *Fuck It*, die uns bei allem unterstützen, was wir tun. Mark Wisbey, der alle Internetsachen für uns erledigt. Kate bei Kdot Online, die dafür sorgt, dass man über uns redet: Sue Okell, die die Onlineausgabe dieses Buches zuwege gebracht hat; Andrea, ein Designgenie. Simone, ein Musikgenie; und es gibt noch viele andere, die uns auf die eine oder andere Art helfen.

> Wenn die Dinge aus dem Gleichgewicht geraten, stellt *Fuck It* es wieder her.

Wir haben uns für die letzten beiden der oben erwähnten Optionen entschieden, und es fühlt sich nach einem guten Gleichgewicht an. Und wenn die Dinge jemals aus dem Gleichgewicht geraten, dann sagen wir einfach *Fuck It*, um es zurückzugewinnen. Das ist schließlich der Sinn von *Fuck It* – egal, auf welcher Seite Sie stehen, wenn die Dinge aus dem Gleichgewicht geraten, stellt *Fuck It* es wieder her.

Das Durchbrechen der Mauer aus Fantasielosigkeit

Nun habe ich ja absichtlich aus Spaß an der Sache einen ziemlich großen Schlenker gemacht, als ich über Simeon und seine Plastikgabel geschrieben habe, als es eigentlich um den Block G hätte gehen sollen. Denn wenn meine Fantasie mit mir durchgeht, dann richtig. Sie entführt mich in magische Reiche, wo Feen in Nagelstudios arbeiten und Banker für jedes Prozent Bonus, das sie bekommen, eine öffentliche Toilette putzen müssen. Als die Nachrichten über diese Banker»steuer« bekannt wurden, schossen die Aktien der Firma FLUSHES, die Spitzenreinigungsmittel herstellt, in ungeahnte Höhen.

Normalerweise schweife ich nicht ab. Wenn ich schreibe, bleibe ich gern bei der Sache. Die versuche ich natürlich so unterhaltsam darzustellen wie nur möglich. Aber dennoch bleibe ich gern bei der Sache.

Im Leben halte ich es genauso: Ich lebe es so unterhaltsam für mich wie möglich, aber ich bleibe im Allgemeinen trotzdem bei der Sache (die im Normalfall so aussieht: aufstehen, die Jungs ins Bad schicken, ihnen Frühstück machen, sie zur Schule bringen, E-Mails beantworten, Geschäftliches erledigen, etwas essen, ein wenig trainieren, dann wieder ein paar E-Mails und Facebook, wieder etwas essen, mit der Familie Zeit verbringen, eine unterhaltsame Sendung anschauen, ins Bett gehen. Die Sache im Großen und Ganzen? Meine Familie unterstützen, das Leben genießen und hin und wieder durch Worte und Musik befreiende Botschaften nach draußen schicken.)

Aber manchmal muss ich einfach abschweifen.

Besonders dann, wenn ich wieder das Gefühl habe, wegen einer unserer Gefängniseigenschaften in der Falle zu sitzen (zum Beispiel, weil ich »glaube, dass es wirklich ist«) oder die Sache aus den Augen verloren habe (weil ich etwas getan habe, was ich nicht wirklich wollte).

Und wenn Sie auf irgendeine Art im Gefängnis festsitzen, egal wie es aussieht, dann kann Abschweifen genau das sein, was Sie brauchen. Denn wenn man in der Falle sitzt, ist das fast immer begleitet von einem Mangel an Vorstellungskraft, wie man wieder herauskommen soll, wie wir in Block G gesehen haben.

Wenn ich für jedes Mal, da jemand zu mir gesagt hat: »Ich bin wirklich unglücklich mit meinem Job, aber ich weiß nicht, was ich sonst machen soll«, ein Stück Milchschokolade mit kleinen Toffeestückchen essen dürfte, wäre ich ein sehr glücklicher Mann.

Nein, Entschuldigung, ich muss mich korrigieren.

Wenn ich ein Stück Milchschokolade mit kleinen Toffeestückchen hätte und essen könnte, ohne zuzunehmen oder einen unangenehmen Zuckerschock zu bekommen oder Kopfschmerzen oder irgendetwas in der Richtung, für jedes Mal, wenn jemand zu mir gesagt hat: »Ich bin wirklich unglücklich mit meinem Job, aber ich weiß nicht, was ich sonst machen soll«, dann wäre ich ein sehr glücklicher Mann.

Bitte, liebe Leute, sagt *Fuck It* und LASST EURE FANTASIE SPIELEN. Trinkt ein Glas Wein oder Bier, wenn es sein muss. Nehmt ein Bad und zündet euch ein paar Kerzen an, wenn das mehr zu euch passt. Männer, tragt Frauenunterwäsche, wenn ihr dadurch besser loslassen könnt. Frauen, schaut euch einen Kriegsfilm an, wenn euch das entspannter macht. Aber gebt euch etwas Raum und Zeit, um eure Fantasie spielen zu lassen.

Und, im Hinblick auf die Falle, in der ihr sitzt: Fangt an zu träumen. Es muss nicht gut sein; es muss in diesem Moment nicht umsetzbar oder realistisch sein. Jetzt ist Zeit zu träumen. Fixiert eure Träume noch nicht: Das ist eine Aufgabe für später (in diesem Buch). Zunächst einmal: Einfach drauflosträumen.

Los doch. Versuchen Sie's gleich jetzt, denn ich gebe Ihnen ein paar Hinweise, um Ihnen zu helfen, wenn Sie damit zu kämpfen haben. Wenn Sie also glauben, dass Sie groß genug sind, um das ohne

Hinweise hinzukriegen, dann … auf geht's, großer Junge/großes Mädchen!

Hinweise. Okay, ein paar Hinweise, mal sehen, dum di dum, bitte sehr …

Nehmen wir an, wir reden darüber, womit Sie Ihren Lebensunterhalt verdienen, wie so oft …

* Was in Ihrem Leben gibt Ihnen einen Kick? Machen Sie sich eine Liste von all den Dingen, die Ihnen ein Glücksgefühl verschaffen. Damit können Sie, wenn Sie wollen, ganze Tage zubringen. Die meisten von uns machen sich nicht die Mühe innezuhalten und sich zu fragen, wo die Freude in ihrem Leben herkommt. Wenn Sie das tun, werden Sie wahrscheinlich merken, dass die Dinge zunehmen, die Ihnen Freude bereiten, und die heiklen Punkte weniger werden.

* Als Nächstes fragen Sie sich, was Ihnen früher einen Kick gegeben hat. (Diese Frage basiert auf der Beobachtung, dass das Leben uns oft gerissen die Dinge stibitzt, die wir gern machen, und sie durch Dinge ersetzt, die wir aus Pflichtgefühl tun oder weil uns die Not treibt).

* Als Nächstes: Wo könnten Sie sich vorstellen, dass ein Kick herkommen könnte, an den Sie noch nie vorher gedacht haben und der nicht zu den aktuellen Kicks in Ihrem Leben gehört? Ich habe beispielsweise noch nie Kitesurfen gemacht, aber ich stelle mir vor, dass ich großen Spaß daran hätte, also kommt das auf meine Liste. Dasselbe gilt für das Kaufen von 1000 Kleiderhaken (zufällig meine Lieblingshaushaltsgegenstände, sollten Sie mir also jemals ein Geschenk kaufen

wollen, dann können Sie nicht viel falsch machen, wenn Sie mir ein Set der erwähnten hölzernen Kleiderhaken kaufen – vielleicht könnten Sie sie noch selber anmalen), die ich dann in eine moderne Skulptur einer offenen, hohlen Hand verwandeln würde (das würde dem Betrachter sagen, dass wir Kleiderhaken sind, unser Leben damit zubringen, andere zu halten und, nun ja, es gern hätten, auch einmal gehalten zu werden, vielleicht in der Wärme einer weichen, offenen menschlichen Handfläche zum Beispiel). Das wäre sehr bewegend.

⚷ Nun, Sie haben Ihre Listen mit all den Dingen, die Ihnen einen Kick geben, gaben oder geben könnten? Und fragen sich nun, wie man davon leben soll ? Trinken Sie Ihren Wein aus, fühlen Sie den Zug der Seidenunterwäsche, genießen Sie die Explosion einer Granate, denn jetzt haben Sie die Chance ... offiziell ... ABZUSCHWEIFEN.

Oh, natürlich, ich weiß, dass Sie bald anfangen werden, mir zu sagen, dass Sie DAVON nicht leben können.

Für den Moment machen wir einfach weiter. Machen Sie sich keine Sorgen.

Ich erinnere mich noch an ein *Fuck It*-Seminar in London, als wir die Leute aufforderten, diese Übung zu machen. Auch dort kam die unvermeidliche Frage: »Aber DAVON kann ich doch nicht leben, oder?« Obwohl dieser Satz mit einem Fragezeichen endet, handelt es sich mehr um eine Aussage als eine Frage. Sie verstehen? Es gibt einen feinen Unterschied im Tonfall bei dem »oder?«, der es von einer bescheidenen, suchenden Frage in eine eher aggressive Tatsachenbehauptung verwandelt, und zwar eine Tatsache, die ganz offensichtlich ins Auge sticht.

Also forderte ich, närrisch, wie ich war, in meinem Enthusiasmus eine Gruppe von 80 Leuten heraus … und zwar mit einer Aufforderung, mit der ich wahrscheinlich mein spontanes unternehmerisches Genie überbewertet hatte. Ich sagte:

»Ich wette, ich kann bei allem, was ihr vorschlagt, eine Möglichkeit finden, es zu Geld zu machen.«

Nun hatte ich ja den Vorteil, dass alle über etwas nachdachten, was sie liebend gerne taten. Es war nicht so, dass sie nur dasaßen und dachten: »Mal schauen, ob wir nicht was finden, mit dem man so ganz offensichtlich nichts verdienen kann, dass John vor 80 Leuten wie ein Idiot dasteht.«

Es sagte beispielsweise niemand:

»John, ich habe das noch nie getan, aber ich würde es wirklich, wirklich gern machen.«

»Ja …«, hätte ich mit nicht unbedingt leichtem Zittern geantwortet.

»John, ich würde gern auf der Bühne in Wembley* vor 100.000 Menschen zum Beat von ›Bohemian Rhapsody‹ von Queen masturbieren. Und ich würde darauf bestehen, dass die echte Queen im Publikum sitzt. Sie kann eine königliche Loge haben, wenn sie will. Aber während meiner ›Show‹ müssten die ganze Zeit ihre Reaktionen live auf einen der riesigen Schirme neben der Bühne übertragen werden, und auf dem anderen sollte meine ›Show‹ zu sehen sein.«

Warum er bei diesem relativ unschuldigen Wort den Mut verloren hat, wird mir angesichts des Inhalts seines Vorschlags für immer schleierhaft bleiben.

Wäre das passiert, wäre ich in der Lage gewesen, mit einem Finanzplan zu antworten, um diese Wembley-Fantasie möglich zu machen? Vielleicht nicht, aber ich kann bereits mehrere Wege erkennen, wie er allein mit der Idee Geld verdienen kann. Zum Beispiel hätte er

---

* Wembley ist der ultimative Veranstaltungsort für Sport- und Musikevents für jeden Briten, der seine Fähigkeiten vor Tausenden von Menschen unter Beweis stellen will. Googeln Sie's, es ist ein toller Ort.

schon ein paar Rechte auf die Verwendung der Idee in unserem Buch gehabt … ich hätte ihm also etwas zahlen müssen, um seinen Vorschlag benutzen zu dürfen, um meinen Punkt klarzumachen.

Der da war …

Ja, die folgende Frage ist tatsächlich so gestellt worden. Und zwar von der wunderbaren Journalistin Gemma Briss vom *Prediction*-Magazin. »Ich würde gern den ganzen Tag meditieren, und zwar jeden Tag. Wie kann ich damit Geld verdienen?«

Und das war ein guter Auftakt für mich. Denn, wie es der bemerkenswerte Zufall wollte, hatte ich ein paar Wochen zuvor die Idee für ein riesiges Projekt gehabt, bei dem Meditierende angestellt werden sollten, um in urbane »Problemgebiete« im Vereinten Königreich zu gehen und dort jeden Tag, den ganzen Tag, meditierend dazusitzen. Sehen Sie, man hat nachgewiesen, dass, wenn ein bestimmter Prozentsatz der Bevölkerung meditiert, die Kriminalitätsraten sinken. Das also war mein Gedanke. Das Projekt hat einen wunderbaren Namen, den ich Ihnen nicht verrate, weil es noch nicht verwirklicht ist (obwohl vielleicht auch nie etwas daraus wird, wie bei vielen Dingen, die mir in den Sinn kommen).

Aber für Gemma hatte ich sehr schnell eine Antwort parat: »Ich weiß, wie.«

Die Wahrheit ist, dass Sie in einer Welt, in der Sie beinahe jeden Gegenstand und jede Dienstleistung über das Internet kaufen können und so sehr leicht enorme Zielgruppen oder auch Nischenzielgruppen an weit entfernten Orten erreichen können, mit so ziemlich allem Geld verdienen können.

Aber der Punkt ist, dass es hier nicht darum geht, körbeweise Geld zu verdienen – auch wenn ich mir vorstellen kann, dass das einer der »Kicks« ist, hinter denen Sie her sind. Der Punkt ist, das zu tun, was Sie lieben, und davon leben zu können.

Für den Augenblick, egal in welchem Gefängnis Sie stecken: Entspannen Sie sich und schweifen Sie ab … lassen Sie Ihre Fantasie spielen, um sich nach draußen zu träumen, um von anderen Möglichkeiten und anderen Welten zu träumen.

Alles beginnt mit einem Gedanken, einfach alles. Denken Sie darüber nach, sogar das menschliche Leben (man muss ... *Fuck It* sagen).

Das Durchbrechen der Mauer des Glaubens, dass es Wirklichkeit ist

Vielleicht haben Sie nicht so viel Glück wie die Leute in Block H an besagtem Tag und erfahren daher nicht so ein breites Spektrum an außergewöhnlichen Phänomenen. Nicht dass die Gefangenen etwas damit anfangen könnten. Für sie legt das ganze Universum der Magie jeden Tag eine Show hin und sie merken nichts.

Aber sind Sie selbst so viel anders? Vielleicht legt das Universum auch für Sie jeden Tag Ihres gesegneten Lebens eine magische Show hin und Sie haben – genau wie die Menschen in Block H – nichts davon gemerkt.

Ist die Welt so »real«, wie Sie glauben? Sind die soliden Sachverhalte so solide, wie Sie glauben? Sind Sie so getrennt von den anderen Menschen, wie Sie glauben? Folgt »Wirkung« stets auf »Ursache«? Sind Zufälle einfach nur Zufälle oder gibt es ein Bindeglied, das Sie nicht verstehen? Wird alle organische Materie von den wissenschaftlichen Gesetzen regiert, die wir schon kennen, oder ist da noch etwas anderes im Spiel, eine »Energie«?

Es ist möglich, jede Annahme, die wir über uns selbst und unseren Platz im Universum hegen, infrage zu stellen. Und natürlich haben die Leute ihre Annahmen schon infrage gestellt, seitdem Annahmen überhaupt gemacht werden.

Alles, was wir für fest halten, ist es eigentlich gar nicht: Es ist alles Energie in der einen oder anderen Form (den Physikern und genauso den Gurus und Qigong-Meistern zufolge). Theoretisch könnten wir also alle durch Wände gehen, genau wie in der *Matrix*. Hä? Sie glauben, Sie wären von allen anderen Wesen getrennt? Haben Sie nicht schon einmal die seltsamen Zufälle erlebt, wenn Sie an jemanden gedacht haben und er bei Ihnen angerufen hat? Oder wenn Sie wussten, was jemand sagen würde, noch bevor er es tatsächlich gesagt hatte (das passiert unseren Zwillingen ständig … vielleicht haben Zwillinge diese Fähigkeit einfach stärker ausgeprägt, aber es ist schon bemerkenswert, wenn sich dieses Phänomen tagtäglich vor Ihren Augen abspielt). Was ist es, das uns verbindet? Gedanken? Energie?

1983 führten die Bewusstseinsforscher Braud und Schitz ein Experiment durch, ob die Intention einer Person den Zustand einer anderen Person beeinflussen konnte. Eine nervöse Person wurde in ein Zimmer gesetzt und jemand in einem anderen Raum benutzte seine Intention, um sie zu beruhigen. Durch das Messen der elektrodermalen Aktivität der nervösen Person konnten die Forscher feststellen, ob die beruhigende Intention einen Effekt hatte. Und das war der Fall – der Effekt war riesig. Tatsächlich hatten diese Dritten einen fast ebenso großen beruhigenden Effekt auf die nervösen Menschen wie Entspannungstechniken, die diese selbst anwendeten. Es ist also fast ebenso heilsam für Sie, wenn jemand gute Gedanken über Sie hegt, wie wenn Sie selbst gute Gedanken über sich hegen. Wie ist das möglich?

Lesen Sie das ausgezeichnete Buch *Das Nullpunkt-Feld* von Lynne McTaggart.

Sie glauben, Ihr physischer Zustand ist getrennt von Ihren Gedanken? 2004 wurde eine Studie durchgeführt, in der 15 Freiwillige jeden Tag für 15 Minuten über zwölf Wochen hinweg einen ihrer kleinen Finger beugen und zusammenziehen sollten. Eine andere Gruppe von 15 Freiwilligen wurde aufgefordert, sich über denselben Zeitraum hinweg dieselbe Sache einfach nur vorzustellen.

Die Stärke der Finger sämtlicher Freiwilliger wurde vor und nach dem »Training« getestet. Die, die ihre Finger tatsächlich bewegt hatten, hatten um 53 Prozent an Stärke gewonnen. Und die, die sich nur vorgestellt hatten, ihre Finger zu bewegen, erhöhten ihre Stärke um erstaunliche 35 Prozent.

Das bedeutet, dass Sie, statt ins Fitnessstudio zu gehen, auch zu Hause auf der Couch liegen könnten, um sich die Übungen vorzustellen und die Ergebnisse würden sich gar nicht so sehr unterscheiden (ich würde gern den ersten Mr Universe sehen, der nie eine Hantel gehoben, sondern sich sein Training nur vorgestellt hat.)

Dr. David Hamilton erzählt diese Geschichte in seinem exzellenten Buch *How Your Mind Can Heal Your Body*, genauso wie – sehr unterhaltsam übrigens – in seinen regelmäßigen Vorträgen.

Sie glauben, dass, wenn Sie still und friedlich dasitzen, nur Sie selbst davon profitieren? Dann denken Sie noch einmal darüber nach. 1972 wurde in den USA ein Experiment durchgeführt, das den sogenannten Maharishi-Effekt bestätigte, benannt nach Maharishi Maresh Yogi, der behauptete, es genüge, wenn 1 Prozent der Bevölkerung regelmäßig meditieren würde, um auch Kriminalität und Gewalt schrumpfen zu lassen. Und so gab es in diesem Experiment, das in 24 Städten mit einer Bevölkerung von 10.000 oder mehr Einwohnern durchgeführt wurde, bedeutende Veränderungen in der Kriminalitätsrate, wenn sich nur 1 Prozent der Bevölkerung an dem Experiment beteiligte (benutzt wurde transzendentale Meditation).

Gregg Braden erläutert die Details dieses soeben beschriebenen Experiments in seinem hervorragenden Buch *Im Einklang mit der göttlichen Matrix* dar.

Sie glauben, das, was Sie sehen, sei »real«? Dass es sich dabei um ein fixes, objektives Ding handelt? Schauen Sie sich den Film *What the Bleep Do We Know?* an und lernen Sie etwas über die verblüffende, magische Welt der Quantenmechanik, wo das, was Sie sehen, nur als

»das, was Sie sehen« fixiert ist, wenn Sie es gerade sehen, nur dann fixe Gestalt aus den endlosen Möglichkeiten der Realität annehmend, wenn man es beobachtet.

Sie glauben, dass sogar Ihre Sicht der Realität, einmal fixiert, eine akkurate Version dessen ist, was »da draußen« ist? Nicht wirklich. Betrachten Sie beispielsweise Farben genauer. Ihre Augen und Ihr Gehirn arbeiten äußerst hart, um das visuelle Bild in Ihrem Gehirn zu erzeugen, das Sie für die Realität halten. Was ist »wirklich« dort draußen? Die Antwort lautet: Ein Ozean aus elektromagnetischer Strahlung mit einem Riesenspektrum an Wellenlängen, von denen die meisten für Sie unsichtbar sind. Und die Materie, von der Sie denken, dass sie solche Wellenlängen aussendet, ist selbst ohnehin zum Großteil nur leerer Raum. Was ist »da draußen«? Nicht viel. Die lebhaften Farben der 37 Eissorten, die in der Eisdiele bei uns am Ort zu haben sind, sind nicht wirklich Eigenschaften des Eises: Sie sind Eigenschaften meines »Modells« der Eissorten, ein Modell in meinem Gehirn, das von diesem erzeugt wird.

Hä? Lesen Sie *Der Ego-Tunnel* (Eine neue Philosophie des Selbst Von der Hirnforschung zur Bewusstseinsethik) von Thomas Metzinger. Ein brillantes Buch. Aber vielleicht sagen Sie bei der Lektüre noch häufiger »hä?« als bei der dieses Kapitels.

Sie kennen alle oder einige der Bücher, die ich erwähnt habe, und sind zu dem Schluss gelangt, dass wir jetzt Erstaunliches über das Leben, das Universum und alles andere herausfinden? Dann denken Sie nochmals nach. Die Meister, Gurus, Mystiker, Seher, Schamanen aller Rassen, Spiritualitäten und Philosophien nehmen solche Phänomene seit Tausenden von Jahren wahr.

Sie denken, Sie wissen etwas? *Fuck It*. Denken Sie darüber nach.

Pfeifen Sie auf die Theorien und fixen Positionen, pfeifen Sie auf die Religionen, die glauben, sie, und nur sie, haben die Antwort, und pfeifen Sie auf die Dogmatiker, die Rationalisten und Materialisten. Die handeln mit toten Ideen.

Wenn Sie ein Position wollen, dann auf in den Club der Agnostiker. Ein Agnostiker ist gelassen. Er ist nicht borniert oder unentschieden. Ein Agnostiker betrachtet das unendliche Mysterium des Lebens und des Universums mit Staunen. Er oder sie genießt es auch, sich zu fragen, wie das alles funktioniert, aber sieht in völliger Demut eines ein: *Ich werde es nie genau wissen und damit bin ich gelassen.*

Fuck It wird Ihnen Zugang zu erstaunlichen Spielarten der Magie gewähren. Es kann durchaus passieren, dass Magie in Ihr Leben flutet, wenn Sie anfangen, auf die eine oder andere Art *Fuck It* zu praktizieren. Aber Sie wollen, dass ich Ihnen die definitive Erklärung gebe, wie das alles funktioniert? Sie wollen eine Karte des Paradigmas? Denken Sie nochmals darüber nach. Für den Moment bleiben wir bei einer Karte des Gefängnisses und der Frage, wie wir hier herauskommen sollen.

Es scheint also der angemessene Zeitpunkt, über die *Ausbruchswerkzeuge* zu reden und Ihnen dabei zu helfen, *durch Wände zu gehen*.

TEIL 5
DIE AUSBRUCHSWERKZEUGE

(Wie *Fuck It* funktioniert)

Fuck It. Lassen Sie los

(Passende Musik zum Lesen dieses Kapitels: atmosphärisch, Trip-Hop, Chillout, allerdings keine »Chill-out-Klassiker«)

Sie haben vielleicht schon angesichts der Art, wie wir über *Fuck It* reden, bemerkt, dass die Sache zwei Richtungen hat. Loslassen, entschleunigen, aufgeben, das ist die erste – und die, die sich am leichtesten verstehen lässt. Tatsächlich gehen die meisten Leute davon aus, dass es bei *Fuck It* nur darum geht. Und tatsächlich ist das die Qualität von *Fuck It*, die die Gesellschaft von heute am Dringendsten braucht.

Schauen Sie sich die Leute um sich herum an. Schauen Sie in den Spiegel. Und sagen Sie mir, was Sie sehen.

Sie sehen höchstwahrscheinlich jemanden, der zu hart arbeitet, der wenig Zeit für die Dinge hat, die wirklich wichtig sind, der müde und oft gestresst ist, sich Sorgen um Dinge macht, die vielleicht nie passieren, sich bemüht, besser zu werden, besser zu sein, immer darauf bedacht, die nächste Sache zu kriegen, die nächste Ebene zu erreichen, die ihm/ihr dann hoffentlich Glück beschert.

Also kann *Fuck It* eine ziemliche Wirkung haben, wenn Sie realisieren, dass die meisten der Dinge, über die Sie sich Sorgen machen, letzten Endes gar nicht so wichtig sind. Dass es möglich ist, die Dinge loszulassen, die Ihnen Kummer machen, weniger zu tun, sich mehr zu entspannen und mit dem Fluss des Lebens mitzugehen, statt zu versuchen, alles gleichzeitig am Laufen und Funktionieren zu halten.

Für diese Person/für Sie kann es hilfreich sein, über die Vorstellung nachzudenken, »die Hände vom Lenker zu nehmen«. Und es gab nie einen besseren Zeitpunkt als diesen, um Ihnen zu sagen, warum. Die meisten von uns glauben, dass nichts passieren wird (oder noch schlimmer, dass es einen Unfall gibt), wenn wir nicht das Lenkrad des Lebens ergreifen und in die unterschiedlichen Richtungen lenken, um dahin zu kommen, wo wir hinwollen. Und dieses Packen des Lenkrads, das ständige Lenken und der Versuch herauszukriegen, wohin man lenken soll, das alles kann recht ermüdend sein – sogar zur völligen Erschöpfung führen.

Aber was würde passieren, wenn Sie die Hände vom Lenker nehmen würden?

Sie würden natürlich einen Unfall bauen. Oder nicht? Nun, vielleicht würde Ihr Beifahrer eingreifen und Ihnen helfen. Oder vielleicht würde sich das Auto von selbst lenken. Was? Ja. Das ist tatsächlich möglich. Ich habe gestern erst gelesen, dass selbstlenkende Autos in Nevada in den USA für legal erklärt worden sind.

Ist das nicht wunderbar? Als ich vor sieben Jahren in meinem ersten Buch davon geredet habe, »die Hände vom Lenker zu nehmen«, musste ich noch die Analogie von einer Autofahrt in einem Erlebnispark für Kinder verwenden. Ich dachte daran, dass ich als kleiner Junge dachte, ich würde tatsächlich fahren, aber langsam (und äußerst ernüchtert) feststellen musste, dass dem nicht so war, dass das auf Schienen befestigte Auto sich effektiv ganz von allein steuerte. Es ging mir darum, dass das für mich damals zwar eine Enttäuschung war, dass es aber für die meisten Erwachsenen heute, die des Fahrens müde sind, wahrscheinlich eine große Erleichterung wäre, die Hände vom Lenker zu nehmen und das Auto von allein fahren zu lassen.

Und jetzt ist das möglich. Google war tatsächlich das erste Unternehmen, das es geschafft hat. Und es sind die Autos von Google, die sich als Erste selbst fahren werden (natürlich mit Leuten in ihnen, die darauf aufpassen, dass die Software nicht versagt, oder die entscheiden, dass sie das Fliegen versuchen wollen).

Also besteht bei dem Auto des Lebens, das Sie bisher gefahren sind – das, von dem Sie geglaubt haben, dass Sie es kontrollieren und erfolgreich lenken müssen, um irgendwo hinzukommen –, die Chance, dass es sich von selbst fährt, wenn Sie die Hände vom Lenker nehmen würden. Das Leben ist ein Google-Auto.

Kommt schon, Google-Jungs, lassen wir uns das schützen: »Google Life – relax, we do the driving.«

Aber wie soll das funktionieren? Es würde doch ganz bestimmt alles in einer furchtbaren Katastrophe enden, wenn ich einfach aufhören würde zu lenken, oder? Da hilft nur eins: Ausprobieren! Nehmen Sie einfach für eine Weile die Hände vom Lenker und schauen Sie, was passiert. Wenn Sie angestrengt versuchen, irgendetwas zu erreichen, dann lassen Sie locker und hören auf, sich so sehr anzustrengen. Lehnen Sie sich stattdessen zurück und lassen Sie das, was passiert, auf sich zukommen.

Es könnte sein, dass Ihnen ein verdammt cooler Trip bevorsteht.

Also, für die meisten von uns funktioniert *Fuck It* so: Wir strengen uns zu sehr an, wollen zu viel, sind überkontrolliert, machen uns zu viele Sorgen, arbeiten zu viel und denken zu viel. Dann ist es an der Zeit, die *Fuck It*-Chill-Pille zu nehmen, alles zu entschleunigen, ein paar Sachen aufzugeben, weniger zu machen, weniger zu versuchen, weniger zu kontrollieren (wenn überhaupt), die Leistungen zurückzuschrauben, darauf zu vertrauen, dass es schon klappen wird, dem Strom zu folgen, weniger nachzudenken und das Leben allgemein mehr zu genießen.

Es ist Zeit, die *Fuck It*-Chill-Pille zu nehmen.

Aber das ist nur eine Richtung: die, die die meisten Leute einschlagen müssen.

Die meisten Leuten verstehen es. Aber manche sagen auch: »Das ist ja alles schön und gut. Aber wenn ich all das machen würde, dann würde ich nichts mehr zustande bringen. Ich würde nur noch im Bett liegen und vielleicht einmal aufstehen, um auf dem Sofa zu sitzen und die ganze Zeit fernzuschauen und Pizza zu essen. Dann würde ich fett werden, meinen Job verlieren, keine Freunde mehr haben … es wäre ein Desaster.«

Und ich antworte:

»Probieren Sie es aus.«

Wenn die Leute das tun würden (was nicht passieren wird), aber wenn sie es wirklich tun würden, dann wären sie bald gelangweilt davon, im Bett zu liegen, fernzusehen oder Urlaub zu machen und nichts zu tun. Und da kommt die andere Richtung von *Fuck It* ins Spiel. Lesen Sie weiter …

Fuck It. Legen Sie los!

(Begleitmusik für dieses Kapitel: Thrash Metal, Urban Electronica, Dubstep, Hip-Hop)

Sie sitzen auf dem Sofa, essen den ganzen Tag Sahneeis, werden fett. Sie wissen nicht, was Sie mit Ihrem Leben anfangen sollen. Und Sie kriegen buchstäblich den Arsch nicht hoch. Sie schlafen gern. Sie kiffen gern. Sie schauen zwölf Stunden nonstop fern. Sie schlafen bei laufendem Fernseher ein. Sie haben keine Ahnung, auf was für einen Job Sie Lust hätten. Also driften Sie von einem sinnlosen Job zum nächsten.

Das sind nicht wirklich Sie, oder? Nein. Jedenfalls nicht größtenteils. Ich weiß das, weil ich viele E-Mails bekomme. Und normalerweise kommen sie von den Stressaffen, die mithilfe von *Fuck It* zu gechillten Schimpansen werden. Wir kriegen nicht viele E-Mails in der Art:

Yo J&G,

schick euch hier nur mal so die Messages, um DANKE zu sagen und so, Bros. Ich war wirklich voll down und kaputt, auf Heroin und hab sonst immer nur Häagen-Dasz gefressen. Aber mit eurer *Fuck It*-Message isses richtig losgegangen, Mann. Ohne euch wär ich nie dahin gekommen, wo ich jetzt bin.

Wo das ist? Nichts Geringeres als McKinsey's. Anzug, Krawatte und viel, viel Cash. Alphatier in der Abteilung »Change-Management«, aber Wechselgeld gibt's keines bei meinem sechsstelligen Gehalt, nur Noten, und zwar große. Grüße

Alex Jermin-Smithe.

Vielleicht sind das Sie.

Irgendwie sind Sie in ein Leben gedriftet, das gar nicht Ihres ist. Sie hatten eine Menge Träume, wie also sind Sie in diesem Job geendet, mit diesem Mann/dieser Frau in dieser Stadt? Das ergibt keinen Sinn. Wo haben die Dinge angefangen schiefzugehen? Sind Sie nicht drauflosgegangen, weil Sie Angst hatten zu versagen? War es, weil es sich damals wie die beste Option anfühlte – alle anderen schlugen diesen Weg ein, also haben Sie es auch getan? Aber jetzt wissen Sie nicht, was Sie tun sollen, wohin Sie sich wenden sollen. Sie haben keine Ahnung, was Sie tun sollen, Sie wissen nur, dass es das nicht ist. Sie hoffen jedenfalls bei allen Göttern, dass es das nicht ist.

Diese Richtung von *Fuck It* ist für diejenigen von uns, die in einer Spur hängen geblieben sind, sich verirrt oder ihre Träume vergessen haben, zu sehr auf das gehört haben, was andere von ihnen wollten, statt auf das, was sie selbst wirklich wollten.

Diese Richtung erlaubt es uns nicht zu entschleunigen, zu entspannen und aufzugeben.

Diese Richtung tritt einem in den Hintern und sagt: »Drauflos, das Leben ist kurz, beweg dich, folge deinen Träumen, das ist keine Probe, vorwärts, aber schnell!«

Das braucht Mut. Das braucht Charakter, ein ganzes Arsenal an Energiereserven und manchmal einen Schub Adrenalin. Aber es gibt Zeiten, da bleibt nichts anderes übrig, als drauloszustürzen und zu sagen:

Das ist keine Probe, vorwärts, aber schnell!

»*Fuck It*. Ich riskier's.«

Die einen springen von ihren Nine-to-five-Schiffen ab und gründen ein eigenes Unternehmen. Die anderen verkaufen das eigene Unternehmen und werden Schuhmacher in einem kleinen Dorf an der Küste. Wieder andere melden sich bei einer Online-Dating-Site an, um ihren Traumpartner oder ihr Traumschaf zu finden. (Notiz an mich selbst: GSFH – guter Sinn für Humor – wird zu GSFW – Guter Sinn für Wolligkeit.) Oder sie verlassen ihren langweiligen Partner oder sagen ihrem Chef endlich die Meinung oder schreiben endlich diesen Roman, machen endlich diese Reise, nehmen endlich diese Klavierstunden, Sprachkurse, Tantrakurse etc.

Gaias Magische Worte

Leidenschaft

Wenn Sie etwas unbedingt machen möchten, dann gehen Sie bitte los und tun Sie es.

Wenn Sie etwas in Ihrem Leben hassen, dann gehen Sie bitte los und ändern Sie es.

Wenn Sie Yoga lieben und Yogalehrer werden und den ganzen Tag Yoga praktizieren wollen, dann tun Sie es. Trainieren Sie, leh-

ren Sie und finden Sie andere Leute, die es lieben.

Wenn Sie Ihren Job so hassen, dass Sie ihn wirklich keinen Tag länger aushalten können, dann los, führen Sie eine Veränderung herbei.

Wenn Sie eine Beziehung wollen, dann seien Sie ehrlich mit sich selbst und finden Sie eine andere.

Wenn Sie mit Ihrem Schicksal unzufrieden sind, dann stellen Sie Ihr Leben auf den Kopf und machen Sie alles anders.

Wenn Sie den ganzen Tag meditieren wollen, dann los, machen Sie es.

Wenn Sie Sex lieben, dann gönnen Sie sich so viel davon, wie Sie kriegen können.

Wenn Sie ein Unternehmen gründen und superreich und supererfolgreich werden wollen, dann tun Sie es.

Wenn Sie es tun müssen, um sich zu beweisen, dass Sie gut genug sind und dass Ihr Leben Sinn hat, dann tun Sie es trotzdem. Es wird Sie sicher nicht aufhalten können, denn das sind die stärksten Motivationskräfte im Leben.

Aber egal, worauf Sie sich stürzen, bitte denken Sie daran, dass es letzten Endes völlig egal ist, ob Sie gut genug sind oder nicht und dass das Leben keinen Sinn braucht, um zu laufen.

In dieser Einsicht machen ein Partner, eine Karriere, Yoga, Meditation oder Sex überhaupt keinen Unterschied.

Sie können also genauso gut Ihrer Leidenschaft folgen und tun, worauf Sie Lust haben, statt »das Richtige« zu tun.

Wenn Sie Pornostar werden, bitte lassen Sie es mich wissen.

Fuck It. Das praktische Zwei-in-eins-Überlebenswerkzeug

Also hat dieser wunderbare Satz zwei entgegengesetzte Anwendungsmöglichkeiten:

1. Er hilft Ihnen loszulassen und zu entschleunigen.
2. Er hilft Ihnen, in Bewegungen zu kommen und loszulegen.

Also hilft *Fuck It* Ihnen, die Balance im Leben zu finden, egal aus welcher Richtung Sie kommen.

Es geht zu schnell? Sagen Sie *Fuck It* zu den Umständen und gehen Sie vom Gas, Mann!

Es geht zu langsam? Sagen Sie *Fuck It* und packen Sie das Leben bei den Eiern, Madam!

In *Alice im Wunderland* stellt Alice fest, dass sie zu groß ist, um durch eine Tür zu passen, findet aber eine praktische Flasche mit irgendeiner Flüssigkeit, auf der »Trink mich« steht. Sie schrumpft, wird aber zu klein und findet einen Kuchen, auf dem »Iss mich« steht, und wächst wieder.

Fuck It ist der Trank und der Kuchen in einem. Es hilft Ihnen zu schrumpfen, wenn Sie schrumpfen müssen, und zu wachsen, wenn Sie wachsen müssen. Der Trick ist, die richtige Größe zu finden oder, in Ihrem Fall, Balance. Also, keine Sorge, denn Sie haben ein praktisches Zwei-in-eins-Überlebenswerkzeug.

> Und das ist genau die Wirkung von *Fuck It* – es bringt Ihr Leben ins Gleichgewicht.

Und das ist genau die Wirkung von *Fuck It* – es bringt Ihr Leben ins Gleichgewicht. Es liefert Ihnen eine schnelle, starke Möglichkeit, entweder langsamer zu werden oder zu beschleunigen.

Wie kommt es also, dass *Fuck It* diese magische Fähigkeit hat, Ihnen gleichzeitig beim Loslassen und beim Zupacken helfen zu können? Wie kann es der Trank und der Kuchen gleichzeitig sein? Die Antwort liegt in der magisch-mystischen Welt des *Fuck It*-Zustands: Ein neutraler, wonnevoller Zustand des Gleichgewichts, auf den jede Äußerung des Satzes »*Fuck It*« anspielt.

Es ist also an der Zeit, dieses magische Reich zu betreten und diesen Zustand zu erforschen.

TEIL 6
WIE MAN DURCH WÄNDE GEHT
(Das Erreichen des *Fuck It*-Zustands)

Magie benutzen, um durch Wände zu gehen

Es gibt einen Zustand großer Entspanntheit, der sich von unserem normalen Zustand unterscheidet: Das Gehirn hat eine andere Frequenz.

Dieser Zustand ist *Fuck It* ziemlich ähnlich, das heißt seine Eigenschaften ähneln denen eines Menschen, dessen Handeln von *Fuck It* inspiriert ist. Sie würden sich also in diesem Zustand, davon abgesehen, dass Sie entspannt sind, nicht so viele Sorgen machen, Sie würden sich verspielter fühlen, weniger gehemmt, kreativer, offener etc. Deshalb nennen wir es den *Fuck It*-Zustand.

Durch das Identifizieren der Eigenschaften des *Fuck It*-Zustands und ihrer Integration in Ihr tägliches Leben können Sie leichter und regelmäßiger in diesen Zustand gelangen. Und wenn Sie sich darauf einlassen, werden in Ihrem Leben einige äußerst interessante Dinge passieren. Um der Intention dieses Abschnitts willen nennen wir diese interessanten Dinge »Magie«. Magie beginnt zu wirken.

Und diese Magie bringt es mit sich, dass Sie manchmal nicht mühevoll durch die Wände Ihres Gefängnisses brechen müssen, sondern einfach hindurchgehen können. Es erzeugt also Magie, sich in den *Fuck It*-Zustand zu begeben und sich dessen Eigenschaften zunutze zu machen, was bedeutet, dass Sie sich mühelos aus dem Gefängnis, in dem Sie sitzen, befreien können. Und das ist doch eine wirklich nette Art, das zu tun.

Es ist auch ein Ausblick darauf, warum der Ausdruck »*Fuck It*« so gut funktioniert: Allein indem wir es sagen, werden wir an den verspielteren, sorgloseren (wenn Sie so wollen: kindlicheren) Zustand erinnert, den wir alle wiederbeleben wollen.

> Es erzeugt Magie, sich in den *Fuck It*-Zustand zu begeben, was bedeutet, dass Sie sich mühelos aus dem Gefängnis, in dem Sie sitzen, befreien können.

Wenn Sie mit den Eigenschaften und Techniken spielen, werden Sie feststellen, dass Sie beliebig, mit einem Fingerschnippen und dem Aussprechen der zwei Zauberworte »*Fuck It*« dorthin zurückkehren können.

Zunächst: Ein Quiz

Wir alle möge Quiz-Spiele. Das folgende Quiz testet, wie oft Sie im *Fuck It*-Zustand sind. Einen Preis gibt es nicht, nur die Einsicht, wie sehr Sie das Durch-Wände-Gehen üben müssen.

So, und nun, damit Sie sich vor dem Quiz entspannen können, erzähle ich Ihnen von einem, das ich gemacht habe.

Gestern habe ich mir im Tagesfernsehen eine Show auf dem Bildungskanal angeschaut, bei der es auch einen Quiz-Teil gab. Das Ratespiel war eine Herausforderung, ich musste tief graben, mich im Fitnesscenter meines Geistes tüchtig strecken und habe den Ausbruch von Alzheimer damit hoffentlich um ein paar Tage verzögert.

Der Preis war verlockend, es ging um 30.000 Pfund. Dem eigentlichen Quiz gingen noch ein paar Kurzinterviews auf den Londoner Straßen voraus, in denen die Leute gefragt wurden, was sie mit 30.000 Pfund machen würden. Die Antworten waren schockierend: »Ich würde das heiße Starlet X auf einen Drink einladen.« (Wie bitte? Du glaubst, weil du bereit bist, sinnlos viel Geld für einen »Drink«

auszugeben, würde die Ja sagen? Loser! Die würde schneller weglaufen, als wenn du sie auf einen gemeinsamen Bananenmilchshake im McDonald's um die Ecke eingeladen hättest.) Die nächste Antwort kam von einer langweiligen Pensionistin:»Ich würde einen Bungalow kaufen.« (Was? Ich habe mich mal umgehört, wo im Vereinten Königreich man für dieses Geld einen Bungalow kaufen könnte, und es hat den Anschein, dass die Dame entweder auf ein Grundstück an einem Klippenrand zieht, dass höchstwahrscheinlich in den nächsten fünf Jahren abbricht und ins Meer fällt, oder in den gefährlichsten Teil der Problemgebiete von Glasgow, wo sie sich dann höchstwahrscheinlich noch lieber von einer Klippe stürzen würde.)

Und das waren die Interviews, die man sich zu senden entschieden hatte … man mag sich daher nicht vorstellen, was in den Clips gesagt wurde, die nicht ausgestrahlt wurden. Vielleicht so etwas wie:»Ich würde mir eine Atombombe kaufen und damit Wladimir Putin bedrohen, damit er mir mehr Geld geben muss … und eine russische Frau.«

Jedenfalls wusste ich nun, dass meine Chancen nicht schlecht stehen würden, wenn ich meinen Geist gegen den dieser Cretins ins Rennen schicken würde.

Und so begannen die Fragen. Trommelwirbel. Die Finger auf dem Druckknopf, bringt John den Motor seines enzyklopädischen Gedächtnisses auf Touren …

»Welches Musikinstrument …« (aha, eine Frage über das Erbe von Stradivari, eine schwierige Frage zum Stimmen eines Waldhorns)

»Welches Musikinstrument in der folgenden Liste hat Saiten?« (Ich vermute einen Trick).

A Die Trompete
B Die Flöte
C Die Geige

Ich geriet in Panik. Es MUSS ein Trick sein. Die versuchen, mich vorzuführen. Doch selbst mein gewitzter Geist konnte innerhalb dieser drei Möglichkeiten keine Möglichkeit für einen Trick entdecken. Vielleicht hatte ich die Intelligenz meiner cretinhaften Mitbewerber sogar noch überschätzt.

Was jetzt? Rufen Sie diese Nummer an, Anrufe kosten 10 £ pro Minute aus dem Festnetz, doch möglicherweise sehr viel mehr von einem Handy oder viel weniger von einem Plastikbecher aus, der an einem Stück Schnur befestigt ist.

Und wie ein Kind, dem man die Wahrheit übers Christkind erzählt hat, wurde ich erwachsen. Das war kein Quiz. Das war einfach nur eine Zufallslotterie, die mein Geld wollte. Sie hätten genauso gut sagen können:

»Gibt es da draußen jemanden, der das Wort ›gewinnen‹ aussprechen kann? Wenn Sie das Wort ›gewinnen‹ aussprechen können, können Sie den Jackpot gewinnen.«

Oooh, ooh, ja, ich kann das Wort »gewinnen« aussprechen. Schaut nur: »gewinnen, gewinnen.« Damit bin ich schon den ganzen Typen auf dem Grundstück einen Schritt voraus, die nur das Wort »Wichser« herauskriegen.

Das Quiz zum *Fuck It*-Zustand

Überlegen Sie, wie es Ihnen im Augenblick geht
(kreuzen Sie jeweils eine Antwort an).

1. Ich führe ein zielgerichtetes Leben.
A. Überhaupt nicht   B. Ein bisschen   C. Ja und nein
D. Größtenteils   E. Voll und ganz

2. Mir ist an keinem bestimmten Ergebnis gelegen.
A. Überhaupt nicht   B. Ein bisschen   C. Ja und nein
D. Größtenteils   E. Voll und ganz

3. Ich konzentriere mich auf meine positive Seite und meine positiven Emotionen und sonst nichts.
A. Überhaupt nicht   B. Ein bisschen   C. Ja und nein
D. Größtenteils   E. Voll und ganz

4. Ich weiß, dass das Leben eine ernste Angelegenheit sein kann, und fasse es dementsprechend auf.
A. Überhaupt nicht   B. Ein bisschen   C. Ja und nein
D. Größtenteils   E. Voll und ganz

5. Ich fühle mich völlig präsent in dem, was jetzt im Moment passiert.
A. Überhaupt nicht   B. Ein bisschen   C. Ja und nein
D. Größtenteils   E. Voll und ganz

6. Ich kümmere mich nicht um das, was richtig oder falsch ist.
A. Überhaupt nicht   B. Ein bisschen   C. Ja und nein
D. Größtenteils   E. Voll und ganz

7. Ich bin mit dem, was ich physisch und emotional fühle, in gutem Kontakt.
A. Überhaupt nicht   B. Ein bisschen   C. Ja und nein
D. Größtenteils   E. Voll und ganz

8. Ich liebe, lebe und fühle mich voller Energie.
A. Überhaupt nicht   B. Ein bisschen   C. Ja und nein
D. Größtenteils   E. Voll und ganz

9. Ich fühle mich gestresst.

A. Überhaupt nicht   B. Ein bisschen   C. Ja und nein
D. Größtenteils   E. Voll und ganz

10. Ich mache mir oft Sorgen darüber, wie die Dinge wohl ausgehen werden.

A. Überhaupt nicht   B. Ein bisschen   C. Ja und nein
D. Größtenteils   E. Voll und ganz

Das Quiz ist es wert, öfter gemacht zu werden, um zu sehen, wie sich der Punktestand verändert. Gehen Sie jetzt zu Appendix III auf S. 342 um Ihren *Fuck It*-Punktestand festzustellen.

Wir haben auch eine Onlineversion dieses Quiz erarbeitet, die Ihren Punktestand automatisch ausrechnet. Sie finden sie unter www.thefuckitlife.com/extras.

Sich öffnen

Offen sein für die Möglichkeit der Magie

Sich einfach nur zu öffnen, ist schon ein magischer Akt, der noch viel mehr Magie möglich machen kann.

Aber treten wir einen Schritt zurück. Wie wir gesehen haben, verschließen wir uns aus Gründen, die ganz natürlich und verständlich sind, gegenüber vielem, was in jedem Moment möglich wäre. Wir entwickeln Meinungen, Geschichten, Vorstellungen und Filter, die unser Erfahrungs- und Wahrnehmungsspektrum auf einen kleinen Spalt dessen einengen, was sein könnte, und übersehen so vieles, das uns inspirieren könnte.

Öffnen Sie sich also ein wenig. Oder sehr. Öffnen Sie sich für die Möglichkeit, dass die Welt vielleicht anders funktioniert, als Sie gedacht haben. Öffnen Sie sich für die Möglichkeit, dass Sie vielleicht nicht ganz die Person sind, die Sie zu sein glaubten. Öffnen Sie sich für Ideen, die Sie vielleicht früher sofort verworfen hätten. Öffnen Sie sich für die Möglichkeit, dass Sie ganz anders sein könnten, dass Ihr Leben ganz anders sein könnte. Öffnen Sie sich der Bewegung. Öffnen Sie sich dem Neuen.

**Öffnen Sie sich
der
Magie.**

Keiner Hexerei, sondern der Art von Dingen, die auf eine Weise passieren könnten, die Sie nicht wirklich verstehen. Positives, Fantastisches; große, das ganze Leben verändernde Dinge, die Freude und Heilung bringen, Dinge, die einen ehrfürchtig dastehen und sagen lassen: »Wow, das ist Magie.«

Entspannen

Immer wenn wir in Gruppen über Entspannung und Leichtigkeit reden, gibt es Leute, die einen Gedanken zum Ausdruck bringen, der uns wahrscheinlich alle umtreibt: »Natürlich ist es wunderbar, sich entspannt und leicht zu fühlen, aber wenn wir ständig so wären, wie um Himmels willen würden wir noch etwas zustande bringen?«

Bevor wir also der Magie und Macht der Entspannung nachgehen, sollten wir diese Sache klarstellen. In den Gruppen bitte ich die Leute darum, jeweils eine Leitfigur in ihrem jeweiligen Feld zu nennen. Probieren Sie es gleich selbst. Wer ist eine bedeutende Person im Geschäftsleben? Wer ist einer der größten Fußballspieler aller Zeiten? Wer ist momentan der erfolgreichste Schauspieler auf unserem Planeten? Wer dominiert die Politik unserer Zeit?

Versuchen Sie's in Ihrem Leben. Wer ist die reichste Person, die Sie kennen? Wer ist die beliebteste Person, die Sie kennen? Wer ist der Mensch mit dem größten Sexappeal? Ergibt sich Ihnen schon ein Bild der Dinge?

Ich kann Ihre Antwort auf die letzten Fragen nicht erraten. Aber ich kann Ihnen die verbreitetsten Antworten auf die ersten paar Fragen nennen. Der Vorschlag für eine bedeutende Persönlichkeit im Geschäftsleben war … Richard Branson, der Besitzer von Virgin. Wie ist der so? Nun, auf mich macht er keinen besonders gestressten Eindruck.

Der verbreitetste Vorschlag für den größten Fußballspieler aller Zeiten war Pelé. Wie wirkt der so? Schauen Sie sich mal auf Youtube einen Pelé-Clip an. Das ist wirklich verblüffend. Der Mann ist so LOCKER. Für ihn scheint das alles wie ein Spaziergang im Park zu sein. Es ist, als würde er tanzen. Es sieht so leicht aus. Und so schön. Aber Sie haben an George Best gedacht, oder? Schauen Sie sich auch ihn auf Youtube an. Dasselbe. Ah, Maradona? Auch bei ihm lohnt sich ein Blick auf Youtube. Dieselbe Sache. Bitte schauen Sie sich nur keines der Tore an, die er gegen England geschossen hat. Obwohl das, wo er jeden englischen Spieler ausspielt und dann anhält und den englischen Fans seinen Hintern zeigt, bevor er den Ball am Torwart vorbeikitzelt, das ist schon sehenswert. Schauen Sie sich das nicht an. Und schauen Sie sich auch das Tor nicht an, bei dem das Zwerglein den Ball mit der Hand reinspielt, bei dem er nachher behauptet hat, es sei die »Hand Gottes« gewesen. Ignorieren wir das.

Der häufigste Vorschlag in Sachen Schauspieler ist der großartige George Clooney. Wie ist der so? Kommen Sie, Sie wissen einfach, dass er im wirklichen Leben wie eine der vielen Figuren, die er immer spielt, sein wird: cool, entspannt und unerschütterlich. Wenn es jemanden gibt, den Sie in einer Krise dabeihaben wollen, dann George. Der behält einen kühlen Kopf. Der kriegt raus, was zu tun ist.

Politiker? Obama. Als er für die Präsidentschaft kandidierte, war ich erstaunt zu sehen, wie entspannt, ruhig und gemütlich er in jeder Situation, in jedem Interview war. Stellen Sie sich mal den Druck vor, unter dem der Mann stand, seine Arbeitszeiten. Und dennoch blieb er gelassen. Haben Sie den Filmclip gesehen, in dem er interviewt wird und ihn eine Fliege nervt? Also, wenn Sie cool sind – professionell –, dann könnten Sie wahrscheinlich weitermachen, ohne sich ablenken zu lassen. Doch Obama traf die Entscheidung, vor laufender Kamera die Fliege zu fangen. Das haben wir privat zu Hause alle schon gemacht: Wir haben eine Zeitung zusammengerollt und sind auf Fliegenjagd gegangen. Sie wissen also, wie das bei Ihnen und bei mir laufen würde, wenn wir so eine überstürzte Entscheidung treffen würden: Wir würden einmal danebenhauen, zweimal danebenhauen und dann mit wachsender Frustration immer wilder in der Luft herumfuchteln, bis wir im Fernsehstudio herumrennen und die lästige Fliege verfluchen würden.

Nicht Obama. Obama ist ruhig. Obama bewegt sich. Obama fängt die Fliege mit der Hand. Obama ist der Ninja-Präsident. Allein aufgrund dieser Tatsache hätte McCain schon die Ninja-Entscheidung treffen und sich in sein Schwert stürzen sollen. Jedermann im Land hätte in seinem Tun innehalten und anfangen sollen, »OBAMA, OBAMA« zu skandieren, bis die herrschende Klasse keine andere Wahl mehr gehabt hätte, als ihn nicht nur zum Präsidenten, sondern zum König der USA zu machen. Gelobt sei Präsident König Ninja Obama.

Also, was haben Sie gleich noch darüber gesagt, dass »niemand es jemals im Leben durch Entspannung und Lockerheit zu etwas gebracht hat«?

Okay, okay, also Sie wollten auch entspannt sein. Wie?

Entspannen Sie sich, ganz einfach. Im Ernst, wenn Sie sich einfach nur wünschen, entspannter zu sein, und dann auch versuchen zu entspannen, ist die Sache größtenteils schon erledigt.

Die beste Art zu lernen, sich zu entspannen, ist, die Gefühle von Spannung und Entspannung zu verstärken und herauszufinden, was wirklich mit Ihnen passiert, wenn Sie entspannt sind. Wenn Sie erst einmal herausgefunden haben, was die Qualitäten der Entspannung für Sie bedeuten, können Sie diese als Techniken zur Erzeugung von Entspannung benutzen. Immerhin funktionieren die meisten Entspannungstechniken genau so: Wir beobachten die Leute, wenn sie tiefenentspannt sind, und achten darauf, was in diesem Zustand mit ihnen passiert (beispielsweise mit ihrer Atmung), und sagen dann jemandem, der angespannt ist, er soll einen Atemrhythmus verwenden, der dem ähnelt, den wir bei der tief entspannten Person beobachtet haben, sodass sich nun auch diese Person entspannt. Einfach.

Also, verstärken wir diese Gefühle zunächst mal. Und das für sich könnte schon Ihre tägliche (und äußerst nützliche) Praxis werden. Fangen Sie mit Ihrer Hand an. Machen Sie eine Faust. Ballen Sie sie für ein paar Sekunden richtig fest zusammen. Dann lassen Sie los und bringen Ihre Hand wieder in einen ganz weichen, entspannten Zustand.

Achten Sie darauf, wie sich Ihre Hand anfühlt. Dann gehen Sie Ihren Körper durch und machen Sie dasselbe: Spannen Sie die Muskeln im Unterarm an, dann entspannen Sie sie … spannen Sie Ihren Bizeps an, dann entspannen Sie ihn etc.

Legen Sie sich irgendwo, wo es dunkel ist, hin und versuchen Sie es damit. Oder bleiben Sie genau da, wo Sie sind, und versuchen Sie es dort. Spannen Sie einen Körperteil an, dann entspannen Sie ihn. Und wenn Sie den ganzen Körper durchgegangen sind oder wenn die Sache Ihnen langweilig wird, dann liegen oder sitzen Sie einfach nur da und entspannen Sie sich. Wie fühlen Sie sich, wenn Sie entspannt sind? Schreiben Sie sich die Antworten auf, wenn Sie wollen.

Ihre Gefühle, Eindrücke und Erfahrungen in Sachen Entspannung werden sich in mancherlei Hinsicht von denen anderer Leute unterscheiden. Und versuchen Sie erst einmal ein Gespür für Ihre eigenen Gefühle zu kriegen, bevor Sie die Liste lesen, die ich Ihnen gleich präsentiere. Ansonsten fangen Sie vielleicht an, Eindrücke zu stibitzen, die gar nicht Ihre sind.

Also, Folgendes passiert mit Leuten, wenn sie sich tief entspannen:

- Ihre Atmung verändert sich, wird langsamer und tiefer.
- Sie fühlen sich weicher, glücklicher und manchmal wärmer.
- Ihre Gedanken fangen an zu schweifen, als ob sie kurz vor dem Einschlafen wären.
- Manche fühlen ein prickelndes Gefühl im Körper.
- Manche sehen Farben und Visionen.
- Sie stimmen sich besser auf Geräusche ein.
- Sie erleben ein Gefühl von Frieden und Ruhe.
- Sorgen scheinen in den Hintergrund zu treten.
- Sie fühlen sich in dem präsent, was gerade geschieht.

Nett.

Was waren also die vorherrschenden Gefühle und Eindrücke bei Ihnen? Diese können Sie als Technik benutzen, um entspannter zu werden, wann auch immer Sie wollen.

Ich beispielsweise stimme mich besser auf Geräusche ein, wenn ich tief entspannt bin: Ich höre jedes Geräusch, ich liebe jedes Geräusch, jedes Geräusch bewirkt, dass ich mich geborgen und zu Hause fühle. Also ist eine Technik, die für mich funktioniert, innezuhalten und auf die Geräusche um mich her zu lauschen. Wenn ich mich jetzt auf die Geräusche einstimme, die ich höre: das Klicken der Tasten auf der Tastatur, das Summen des Heizsystems, das den Handtuchhalter wärmt, an den ich mich lehne; das Geräusch, wie sich jemand im Nebenzimmer bewegt, das Zwitschern der Vögel draußen ... tiefer ... das Summen meines Laptops, ein weiter entferntes Surren, wahrscheinlich von einem landwirtschaftlichen Fahrzeug, ein äußerst feines Klappern, vielleicht von einem Teil des Heizsystems, das Grummeln meines leeren Magens. Und, ja, jetzt fühle ich mich entspannter. Wunderbar.

So entwickelt man seine eigenen Entspannungstechniken.

Aber warum Entspannung?

Abgesehen von der Tatsache, dass es sich besser anfühlt, entspannt zu sein als angespannt, warum sollte man sich entspannen? Nun, zunächst mal ist es gut für Sie. Die westliche Medizin hat erkannt, dass Stress und Spannung schädlich für den Körper sind (wenn wir gestresst sind, dann ist eines der Dinge, die in unserem Körper passieren, dass wir die Hormone Epinephrin (oder Adrenalin) und Cortisol ausschütten, die zwar hin und wieder kurzfristig sehr nützlich sind, aber äußerst schädlich, wenn sie längerfristig ausgeschüttet werden und im Körper zirkulieren). Obwohl diese geistig-körperlichen Effekte die ganze Zeit von Wissenschaftlern untersucht werden (lesen Sie unbedingt Dr. David Hamiltons Buch *It's the Thought That Counts* und andere Bücher, um die aktuellsten wissenschaftlichen Erkenntnisse zu dem Thema in Erfahrung zu bringen), haben wir doch das Gefühl gehabt, dass Stress, Aufregung und Angst sich auf den Körper auswirken (»Verdammt noch mal, wegen Dir hätt' ich fast einen Herzanfall bekommen!«) Dr. Kenneth Heaton hat kürzlich eine Passage bei Shakespeare identifiziert (der vor 400 Jahren geschrieben hat), die einen Hinweis auf dessen Wahrnehmung der Verbindung von Geist und Körper lieferte. Er fand heraus, dass Symptome, die ihren Ursprung in der Psyche haben, darunter Schwindelgefühl, Atemlosigkeit, Erschöpfung, Gefühle der Ohnmacht und Kälte, alle in Shakespeares Werken verbreitet sind, und argumentiert, dass moderne Ärzte, die »zögern, physische Symptome auf emotionale Störungen zurückzuführen, was zu verzögerten Diagnosen, übertriebenen Untersuchungen und nicht sachdienlichen Behandlungen führt«, mehr Shakespeare lesen sollten.

Aber in der östlichen Medizin ist die Verbindung von Geist und Körper zentral und somit ist Entspannung Teil einer anerkannten Behandlung für Krankheiten. In der traditionellen chinesischen Medizin (TCM) zum Beispiel ist der Fluss des Qi oder der Energie im Körper der entscheidende Punkt. Auf einer sehr einfachen Ebene äußert sich das in der Beobachtung, dass die Energie sich durch den Körper und durch die Organe in »Meridianen« bewegt – das energetische Äquivalent unseres Blutkreislaufs. Wenn diese Energie harmonisch und gut ausbalanciert durch die Meridiane und Organe fließt, sind wir gesund. Aber wenn die Energie gehemmt wird oder stagniert, kann Krankheit die Folge sein.

Wie nun wird die Energie gehemmt? Durch physische oder emotionale Spannung – und diese beiden sind miteinander verwoben. Wenn Sie also sehr zornig sind, unterbricht das den Energiefluss in Ihrem Körper (in der TCM würde man sagen, dass die Leber betroffen ist). Es ist uns allen klar, dass es, wenn man zornig wird, sowohl einen emotionalen wie einen physischen Effekt hat (unter anderem wird man rot und erhitzt, vielleicht sieht man sogar »rot«). Dasselbe gilt, wenn man sehr gestresst ist. Wir sehen, dass es einen emotionalen Effekt hat, aber auch, dass es einen äußerst tiefen physischen Effekt mit sich bringt: Unser Körper spannt sich stärker an und wird starrer – ja, genau, fangen Sie an, Ihren Nacken zu massieren. In der östlichen Medizin glaubt man, dass es diese Spannungen sind, die zu Krankheiten führen.

Also müssen wir, um den Prozess hin zu einer Krankheit umzukehren, die Blockaden lösen, und dafür müssen wir die Spannung (emotionale wie physische) im Körper loslassen (das heißt, Sie müssen sich entspannen). Und nur indem Sie sich tief entspannen, können Sie es der Energie erlauben, stärker zu fließen, sodass eine Heilung erfolgen kann und wird.

In unserer modernen Gesellschaft tendieren wir eher zu Überarbeitung, Überstrapazierung und zu großem Stress. Um unsere Gesundheit also aufrechtzuerhalten oder wiederzugewinnen, müssen wir an unserer Entspannung arbeiten. Wir müssen einsehen, wie wichtig Entspannung ist. Dazu gehört auch der Genuss der Entspannung. In dem Augenblick, da Sie einsehen, dass Sie nichts lieber täten, als sich ein paar Augenblicke ruhig hinzusetzen und tief zu atmen oder sich hinzulegen und zu fühlen, wie die Energie durch Ihre Hände strömt, dann wissen Sie, dass Sie in Sachen Entspannung auf der richtigen Fährte sind.

Gibt es einen Haken? Nun, es gibt tatsächlich einen. Egal wie gut Sie darin werden, sich zu entspannen, egal wie effektiv und ausgeklügelt Ihre Techniken sind, Sie werden immer zu kämpfen haben, wenn Sie nicht die Quelle Ihrer Spannung und Ihres Stresses angehen. Sie kennen doch bestimmt die Cowboyfilme, in denen die Cowboys von ihrem Lager aufschauen und sehen, wie in den umliegenden Hügeln ein paar Indianer auf Pferden auftauchen. Schön und gut, mit ihren Pistolen und ihrer Erfahrung ist das kein Problem für die Cowboys, sie können die Indianer einfach abschießen, während sie heulend und Macheten schwingend auf sie zureiten. Doch noch während sie hinsehen, tauchen mehr Indianer auf. Dann noch ein paar mehr … und noch mehr … bis der ganze Horizont voll wilder Indianer ist. Und die Cowboys wissen, dass ihnen ihre Pistolen angesichts dieser Übermacht gar nichts helfen. Also, machen Sie sich auf ein Massaker gefasst (natürlich nicht im Wortsinn), wenn Sie die Quelle des Stresses nicht identifizieren, denn der wird immer wieder in unterschiedlichen Gestalten und in größerer Zahl auftauchen. Letzten Endes sind Ihre Atemtechniken nichts im Angesicht der herannahenden Stressarmee. Und Sie werden massakriert.

Das ist der Grund, warum die *Fuck It*-Lösung so gut funktioniert, wenn wir das Erlernen von Entspannungsmethoden und den Übergang von Spannung zu Entspannung zu einem festen Bestandteil unseres Lebens machen und gleichzeitig zu den größten Stressfaktoren in unserem Leben *Fuck It* sagen: eine regelrechte Erfolgsformel. Natürlich wird es immer Dinge geben, die uns Stress bereiten. Ich werde später argumentieren, dass wir diese auch gar nicht notwendigerweise beseitigen wollen. Der Schlüssel ist jedoch, viele der Dinge auszuschalten, die uns ganz überflüssig stressen (weil sie eigentlich gar nicht so wichtig sind). Das ist der Grund, warum es wichtig ist, *Fuck It* zu benutzen, um durch die Mauern der »Bedeutung« zu brechen (wenn unsere Anhaftung zu stark ist), weniger ernst zu sein und *Fuck It* zu der Geschichte zu sagen, die wir über uns selbst und das Leben da draußen erzählen.

Sehen Sie, *Fuck It* ist die ultimative Entspannungstechnik, weil es uns erlaubt, uns hinsichtlich der BEDEUTUNG der Dinge zu entspannen. »*Fuck It*, es ist nicht so wichtig.« Wenn wir einfach nur *Fuck It* sagen, entspannt uns das von ganz allein. Wenn wir einfach nur *Fuck It* sagen, verlangsamt und vertieft das wahrscheinlich schon unsere Atmung, sorgt dafür, dass sich der Körper wärmer und schwerer anfühlt, sich die angespannten Muskeln entspannen und so weiter. Benutzen Sie *Fuck It* und Ihre spezifischen, persönlichen Entspannungstechniken, und Sie haben eine magische Erfolgsformel.

Und so haben Sie gegen Ihren scheinbaren Feind, den Stress, das Pendant zur Atombombe erfunden.

> Sehen Sie, Fuck It ist die ultimative Entspannungstechnik.

Gaias magische Worte

Bitten passen Sie (weniger) auf

*Eine sehr gelassene chinesische Qigong-Meisterin, Dr. Bisong Guo,
sagte eines Tages (mit herrlichem, starkem chinesischen Akzent):
»Sehen Sie, nur 20 Prozent von Ihnen müssen in einer Situation
präsent sein. Die anderen 80 Prozent werden nicht benötigt.«
Ich liebe das. Im gegenwärtigen spirituellen Trend zur vollen Präsenz und zum vollen Bewusstsein machte sie den Gegenvorschlag,
80 Prozent von sich abzuschalten – nicht nur Entspannung, sondern abschalten.*

*Was hat sie damit gemeint? Sie meinte, dass es möglich ist zu le-
ben und nur 20 Prozent unserer Aufmerksamkeit auf das zu richten, was wir machen. Der Rest kann frei bleiben, nicht fokussiert,
nicht konzentriert auf das, was passiert. Klingt das nicht befrei-
end?*

*Aber ist das wirklich möglich? Können Sie tatsächlich produktiv
sein, einen Job behalten, verlässlich sein, wenn Sie nur 20 Prozent
Ihrer Aufmerksamkeit aufwenden?*

*Können Sie mit den Leuten reden, ohne dass sie das Gefühl
bekommen, Sie hätten kein Interesse an ihnen, wenn Sie nur zu
20 Prozent dort sind?*

*Nun, probieren Sie's aus. Es gibt keine bessere Möglichkeit, etwas
herauszufinden.*

*Als John noch als Kreativer in London arbeitete, machte er das in
Meetings (und ich habe ihn oft dabei beobachtet). Er saß da und
entspannte sich, sein Fokus nahm ein wenig ab, er war interessiert
genug, aber mit keinem bestimmten Interesse, während die anderen wegen Wichtigem und weniger Wichtigem (hauptsächlich
weniger Wichtigem) hin und her argumentierten. Normalerweise
kämpften die Leute darum, eine Lösung zu finden, die alle befrie-*

digte. Immer. John entspannte sich und meditierte irgendwie fast, ohne viel zu sagen. Nach einer Weile, üblicherweise gegen Ende des Meetings, als die Leute noch immer miteinander rangen, hatte er dann eine Idee zur Situation und teilte sie ruhig mit. Und alle beruhigten sich, hörten zu, waren sich einig, er sei ein Genie, und taten, was er vorgeschlagen hatte.

Energetisieren

Der Energie-Aspekt, über den ich gerade geredet habe, hilft in der Theorie nicht viel. Tatsächlich ist er als Theorie viel schlechter als die anderen Theorien, mit denen die meisten von uns jeden Tag recht glücklich leben. Und das meiste, was wir über die Dinge »wissen«, ist Theorie, wenn man darüber nachdenkt. Eine Theorie ist eine Erklärung von etwas, das richtig ist, bis eine bessere Theorie daherkommt und sie ersetzt. Die gegenwärtige Theorie, die die meisten von uns abonniert haben, ist die, dass wir feste, separate Wesen aus Knochen, Fleisch, Organen und herumgepumpten Blut sind, die mit einer größtenteils festen und separaten Realität interagieren, die durch eine »Gravitation« genannte Kraft auf dem Boden festgehalten werden und das auf einem »Erde« genannten Planeten, der mit ungefähr 1000 Meilen pro Stunde (davon abhängig, wo man steht) in einem Orbit um ein heißes Ding, das man als Sonne bezeichnet, rast, in einem Universum, das nur eines von Milliarden Universen ist, das wahrscheinlich über Wurmlöcher mit unendlich vielen Paralleluniversen verbunden ist. Okay, am Ende bin ich von dem abgewichen, was die meisten von uns abonniert haben, aber viele Kosmologen und Astrophysiker haben es abonniert. Trotz- und alledem: Das Bild, das wir uns davon machen, was wir sind, wie unsere Beziehung zu allem um uns her aussieht, was dieser Planet und dieses Universum sind … es ist alles Theorie.

Für mich (und wahrscheinlich auch für Sie) ist es Theorie, dass Ihre Knochen innen lebendig sind, dass an unterschiedlichen Punkten in Ihrem Körper Hormone herausgepumpt werden, die die unterschiedlichen Funktionen kontrollieren, dass Sie ein Netzwerk von Nerven in sich haben, das Informationen zurück ans Gehirn sendet. Es ist Theorie, weil ich persönlich keine Beweise habe, dass irgendetwas davon wahr ist. Ich habe nur tote Knochen gesehen, die sich für mich fest und leblos ausnehmen. Ich habe niemals einen Tropfen Hormone gesehen, berührt oder geschmeckt (zumindest meines Wissens keine menschlichen. Ich vermute, ich schmecke ständig Hormone in dem Fleisch, das ich esse). Was die Nerven anbelangt, so habe ich nie welche gesehen. Wer weiß, ob das der Grund ist, aus dem ich etwas »fühle«? Ah John, aber das liegt nur daran, dass du in diesen Bereichen so unwissend bist. Wenn du eine medizinische Ausbildung hättest, würdest du »wissen«, dass diese Sachen wahr sind. Sicher, es mag den Anschein haben, dass es Beweise für meine Theorien gibt. Aber selbst wenn, wären das immer nur Theorien, bis es neue Beweise gibt. Es ist nur schwieriger, offen für die neuen Beweise zu sein, wenn man sich einer bereits etablierten Theorie sicher ist.

Für den Moment ist es die Sache wert, ein Gefühl dafür zu bekommen, dass man mit vielen (zumindest für Sie) unbewiesenen Theorien lebt. Und selbst die Theorien, die Sie persönlich beweisen können (»Ich bin fest und eigenständig und das, was ich in den Händen halte, ist fest und separat), sind immer noch nur Theorien, die auf neue Beweise warten, die etwas anderes aussagen.

Aber wir akzeptieren die meisten dieser Theorien, weil berühmte (normalerweise westliche) Wissenschaftler sie uns liefern. Und die Vorstellung, dass Energie im Körper herumfließt, ist kein Teil dieses illustren Korpus der westlichen Wissenschaft. Also ist es schwieriger, diese Idee als Theorie zu akzeptieren (bis mehr westliche Wissenschaftler sich doch einmal damit auseinandersetzen und uns sagen, wie es funktioniert). Aber es ist nicht nur das. Es ist nicht nur, dass das Konzept der Energie ein buchstäblich fremdes Konzept für die von uns ist, die in einer post-newton'schen Welt und ihrer Wissenschaften aufgewachsen sind. Das Konzept der Energie ist definitionsgemäß schwer zu verstehen, weil sie unsichtbar, alles durchdringend und ständig im Wandel ist. Es ist also in vielerlei Hinsicht schwer festzunageln. Und so widersetzt es sich den meisten unserer Versuche, es zu verstehen. Eigentlich genauso wie Gott. Und vielleicht sind er und die Energie letztlich dieselbe Sache.

> Das Konzept der Energie ist definitionsgemäß schwer zu verstehen, weil sie unsichtbar, alles durchdringend und ständig im Wandel ist.

Also machen wir einen Sprung heraus aus dem Land der Theorien und Konzepte und erfahren einfach.

Lassen Sie mich Ihnen von meiner Reise erzählen, wie ich Energie erfahren habe. Als junger Mann, frisch von der Uni gekommen und in meinem ersten Job, ging es mir nicht gut. Ich hatte einige Allergien, die sich in einer Vielzahl von Symptomen manifestierten. Manchmal war ich sehr krank und hatte Probleme, auch nur alltägliche Verrichtungen zu bewältigen. Ich fühlte mich meistens schlapp und war ständig müde. Ich erkannte, dass

> Springen Sie heraus aus dem Land der Theorien und Konzepte und erfahren Sie einfach.

ich mich wegen des Stresses noch schlechter fühlte, denn wenn ich glücklich und entspannt war, dann ging es mir, relativ gesehen, besser, und wenn ich unglücklich und gestresst war, schlechter.

Also machte ich mich daran, das Entspannen zu lernen. Ich kaufte mir ein Entspannungsband, sogar eine Doppelkassette (»Band« und »Kassette« sind Begriffe, die ein antikes Tonwiedergabesystem bezeichnen). Ich lag auf dem Bett und drückte auf »Play«. Die Übung, durch die man mich führte, war die, die ich Ihnen im Kapitel »Entspannen« vorgestellt habe: »Progressives Entspannen.« (Ich kenne auch andere Entspannungsübungen, aber nach mehr als 20 Jahren, die ich jetzt mit diesen Techniken arbeite, darunter eine Ausbildung zum Hypnotherapeuten, gibt es immer noch nichts, was daran heranreicht, den Unterschied zwischen »Spannung« und »Entspannung« zu verstärken, um sich das Entspannen beizubringen.)

Ich lag also da, wurde durch die unterschiedlichen Teile meines Körpers geführt, die ich an- und entspannte. Nach einer Weile war mein ganzer Körper angespannt und wieder entspannt worden und ich fühlte mich völlig entspannt. Es funktionierte wirklich für mich. Ich erlebte den Übergang von einem allgemeinen Zustand der Anspannung (hauptsächlich wegen meiner Krankheit) hin zu einem entspannten Zustand. Und damals konnte ich den entspannten Zustand mit hinaus in die Welt nehmen.

Nach ein paar Tagen, die ich das praktizierte, begann ich festzustellen, dass das Gefühl der Entspannung (nach der verstärkten Spannung) eine besondere, eigentümliche Qualität hatte: Es war ein, in Ermangelung eines besseren Ausdrucks, »prickelndes« Gefühl. Und das Wort »prickelnd« lässt dem, was ich erlebte, nicht gänzlich Gerechtigkeit widerfahren, aber belassen wir es für den Moment dabei. Also wusste ich beim Anspannen und Wieder-Entspannen, dass ich wirklich entspannt war, wenn sich dieses prickelnde Gefühl einstellte.

Schließlich benötigte ich die Kassette gar nicht mehr: Ich legte mich hin und stellte mir vor, ohne dass ich einen Muskel anspannen musste, wie sich fortschreitend jeder Teil meines Körpers entspannte und zu prickeln begann. So entspannte ich meine Hand, fühlte, wie sie prickelte, dann meinen Arm etc.

Kurze Zeit später konnte ich mich schon hinlegen und mir vorstellen, dass ich meinen Körper »scannte«, fast wie mit einem Laser, und während ich das tat, begann sich dieses prickelnde Gefühl einzustellen. Nach lediglich ein paar Minuten war mein Körper weich, tief entspannt und prickelte.

Und wieder ein paar Tage danach wurde mir klar, dass ich mich nicht hinlegen musste, um das zu tun. Also saß ich bei der Arbeit oder im Bus oder beim Essen zu Hause und machte einen schnellen »Scan« meines Körper und er begann, überall zu prickeln. Ich mache das auch jetzt in diesem Moment.

Ich liebte dieses prickelnde Gefühl, weil es so erstaunlich war. Ich konnte nicht glauben, dass ich es nie zuvor bewusst gefühlt habe (es musste schon immer da gewesen sein, nur dass ich es vorher nie bemerkt hatte). Ich versuchte, stets dahin zurückzukehren und das Gefühl zu erleben, wo ich nur konnte. Ich liebte dieses Gefühl UND fühlte mich besser (das heißt, meine Symptome verminderten sich).

Einige Monate später lud mich jemand zu einem Tai-Chi-Kurs ein. Ich ging hin und war höchst überrascht, als ich hörte, dass jemand von dieser Qi- oder Energie-Sache sprach, die man im Körper als prickelndes Gefühl spüren könne. Ich war verblüfft, dass man Übungen machen konnte (im Tai-Chi und der verwandten Disziplin Qigong), um diese Energie beim Fließen und Sich-Verbreiten zu unterstützen. Und seitdem hat mich Energiearbeit mit all ihren Facetten immer fasziniert. Ich habe über die Jahre Tai-Chi und Qigong (und andere Energiekünste) praktiziert, doch das löst sich, für mich, nie von meiner anfänglichen Erfahrung dieses Gefühls der Energie in meinem Körper und meiner Begeisterung für dieses Phänomen. Ich entspanne mich gerade jetzt, sitze hier frühmorgens in einer Hotellobby in Mailand, entspanne und fühle überall diese Energie. Ich LIEBE das. Dieser besonderen Geliebten scheine ich nie müde zu werden, obwohl sie immer bei mir ist. Sie umgibt mich völlig, im guten Sinne, und ich verbringe viele intime Stunden mit ihr, aber ich werde ihrer nie müde. Ich habe nie das Gefühl, dass ich sie wirklich ganz verstehe und vielleicht ist das ein Teil davon … wenn ich je das Gefühl haben sollte, dass ich anfange, sie zu verstehen, zeigt sie mir eine andere Seite von sich, die mein ursprüngliches Verständnis über den Haufen wirft.

Würden Sie also auch gerne etwas von dieser Energie erfahren?

Ja, natürlich würden Sie das. Wir bringen Ihnen jetzt ein paar einfache und sehr starke Übungen bei. Tatsächlich sind sie so stark, dass sie 20 Jahre nachdem ich sie das erste Mal gemacht habe, immer noch ein bedeutsamer Teil meiner Übung sind.

1. Schütteln, Stehen, das Qi Fühlen

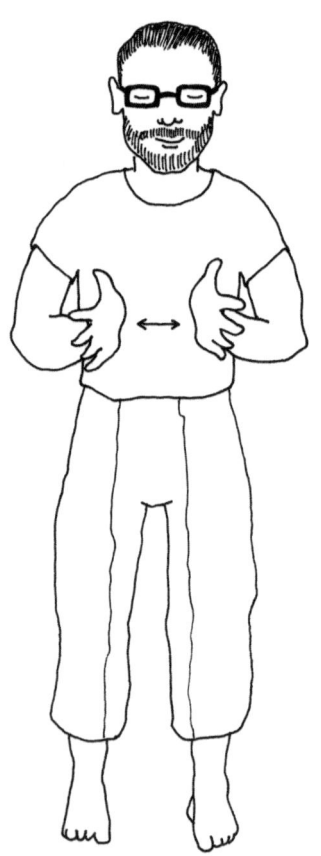

Also, der Tatsache Rechnung tragend, dass Sie ein Buch lesen (wahrscheinlich), statt sich das hier anzuhören, sage ich Ihnen, was zu tun ist, dann können Sie es selber machen.

Stellen Sie sich hin und schütteln Sie jeden Teil Ihres Körpers. Fünf Minuten schütteln (klingt wie ein Cocktail-Rezept, ich weiß). Dann stehen Sie ganz still (ganz wie bei einem Kindergeburtstag, wenn bei einem Spiel die Musik aufhört). Wenn Sie (nach dem Schütteln) ganz still stehen, achten Sie auf das, was Sie in Ihrem Körper fühlen. Benennen Sie diese Gefühle. Bleiben Sie für fünf Minuten stehen. Versuchen Sie zu entspannen, während Sie stehen. Bewegen Sie sich ein bisschen, wenn nötig. Dann nähern Sie Ihre Hände einander an, sodass Ihre Handflä-

Energie-Akkordeon spielen

chen etwa 30 Zentimeter voneinander entfernt sind und zueinander zeigen.

Tun Sie so, als würden Sie ein Akkordeon halten. Sie müssen nicht so tun, als wären Sie ein Franzose oder dergleichen, tun Sie einfach nur so, als hielten Sie ein Akkordeon. Dann fangen Sie an, Ihr imaginäres Akkordeon ganz langsam zu spielen, wie ein romantischer Akkordeon-Spieler. Bringen Sie Ihre Hände langsam zusammen, bis sie eng beieinander sind (aber lassen Sie sie sich nicht berühren, immerhin ist noch ein Akkordeon zwischen ihnen), und dann fangen Sie an, sie wieder zu öffnen. Machen Sie damit weiter, bringen Sie Ihre Hände zusammen und entfernen Sie sie wieder voneinander. Lassen Sie den Rest Ihres Körpers, besonders Ihre Arme und Schultern, so entspannt wie möglich.

Und achten Sie auf das, was Sie fühlen. Benennen Sie diese Gefühle und Eindrücke, wenn Sie können. Wenn Sie nichts fühlen, auch gut. Versuchen Sie es später wieder. Und nach ein paar Mal fühlen Sie ganz bestimmt etwas – es sei denn, Sie sind tot. Zombies machen diese Übung nicht so oft. Die haben die Tendenz, die andere Übung zu machen, bei der sie ihre Arme vor sich strecken und langsam vorwärtsgehen. Nun, ich werde Ihnen noch nicht verraten, was Sie fühlen werden, denn das würde die Überraschung verderben. Also, bitte machen Sie diese Übung und erfahren Sie es (was auch immer das sein mag) selbst.

2. Schütteln, Stehen

Wenn Sie Übung 1 gemacht und etwas gespürt haben, können Sie weitergehen zu Übung 2.

Schütteln Sie sich für fünf Minuten (wenn Sie wollen, legen Sie sich ein bisschen Musik auf; Sie können das Schütteln auch nach Wunsch verlängern). Dann stehen Sie wieder still. Dieses Mal stehen Sie auf besondere (und leichte) Art still:

Stellen Sie sich vor, dass ein Faden an Ihrem Scheitel angebracht ist und Ihren Kopf sanft oben hält.

Berühren Sie mit der Zungenspitzen den Gaumen, gerade hinter den Zähnen.

Ziehen Sie das Kinn leicht ein, um die Rückseite Ihres Kopfes zu verlängern.

Lassen Sie die Arme entspannt hängen und halten Sie dann mit den Händen einen imaginären (oder wirklichen, so Sie einen haben) riesigen Bauch: Stellen Sie sich vor, Sie halten den Buddha-Bauch.

Versuchen Sie, das Rückgrat aufrecht zu halten, indem Sie das Steißbein einziehen (strecken Sie dafür einfach das Gesäß heraus, dann tun Sie das Gegenteil und Sie haben es – das nennt man »den Schwanz einziehen«).

Halten Sie die Knie leicht gebeugt.

Halten Sie die Füße auseinander.

Komisch? Nun, es ist wirklich nicht viel dabei. Aber versuchen Sie, alle diese Punkte zu beachten. Nach einer Weile werden Sie sich mit Leichtigkeit an die Bewegungsabläufe erinnern. Und jeder dieser Punkte sorgt dafür, dass die Energie besser fließt, die Sache ist es also wert.

Sobald alles richtig in Position ist, ENTSPANNEN Sie sich. Anfangs mag sich das Entspannen schwierig anfühlen. Vielleicht fangen

Ihre Beine an wehzutun. Oder der gerade Rücken fühlt sich nicht natürlich an. Oder Ihre Pobacken verkrampfen wegen des »Schwanzeinziehens«. Machen Sie sich trotzdem weich und entspannen Sie. Das ist wirklich das Allerwichtigste dabei. Und bleiben Sie stehen. Achten Sie darauf, wie Sie sich fühlen. Versuchen Sie wieder, Ihre Gefühle und Eindrücke zu benennen.

3. Stehen

Stehen Sie einfach zehn Minuten am Tag so da und die Dinge werden sich für Sie ändern. Wenn Sie einfach nur so dastehen, wird das Ihren Entspanntheitsgrad bedeutend verbessern und steigern. Wenn Sie einfach nur so dastehen, kann Sie das von Krankheiten heilen oder Ihnen helfen, Krankheiten zu verhindern, die Sie sonst bekommen würden.

Es ist einfach. Aber es ist das Effektivste, was Sie tun können. Wenn Ihr Gehirn die komplizierten Sachen vorzieht, für die Sie Kurse belegen müssen und die zu erlernen höchstwahrscheinlich Jahre dauert, dann los, machen Sie es. Aber vergessen Sie diese Übung nicht. Wenn Sie wirklich losziehen und etwas Kompliziertes lernen wollen, dass melden Sie sich für einen Tai-Chi-Kurs an. Tai-Chi funktioniert hervorragend in Kombination mit dieser Technik. Und wenn Sie eine Weile (irgendwo zwischen 40 Tagen und 40 Jahren) Tai-Chi praktiziert haben, werden Sie feststellen, dass es sowieso dasselbe ist.

Wenn Sie sofort verstehen, dass dieses stehende Qigong stark und völlig ausreichend ist oder Sie es einfach so, wie es ist, toll finden, oder Sie einfach nur ein fauler Strick sind (Faulheit ist nichts Schlechtes!), dann machen Sie einfach nur das. Ich habe Jahre meines Lebens, Jahre des täglichen Übens, damit zugebracht. Nichts anderes. Zu anderen Zeiten habe ich auch Tai-Chi und Hsing I (googeln Sie's, es ist ebenfalls eine gute Praktik) praktiziert.

Handhaltungen

Wenn Sie ein wenig Variation schätzen, dann sind die folgenden alternativen Positionen für die Hände genau das Richtige für Sie:

Handhaltungen:
Versuchen Sie, jede für zehn Minuten zu halten.

Aber seien Sie achtsam mit sich. Gehen Sie erst zur nächsten Handhaltung über, wenn Sie in der Lage sind, in der gewählten Position zehn Minuten lang zu stehen. Und vielleicht bleiben Sie auch einfach lieber bei der ursprünglichen Position. Das ist in Ordnung. Das ist mehr als in Ordnung, das ist großartig. Und außerdem völlig ausreichend.

Also, was wird für Sie passieren, wenn Sie regelmäßig üben? Nun, wie gewöhnlich will ich Ihnen das nicht wirklich verraten. Es ist aufregend, die Übung einfach nur zu machen und zu schauen, was sich ganz natürlich bei Ihnen entfaltet. Aber für den Fall, dass es ein paar von Ihnen wirklich, wirklich, wirklich wissen wollen … und es könnte Sie sogar motivieren, noch mehr zu üben. Also …

Das ist eine wirklich magische Kunst. Egal, welches der großartigen Bücher, die es über Qigong gibt, Sie lesen, es wird Ihnen die Magie, die das Ergebnis regelmäßiger Übung ist, vor Augen führen, Magie, über die man im Zusammenhang mit Qigong schon seit Jahrtausenden spricht. Sie haben die freie Wahl: Spontanheilungen, die Fähigkeit, andere durch Berührung zu heilen, die Fähigkeit, andere durch Gedanken zu heilen, übersinnliche Fähigkeiten wie Telepathie (das Hören der Gedanken anderer), Präkognition (das Voraussehen zukünftiger Ereignisse), Fern-Sehen (die Fähigkeit, andere Orte zu sehen, ohne jemals dort gewesen zu sein) und so weiter.

Das ist nicht die Welt von Harry Potter, sondern eine bessere. Es gibt keine Schule, keine Klassen. Einfach nur dastehen, entspannen, fühlen und die Magie wirken lassen.

Vielleicht lernen Sie sogar, durch Wände zu gehen. Buchstäblich.

Als jemand, der seit 20 Jahren Energiearbeit macht (und das ist, nebenbei bemerkt, die Bedeutung von »Qigong«: »Arbeiten« oder »Üben« mit »Energie«) und seit mehr als sieben Jahren die *Fuck It*-Therapie unterrichtet, kann ich sagen, dass Qigong von allen Künsten (seien es therapeutische, magische oder Kampfkünste) diejenige ist, die am meisten dem Geist von *Fuck It* entspricht. Es ist im Wesentlichen in Form gegossenes *Fuck It*: Wenn Sie loslassen und sich entspannen, fängt die Energie an zu fließen und Ihr Leben funktioniert (prima).

> Qigong ist von allen Künsten diejenige, die am meisten dem Geist von *Fuck It* entspricht.

Auf unseren *Fuck It*-Retreats lehren wir profundes Qigong. Wenn Sie also zu einem wunderschönen Ort (in einem luxuriösen Setting in Italien) kommen wollen und Zeit zusammen mit Menschen verbringen möchten, die die ersten Schübe der Magie in ihrem Leben erfahren, dann kommen Sie und machen Sie mit.

Gaias magische Worte

In unsere Kursen lehren wir eine Form von Qigong (der chinesischen Energiekunst), die nur von wenigen Leuten unterrichtet wird, und zwar aus dem einfachen Grund, weil nichts dabei ist. Die meisten Leuten tun lieber »etwas«, sodass die meisten Qigong-Lehrer eine kompliziertere Form unterrichten.

Also, zurück ins Nichts: Die Energie hat eine ganz erstaunliche Eigenschaft, die sich nicht hereinlegen lässt – wenn Sie sich zu sehr anstrengen, fließt sie nicht. Je weniger Sie sich anstrengen, desto mehr Qi fließt. Bei dieser Form von Qigong machen Sie nichts und basta.

Langweilig? Überhaupt nicht. Es passiert wirklich so viel, wenn Sie nichts tun. Aber es passiert alles von selbst.

Sie tun nichts und damit bekommt die Energie den Raum und die Erlaubnis, das Ruder zu übernehmen, und alles beginnt, seinen Lauf zu nehmen. Aus diesem Grund nennen wir es Spontanes Qigong. Es passiert einfach plötzlich, ohne irgendein Zutun. Wie also lehrt man Nichts?

Sobald Sie etwas sagen, versuchen die Leute »es zu tun« ...

Zum Beispiel ist eine der Möglichkeiten im Spontanen Qigong, das Qi ins Fließen zu bringen, schlicht nur dazustehen. Aber wenn man den Leuten sagt, sie sollen dastehen, hört jeder in seinem Kopf eine Stimme: »Ich stehe jetzt.« Und dann spannt sich der ganze Körper an.

Ich finde es verblüffend – es zeigt mir, wie uns schon eine simple Anweisung (wie etwa Stehen oder Sitzen) zu kleinen Soldaten macht. Wie also sagt man den Leuten, sie sollen stehen, ohne dass sie es »machen«?

Ich handhabe es in meinen Gruppen folgendermaßen: Zuerst sage ich den Leuten, sie sollen sich hinlegen und entspannen und erst

dann lasse ich sie stehen – als ob sie immer noch in einem vertika-
len Bett liegen würden. Auf diese Art vermeiden wir, dass sich die
Idee des Stehens in unserem Kopf breitmacht.

Wenn die Leute sich also vertikal hinlegen, verschwindet das Kon-
zept des »stehen Machens«« und sie sind in der Lage, nichts zu
tun. Ihre Körper und ihr Geist sind nicht verschlossen. Und dann
kann sich die spontane Energie bewegen. Wo es niemanden gibt,
der etwas tut, tut das Qi alles. Die Körper beginnen zu schwingen
und sich zu wiegen – bald fangen allerhand Dinge an, sich von
selbst zu bewegen, sowohl intern wie extern, was in Wärme, Pul-
sieren und Prickeln zum Ausdruck kommt.

Wenn die Leute zufrieden damit sind, nichts zu tun, dann macht
die Energie alles von selbst. Alles Mögliche kann passieren, etwa
dass sich Arme von selbst heben, spontanes Gehen und interne
Korrekturen im Körper. Das geht so lange weiter, bis die Person
das Gefühl hat, wieder die Kontrolle übernehmen zu müssen. Es
ist klar, dass eine der ersten Reaktionen auf diese unerwarteten
Erfahrungen Überraschung und Irritation sein können. Aber wenn
die Leute realisieren, dass das einfach nur die Energie ist, die ihre
Arbeit macht (danach fühlen sie sich besser), tun sie sich immer
leichter damit, den Weg frei zu machen und in sich die Erfahrung
entfalten zu lassen, ohne das Geschehene zu beurteilen.

Manchmal kann man bei einigen Leuten beobachten, dass sie völ-
lig bereit dafür sind, dass die Bewegung passiert, aber mit einer
unbewussten Vorstellung »wer sie sind und wie sie funktionieren«
die Energie zurückhalten.

Dann ist alles, was ich tun muss, genau darauf hinzuweisen und
die Erlaubnis zu geben. Ein Mann in einer meiner Gruppen fing
einmal an, nachdem ich ihm die Erlaubnis gegeben hatte, von der
Energie bewegt mit geschlossenen Augen rückwärts zu gehen.
Und er konnte erkennen, dass es nicht er war, der da ging. Er fand
sich am anderen Ende des Gartens wieder. Ein anderer Mann wur-

de von seinem Qi auf den Boden geworfen und irgendeine interne Bewegung balancierte die rechte und die linke Seite seines Verdauungssystems wieder aus. Alles, was er getan hatte, um das geschehen zu lassen, war, sich zu öffnen und nicht zu intervenieren (also nichts zu tun). Die Energie übernimmt die Führung. Ganz einfach formuliert ist es so, dass die Energie aufhört, wenn Sie sich konzentrieren, wenn Sie das beurteilen, was passiert, und wenn Sie zu sehr versuchen zu verstehen, was passiert. Die Energie bewegt sich, wenn Sie sich nicht zu sehr bemühen, wenn Sie das, was Sie wissen, vergessen, und wenn Sie sich der Erfahrung hingeben, ohne das, was passiert, zu sehr zu beurteilen. Fragen Sie sich noch immer, warum Sie so oft das Gefühl haben festzustecken?

Neutralisieren

Wir machen auf unseren *Fuck It*-Retreats Übungen, die man sehen und erfahren muss, damit man glaubt, dass so etwas funktioniert. Stellen Sie sich vor, Sie sitzen auf dem Boden und haben die Beine vor sich ausgestreckt und dann legen sich drei Leute über Ihre Beine – oder eben so viele, wie sich darauflegen können, ohne dass es zu sehr wehtut. Stellen Sie sich einfach vor, dass so viele Leute auf Ihren Beinen liegen, dass Sie wissen, dass Sie keine Chance haben, diese Leute von Ihren Beinen herunterzukriegen und aufzustehen (weil Sie es ausprobiert haben). Wenn Sie Ihre Beine auch nur ein bisschen bewegen können, dann bitten wir noch jemanden, sich auf Ihre Beine zu legen. Und das ist nicht besonders angenehm, denn die Leute sind sehr schwer. Und für sie ist es auch nicht besonders angenehm. Die Person unten fängt an, das Gewicht der Leute über ihr zu spüren. Ihre Knie stechen den anderen in die Rippen. Sie fühlt die Spannung der Leute, genau wie ihre eigene. Doch bevor wir das Ganze beenden, bitten wir die aufeinanderliegende Gruppe darum, folgendes auszuprobieren:

Etwas neutralisieren bedeutet, sich völlig neutral zu einer Tatsache zu positionieren und vielleicht sogar zu allem. Sie fällen kein Urteil darüber. Sie haben nicht einmal eine Meinung dazu. Sie tragen keine Erfahrungen, die Sie in der Vergangenheit gemacht haben, an die gegenwärtige Situation (bei der diese Sache beteiligt ist) heran. Sie haben kein Interesse daran, was jemand anderes denken könnte – sei es von der Sache oder von Ihnen. Sie treten der Situation völlig frisch gegenüber. Es ist, als wären Sie in diesem Augenblick geboren worden, geboren jedoch als ein völlig (zumindest physisch) ausgewachsenes menschliches Wesen. So wie ein Auto, das keinen Gang eingelegt hat (oder auf Parken gestellt ist, wenn Sie Automatik fahren).

Sie gehen nirgendwohin, Sie schauen weder vorwärts noch rückwärts und Sie fahren ganz bestimmt nicht vorwärts oder rückwärts. Bereit, aber nichts vorwegnehmen. Leer, wenn Sie so wollen: eine leere Leinwand oder eine leere Seite, ein Strand am frühen Morgen, nachdem die Flut ihn reingewaschen hat, bevor die Hunde, die Jogger und die Ballspieler über den Sand trampeln. Das sind Sie – frisch, offen, unbeteiligt, aber ganz präsent.

Wir bitten Sie, einen Geschmack dafür zu entwickeln, was es heißt, neutral zu sein. Wir geben Ihnen ein paar Worte und Gedanken, die Sie vielleicht diesem Ort oder Nicht-Ort ein wenig näherbringen. Wir unterbreiten den Vorschlag, dass es möglich ist, von der gegenwärtigen Situation unbehelligt zu sein. Wir bitten Sie, nicht an das zu denken, was Sie blockiert (die schweren Leute, die auf Ihren Beinen liegen), oder an den Schmerz, sondern daran zu denken, was Sie tun wollen (aufstehen und rausgehen), aber ohne, dass es eine große Sache ist. Tatsächlich ist es nicht nur keine große Sache, sondern die natürlichste Sache der Welt, so leicht, wie morgens aufzustehen: einfach nur die Decken wegklappen und aus dem Bett steigen. Und wenn Sie sich entspannen und nicht zu viel nachdenken, werden Sie wissen, wann der richtige Moment gekommen ist, um das zu tun. Und dieser Augenblick ist wahrscheinlich recht bald, und Sie haben gerade den Impuls und es ist keine große Sache, zu …

Und mit einer Leichtigkeit, die jedermann schockiert, besonders die Leute, die auf Ihren Beinen liegen, weil sie abgeworfen werden, sind Sie innerhalb einer Sekunde frei und stehen wie von allein auf.

Wir machen viele dieser Übungen. Und alle von ihnen lehren uns etwas sehr Tiefes und (wahrscheinlich) Kontra-Intuitives: Dass wir stärker sind und mehr erreichen können, wenn wir entspannt, locker und in diesem »neutralen« Raum sind. Nicht, dass das in der Realität so leicht herbeizuführen wäre (ganz so wie Sie, wenn Sie es richtig hinkriegen): genau dann, wenn Sie denken, dass Sie es heraushaben (das heißt wenn Sie sich in einen »Zustand« gebracht haben, von dem Sie glauben, dass er funktioniert), funktioniert es plötzlich nicht mehr. Das liegt daran, dass die Energie es nicht mag, »festgenagelt« zu werden (genau wie Sie).

Wenn Sie eine dieser Übungen ausprobieren möchten (in einem Buch sind sie eher schwer zu vermitteln), dann beteiligen Sie sich an einem unserer *Fuck It*-Retreats oder Events oder arbeiten Sie mit Meister Karl Grunick: Er ist der mächtigste Qi-Meister, den wir auf diesem Planeten gefunden haben: Er tut Dinge, die wirklich unglaublich sind, und er ist ein beeindruckender Mann, der in dem neutralen Raum lebt (obwohl er nie damit prahlen oder diesen Sachverhalt so grob vereinfachen würde). Er bietet auf der ganzen Welt Workshops an, darunter auch solche, die Teil des Programs auf unseren *Fuck It*-Retreats sind.

Doch zurück zu unserer Übung. Es geht vorangig natürlich nicht darum, Leute von Ihren Beinen zu werfen: das ist kaum eine praktische Alltagsfertigkeit …

Sie werden nicht GLAUBEN, was mir neulich passiert ist … Ich war im Starbucks und saß auf einem der Ledersofas, dachte an nichts Böses und war mit meinem Smartphone auf Twitter, als ein Pärchen zu mir kam und sich einfach über meine Beine legte. Die anderen Leute schauten herüber – wie Sie es wahrscheinlich auch tun würden. Und als ich anfing zu kämpfen und protestieren, alles in dem Versuch, meine Beine zu bewegen, und sie abzuschütteln, kamen noch zwei Leute dazu und legten sich über die ersten beiden. Ja, WIRKLICH. Ich saß also auf dem Sofa fest. Und als ich gerade dachte, es kann nicht schlimmer kommen, kam auch noch ein recht dicker Typ, der dort arbeitet, hinzu und legte sich auf die vier anderen. Das war mörderisch. Jetzt haben die vier Leute auf mir Schmerzen und beschweren sich (nicht, dass das irgendwas mit mir zu tun hätte). Sie hatten auch noch die Stirn, mir zu sagen, ich hätte Knubbelknie. Dann dachte ich plötzlich an diese Geschichte, die ich in einem von Parkins *Fuck It*-Büchern über Neutralität gelesen hatte. Also versuchte ich es damit. Oder vielmehr: Ich versuchte es nicht. In diesem Moment verwandelte ich meinen Frappe-Latte-Cino-artigen Kopf in ein Glas kristallklares Wasser und dachte: »Ich stehe jetzt auf und gehe heim.« Und genau das tat ich. Und da bin ich. Und die fünf Leute liegen wahrscheinlich immer noch auf dem auf alt gemachten Boden bei Starbucks, wo ich sie liegen gelassen habe.

Sie können es neutralisieren, alles, wirklich alles, und es ist die reine Magie.

Widerstand IST zwecklos. Geben Sie der Realität nach, einfach so, wie sie ist. Machen Sie sich nicht die Mühe, dagegen zu kämpfen, Widerstand zu leisten, zu beurteilen, zu versuchen, etwas zu planen oder davon zu lernen, es als göttlichen Plan oder höheren Zweck anzusehen. Nehmen Sie den Gang heraus und stellen Sie auf neutral.

Stellen Sie sich jemanden vor, der sehr Fuck It ist. Und schon haben Sie jemanden, der die Dinge beliebig neutralisieren kann, wie ein Jedi-Ritter mit einer zusätzlichen Fähigkeit zu seinen Kräften der Macht.

Stellen Sie sich jemanden vor, der sehr *Fuck It*-mäßig ist. Und schon haben Sie jemanden, der die Dinge beliebig neutralisieren kann, wie ein Jedi-Ritter mit einer zusätzlichen Fähigkeit zu seinen Kräften der Macht. Tatsächlich ist Neutralisieren die beste Art, die Macht zu benutzen. Wechseln Sie nur nicht auf die dunkle Seite.

Gaias magische Worte

Tee mit G. Pollini

Wenn man darüber einen Film machen würde, wäre er wahrscheinlich ziemlich langweilig. Aber dann könnte man ihn als Kunstfilm oder Reminiszenz an Andy Warhol verkaufen.

Eine Gruppe von Leuten sitzt um einen niedrigen Tisch und schlürft Tee aus winzigen Tassen. Eine Italienerin schenkt den chinesischen Tee ein (das ist schon ein bisschen komisch). Die Augen der Anwesenden sind alle ein bisschen glasig; auf den Gesichtern macht sich ein Lächeln breit, die Gesichtsausdrücke werden weich.

Jemand lehnt sich zurück und scheint halb einzuschlafen, bis seine Tasse wieder gefüllt wird, er wieder lebendig wird und sie leert.

Manchmal sagt jemand, es schiene, die Zeit sei verschwunden, was der Tee mit seinem Kopf macht, dass die Hände kribbeln, dass er sich zufrieden fühlt und nicht weiß, warum.

Dann wird mehr Tee eingeschenkt.

Das ist der Grund, warum ich diesen Tee mache.

Ich glaube, ich habe schon gesehen, wie Leute am Strand so defokussiert geworden sind. Aber vielleicht erst nach einer Woche, wenn sie all ihre Bücher ausgelesen haben, alle Kreuzworträtsel gemacht und ganz viel Eis gegessen haben. Erst dann erlauben sie sich, einfach nur zu sein.

Mit Tee braucht man lediglich fünf Minuten, um dahin zu kommen.

Das Hirn wird weich, der Geist wird gelassen, der Körper wird erfüllt von Energie, und bloßes Sein ist die einzige Option (im Ernst: nach ca. einer Stunde wird für manche Leute das Reden anstrengend).

In diesem Zustand haben wir den Großteil unserer frühen Kindheit zugebracht.

Das war vor all dem Stupsen und Schieben, dem Lehren und Führen. Danach waren wir entschlossen, den Rest unseres Lebens fokussiert, konzentriert, problemlösungsorientiert und entschlossen zu leben.

Wenn ich mit dem Tee fertig bin, will sich niemand bewegen (was gibt es schon zu tun?). Nicht einmal wenn ein feines italienisches Mittagessen uns im Restaurant erwartet.

Also, in Ermangelung meines magischen Tees (nicht »magisch« im Sinne von »Magic Mushrooms« – es ist einfach nur Tee in seiner pursten, lieblichsten Form) denken Sie einfach daran, dass Sie das nächste Mal, wenn Sie defokussieren, nicht »zurück ins Glied, weitermachen« müssen. Das ist die natürlichste Art, den Großteil unserer Zeit zuzubringen. Und das ist wirklich wunderschön.

Un-Denken

Wenn Sie Kinder haben oder viel mit Kindern zu tun haben (vielleicht weil Sie Lehrer sind), werden Sie erkennen, worüber ich rede. Unsere Jungs (jetzt zehn Jahre alt) sitzen oft nur da und starren ins Nichts. Klar, das machen sie jetzt weniger als früher. Besonders jetzt, wo sie Videospiele für sich entdeckt haben. Die Zeit, die sie früher ins Nichts gestarrt hätten, starren sie jetzt auf »Space Invaders« oder deren modernes Äquivalent (wobei man sagen muss, dass sie auch

Retrospiele auf ihrem Nintendo 3DS mögen, sodass sie auch solche Klassiker aus den 1980er-Jahren schon gespielt haben). Deshalb beschränken wir ihre Zeit mit solchen Spielen auf sechs Minuten am Tag. Nein, es ist mehr. Aber wenn sie dann betteln, an ihrer Playstation spielen zu dürfen, dann sagen wir ihnen: »Wenn ihr dasitzen und 30 Minuten ins Leere starren könnt so wie früher, dürft ihr ein bisschen spielen, wenn ihr Lust habt.« Aber natürlich können sie das nicht. Das könnten sie ebenso wenig wie ihr Verlangen loswerden, jeden Augenblick mit ihren Videospielen zu verbringen, weil es uns lieber wäre, wenn sie das nicht machen würden.

Ich fahre die Jungs oft in die Schule und auch wieder zurück. Oft plappern sie miteinander auf dem Rücksitz. Und manchmal ist da einfach nur eine liebliche Stille. Ich habe es gelernt, der Versuchung zu widerstehen, ein Gespräch anzufangen (»Also, Jungs, was denkt ihr über den neuen Anstieg beim Spitzensteuersatz?«), und überlasse sie stattdessen der Stille. Ich werfe einen verstohlenen Blick auf sie im Rückspiegel und sie schauen einfach nur mit leerem Blick aus dem Fenster oder auf die Rückseite der Sitze vor ihnen oder auf ihre Hände. Sie lesen nichts und tun nichts, sie starren einfach nur vor sich hin.

Einmal starrten sie den Großteil der Heimfahrt über so vor sich hin. Ich fuhr vor unserem Haus vor und schaltete den Motor ab. Ich saß ein paar Augenblicke da, sagte nichts und stieg aus. Nichts. Dann ging ich an einen Platz, von dem aus ich die beiden sehen konnte, ohne dass sie mich sahen (die eigenen Kinder stalken, nett), und sie starrten einfach nur weiterhin leer vor sich hin. Ich ging ins Haus. Ein paar Minuten später kamen sie herein, jetzt ganz gesprächig.

Nun, wenn wir jemals als Erwachsene leer vor uns hin starren (und die meisten von uns tun es nicht), nennen wir das »Meditation«. Und obendrein geschieht das nur, wenn wir die Meditation »gut« machen. Die meisten von uns sitzen beim Meditieren da und denken: »Ich muss dran denken, den Katzen Futter hinzustellen, bevor ich runtergehe und die Briefe einwerfe, oh, ich soll ja gar nicht nachdenken, lass das alte Hirn mal Pause machen, oooooommmmmm, leer, leer, leer, eins, zwei, drei, ich hoffe ich treffe heute nicht den alten Mr Carson im Dorf… ich ertrage es einfach nicht, wie der meine Schuhe anschaut … ich weiß nicht, was der gegen meine Schuhe hat, aber er … oh, oooooommmmm …«

Aber beim Un-Denken geht es weniger um Meditation zum Aufschließen eines leeren Raumes (obwohl das über längere Zeit hinweg hilfreich sein kann), sondern mehr darum, allgemein weniger zu denken. Ich stelle mich als Paradebeispiel zur Verfügung. Ich habe die Dinge immer sehr sorgsam durchdacht. Ich wuchs mit dem Verständnis auf, dass das Gehirn und die Fähigkeit, guten Gebrauch von ihm zu machen, die Dinge zu durchdenken, unser größter Vorteil sei. Als Teenager wollte ein Teil meines Gehirns Anwalt werden (der andere Teil Rockstar). In der Schule war ich gut. Mein Großvater nannte mich »Brains 1« (meine Schwester war »Brains 2«). Ich mochte das, ich war gern Klassenbester (wenn ich es war). In einer Zeit großer Unsicherheit (den frühen Teenager-Jahren) war mir die Tatsache, dass ich clever war, ein Trost. Wenn ich die Straße entlangging meinte ich, cleverer zu sein als die meisten Leute um mich her. Klingt schrecklich, ich weiß. Aber das war meine Reaktion auf mein Gefühl von Unsicherheit (das heißt der Angst, unterlegen zu sein): Also fand ich einen guten Grund, mich überlegen zu fühlen. Wir haben das alle auf die eine oder andere Art gemacht. Und wir alle machen es wahrscheinlich nach wie vor auf die eine oder andere Art.

Dankenswerterweise realisierte ich, dass es eine Menge kluge Leute da draußen in der Welt gibt. In dem einen oder anderen Fach wäre immer jemand anderer cleverer als ich. Aber ich konnte feststellen, dass die Geschichte mit der »Cleverness« für mich sowieso nicht funktionierte – zumindest nicht so, wie ich sie damals verstand –, da sich alles darum drehte, hart zu arbeiten, viel zu lernen und in der richtigen Reihenfolge wieder abzurufen. Meine Vorstellungskraft

war zu wild und rebellisch, um sich durch harte Arbeit in die Ecke
drängen zu lassen, also rebellierte ich gegen die harte Arbeit und
machte es mir zum Ziel, mit so wenig Aufwand wie möglich durchzukommen. Erst später lernte ich etwas über die philosophische und
energetische Macht von »weniger tun, um mehr zu erreichen«.
Manchmal tat ich auch mehr, als nur durchzukommen. Akademiker
mochten meine verrückten Ideen in Fächern, die mich interessierten.
Aber die akademische Welt war nichts für mich.

Jedoch alles gründlich zu durchdenken sehr wohl. Selbst wenn
man nicht ohne Weiteres rationale Gedankenketten durchgehen
konnte, gefiel es mir, über jedes Fach nachzudenken. Ich liebte Philosophie wegen des ständigen Fragenstellens. Ich liebte die große
Literatur wegen ihrer Einsichten in die menschliche Natur. Mich
faszinierte die Frage, warum der Mensch so ist, wie er ist. Ich, wollte
sein Denken, Handeln und Fühlen verstehen und wissen, was es bedeutete. Außerdem war ich äußerst interessiert an Psychologie und
Psychotherapie. Ich liebte es zu versuchen, meinen charakterlichen
Motivationen auf die Spur zu kommen, meinen Unsicherheiten und
Blockaden.

Für mich war das alles nur eine Sache des Analysierens. Vermutlich
ist es in gewisser Hinsicht noch immer so. Sie lesen ein Buch, das zu
einem guten Teil ein Produkt der Liebe zum Durchdenken der Dinge
ist. Aber die Dinge NUR zu durchdenken und sie NUR rational anzugehen, lässt uns an einem eher trockenen Ort stranden. Beispielsweise dachte ich immer, es sei großartig, meine Meinung zu allen
möglichen Dingen auszuarbeiten. Wenn ich also in einer Debatte
noch keine vorgeformte Meinung hatte, zauberte ich mir schnell eine
zurecht, sodass ich von dieser oder jener Seite her argumentieren
konnte. Wenn ich mir Radiointerviews mit Politikern anhörte, wollte
ich wissen, ob ich erraten konnte, wie sie auf eine Frage antworten
würden, und stellte mir vor, wie es wäre, gegen sie zu argumentieren.
Lahm, ich weiß.

Jahre des Meditierens, der Energiearbeit und des LEBENS haben mich gelehrt, dass Meinungen längst nicht das sind, als was sie einem verkauft werden. Eine Meinung zu etwas, zu allem, zu haben, bedeutet, dass wir unsere Position zu diesem Thema fixiert haben. Das lässt dann wenig Platz für Veränderungen unter bestimmten Umständen, Veränderungen im Kontext oder Veränderungen in uns selbst. Der wahre Philosoph fixiert seine Position nicht, um dann für diese Position oder von ihr aus zu argumentieren. Es ist schon komisch, dass die verbreitetste Verwendung des Begriffs »Philosophie« in dem Satz »Also, meine Philosophie ist …« vorkommt. »Meine Philosophie ist, dass man sich stets umsehen sollte, bevor man einen Sprung wagt.« Wir lassen einer Aussage zu unseren fixen Ansichten den Hinweis vorausgehen, dass es sich dabei um unsere »Philosophie« handelt. Während es beim Philosophieren einfach nur darum geht, Fragen zu stellen. Es fasziniert mich, wie die Dinge funktionieren. Aber ich habe nicht (länger) eine fixierte Vorstellung davon, wie sie funktionieren sollten.

Stellen Sie sich vor, alles in einem neuen Licht zu betrachten. Stellen Sie sich vor, überhaupt keine Meinungen zu haben, sondern einfach nur alle Dinge so zu sehen, wie sie sind, oder eine Frage, mit der Sie konfrontiert sind, völlig vorurteilsfrei anzugehen. Das Wort »Vorurteil« ist wichtig, weil wir genau davon reden, nicht nur im Sinne, jemandem mit einem Vor-Urteil wegen seines Geschlechts, seiner Hautfarbe, Sexualität oder Nationalität gegenüberzutreten, sondern dieses Prinzip auf jeden Bereich unseres Lebens auszudehnen, ganz so, wie die meisten von uns sehen, wie schädlich es ist, auf die eben genannte Art vorurteilsbeladen zu sein. Machen Sie sich klar, dass es nicht hilfreich ist, IN IRGENDEINER SACHE Vorurteile zu haben. Treten Sie jeder Situation unvoreingenommen gegenüber.

Also, wenn Sie das Denken rühmen und die Quelle dessen, womit Sie Ihre Meinungen formen, genießen, wie sollen Sie mit dem Un-Denken der Dinge beginnen? Nun, es ist ein guter Anfang, sich klarzumachen, dass das reine Durchdenken der Dinge Ihnen nicht weiterhelfen wird. Sagen Sie *Fuck It* zu den vorgefertigten Antworten, der durchdachten Reaktion, den sorgfältig formulierten Argumenten … lösen Sie sich vom Liegeplatz des Mentalen und lassen Sie sich treiben. Schauen Sie, wie es sich anfühlt, damit klarzukommen, keine Meinung zu etwas zu haben. Genießen Sie es, Ihre Einstellung zu einer Sache zu ändern. Sehen Sie die andere Seite, ohne sich ihr zu verschreiben.

Kombinieren Sie das Un-Denken mit voller Bewusstheit, dem teilnahmslosen Beobachten der Phänomene, und Sie fangen an, einiges an mächtiger Magie freizusetzen. Wenn Sie weniger denken oder zumindest weniger auf frühere Gedanken fixiert sind, dann schaffen Sie Raum: Raum für Dinge, die nicht gedankenbasiert sind (wie etwa Gefühle); Raum für sanftes Träumen (das leere Ins-Nichts-Starren, wie es Kinder tun); Raum für andere Ereignisse, die in Ihr Leben treten können (Sie filtern nun nicht mehr allen Input auf der Basis vorprogrammierter Kriterien). Sie werden schwebender, weicher, sind mehr in Harmonie mit sich selbst und anderen, anpassungsfähiger, offener für Veränderungen, williger, die Dinge zu akzeptieren, wie sie sind, die Leute zu akzeptieren, wie sie sind, toleranter, flexibler und angenehmer im Umgang.

Das hat Sie zum Denken gebracht, nicht wahr? Nun, lassen Sie's. Un-Denken Sie und entspannen Sie einfach.

Gaias magische Worte

Erleuchtete Unbewusstheit

Früher habe ich es geliebt zu graben: in Erfahrungen, Emotionen, Dynamiken. Immer wenn gegraben wurde, war ich dabei, ich ließ nichts unberührt. Alles ins Bewusstsein holen, es achtsam betrachten, verstehen. Sieh es, sag es und benenne es. Egal, was erforderlich war, ich tat es. Alles im edlen Namen der Wahrheit (manchmal mit ziemlichem Schaudern vonseiten Johns).
Jetzt mache ich das nicht mehr. Jetzt bin ich gelassen.
Wenn etwas auftaucht, bin ich gelassen. Ich ignoriere es nicht oder schalte auf unbewusst oder laufe weg, ich bin auch nicht faul geworden (obwohl ich mir schon einiges an Faulheit gönne). Ganz im Gegenteil. Ich bin da, aber ich nehme es gelassen hin, lasse es seinen Tanz aufführen, lasse es mit mir spielen und gebe ihm Zeit. Ich brenne nicht mehr ungeduldig darauf, aus dem Nichtwissen herauszukommen.
Ich habe einfach nicht mehr das starke Bedürfnis, wissen zu müssen, was es ist, und vor allen Dingen versuche ich nicht herauszufinden, was ich tun soll.
Also bin ich gelassen.
Denn, sehen Sie, oft, wenn Sie hastig die Hand nach Ihren geliebten »Verstehenswerkzeugen« ausstrecken, zwingt Sie das, diese auf die uralte Art zu benutzen, auf die Sie sie von jeher benutzt haben. Also kommen Sie zu denselben Schlüssen, die Sie immer ziehen. Und die bringen Sie vermutlich nicht weiter.
Also, gehen Sie stattdessen gelassen damit um.
Das nächste Mal, wenn Sie sich dieselbe uralte Frage stellen: »Was soll ich jetzt deswegen tun?«, können Sie einfach die Entscheidung treffen, nicht in Panik zu geraten, und stattdessen eine Weile schauen, was passiert.

Das ist wirklich ein schöner Zustand (zumindest, wenn Sie Interesse daran haben, die Sucht loszulassen, alles zu kontrollieren): Sie können einen weichen Geisteszustand beibehalten, ein leicht verschwommenes, losgelöstes Gefühl genießen, nicht zu wissen, was los ist und wohin es genau mit Ihnen geht. »Mach mir nicht die Mühe zu kämpfen« – Hintergrundenergie beginnt einzusetzen (nicht schlecht, wenn man sein Lebtag gekämpft hat).

Ich nenne es die »erleuchtete Unbewusstheit«.

Sie sind auf eine Art unbewusst, bei der Sie nicht ständig Fragen stellen, und Sie kümmern sich nicht darum, die Dinge auszuarbeiten, aber gleichzeitig sind Sie wirklich lebendig, neugierig und offen.

Und wissen Sie was? Wenn Sie eine Weile so gelassen gewesen sind, ohne zu fliehen, ohne sich etwas vorzumachen, aber auch ohne es zu versuchen, dann geben Sie dem Leben die Chance, Ihnen etwas Interessantes zu geben.

Wenn die Zeit gekommen ist, sind Sie einfach in der Lage zu bemerken, was hervortritt (aus diesem angenehmen, weichen Raum, nebenbei bemerkt, es besteht also kein Grund zur Eile). Und da Sie gerade Zeit damit verbracht haben, gelassen zu sein, werden Sie frisch und voller Energie sein, sodass Sie auf diesen Bus aufspringen können.

Danken

»Möge der Herr uns wahrhaft dankbar machen für das, was wir empfangen.«

Dieses Gebet wurde bei uns in der Familie vor dem Essen aufgesagt. Das hat mich lange ziemlich verwirrt. Warum kann es nicht heißen: »Wir sind wahrhaft dankbar, oh Herr, für das, was wir empfangen werden«? Warum bitten wir den Herrn, dass er uns dankbar »macht«? Gehen wir davon aus, dass wir erbärmliche, undankbare Sünder sind, sodass wir nie in der Lage wären, dem Herrn spontan für die Fülle, das wirklich ambrosische Festmahl zu danken, das er vor uns ausgebreitet hat … sodass wir ihn anbetteln müssen, uns dankbar zu MACHEN? Nur zu, Gott, von selbst bin ich sowieso nicht gut, also bitte MACH MICH GUT. Nur zu, peitsch mich, mach mich zutiefst und pathetisch dankbar, selbst wenn auf meinem Teller nur ein paar Bohnen mit zwei zu stark gerösteten Toastscheiben sind (sorry, Mum, du hast uns natürlich besser versorgt und viele Stunden darauf verwendet, eine frische, ausgewogene Mahlzeit für uns zuzubereiten).

Aber wissen Sie was? Heute verstehe ich es. Denn »Dankbarkeit« ist eine Geisteshaltung, die einzunehmen uns nicht leichtfällt. Ob das Leben nun gut oder schlecht ist, ob es auf oder ab geht, wir sind selten »dankbar«.

Die gute Nachricht: Dankbarkeit ist ein erstaunlicher Zaubertrick, der Ihnen dabei helfen kann, durch Wände zu gehen. Und wenn Sie diesen Trick nicht regelmäßig benutzen, was Sie vermutlich nicht tun, dann steht Ihnen ordentlich viel Magie ins Haus, sobald Sie damit anfangen.

Worum also geht es bei Dankbarkeit? Nun, es bedeutet einfach, dankbar zu sein, bewusst dankbar für das, was wir haben. Es bedeutet, ein entschiedenes »Danke« für die vielen Dinge zu sagen, die in unserem Leben gut laufen (und sogar für die Dinge, die nicht gut zu laufen scheinen, aber dazu gleich mehr).

Und wir reden hier nicht über Manieren. Ich weiß, dass Sie da draußen alle sehr gut erzogen sind. Wenn Ihnen jemand etwas schenkt, dann sagen Sie Danke und sind (normalerweise) wirklich dankbar. Wenn Ihnen der Kellner das Essen bringt, sagen Sie Danke. Wenn die Masseurin mit Ihnen fertig ist, sagen Sie Danke. Sie sagen Danke, wenn man Ihnen die Tür aufhält, und Sie winken einem anderen Autofahrer dankbar zu, wenn er Sie in die Spur lässt. Die meisten von uns sind in ihren alltäglichen Beziehungen höflich. Wir reden hier von einem nicht objektspezifischen »Danke« für alles in unserem Leben. Natürlich können Sie von »Gott« oder einer ganzen Bandbreite von Göttern, Engeln oder Geistern oder dem »Universum« oder dem »Leben« sprechen. Doch es handelt sich um ein ganz allgemeines »Danke«. Und wofür sagen wir Danke, wo doch die meisten von uns im Alltagswahnsinn nicht viel zu lachen haben? Chuck ist arbeitslos geworden, wir können kaum den Kredit abzahlen; Joline führt sich in der Schule auf, die Lebensmittelpreise sind erpresserisch, vom Benzin ganz zu schweigen, und die Regierung ist schrecklich, die haben keine Ahnung, und meine Schwiegermutter will sich in alles einmischen; und mein Rücken macht mir wirklich zu schaffen und ich hab Jerry von nebenan tausendmal gesagt, er soll seine Musik nicht so spätabends aufdrehen; die Leute hier sind einfach nicht mehr das, was sie mal waren; heutzutage heißt es immer nur »ich, ich, ich«, es geht einzig ums Geld und niemand hat Manieren. Wie war das noch gleich über Dankbarkeit?

Nun, es gibt immer etwas, für das man dankbar sein kann.

Jawohl, immer.

Hier das Rezept, wie Sie die Magie der Dankbarkeit in Ihr Leben holen. Nur zu, nehmen Sie sich etwas Zeit, um all die Dinge aufzuschreiben, für die Sie in Ihrem Leben dankbar sind. Sie können auch jeden Tag 19 Sachen aufschreiben, für die Sie dankbar sind, wenn Sie sich nicht die Mühe machen wollen, alles auf einmal zu notieren (aber bitte machen Sie es, wenn Sie können, es hilft wirklich). Fügen Sie dann eine Dankbarkeitsrezitation Ihren täglichen Übungen hinzu. Wenn ich zum Beispiel laufe, integriere ich meinen Dank in meinen Laufrhythmus:

»Ich bin dankbar dafür, dass ich laufen kann.
Ich bin dankbar für diese wunderbare Landschaft.

Ich bin dankbar für mein Herz, das Blut pumpt.
Ich bin dankbar für meine süße Frau.
Ich bin dankbar für meine Lungen.
Ich bin dankbar für meine geliebten Jungs.
Ich bin dankbar für meine Vorstellungskraft.
Ich bin dankbar für meine Eier.«
Und so weiter. In meinem Fall heißt das: und so weiter für 30 Minuten jeden zweiten Tag.

Ich frage mich, wie sehr dieses »Dankbarkeitslaufen«, wie ich es nenne, allein die Vorzüge meines Laufens verstärkt (das heißt dadurch, dass ich mir der unterschiedlichen Teile meines Körpers bewusst und für sie dankbar bin, denn diese Körperteile werden von diesen Gedanken profitieren, genau wie die Übung des Laufens).

Sie können versuchen, solche Dankbarkeitsrezitationen während alltäglicher Aktivitäten zu machen … wenn Sie abspülen, bügeln oder wenn Sie zur Arbeit fahren oder wenn Sie Ihr Frühstück herunterschlingen, duschen oder Sex haben oder masturbieren (»Ich bin dankbar für meine Hand. Ich bin dankbar für meine …«).

Bedenken Sie das Alltägliche sowie das Spektakuläre: »Ich bin dankbar für fließendes Wasser. Ich bin dankbar für meinen Ferrari.«

Zählen Sie auch das auf, wofür Sie normalerweise nicht dankbar wären: »Ich bin dankbar dafür, dass ich müde bin. Ich bin dankbar dafür, dass ich gefeuert wurde.« Und sogar diese Rezitationen bringen etwas Interessantes in Ihr Leben. Ihr Gehirn wird sagen: »Warum zum Teufel bist du dankbar dafür, dass sie dich gefeuert haben? Was hat das genützt, jetzt wo du zu Hause bist und die Tage mit Gartenarbeit verbringst und rumsitzt und wieder liest und malen lernst und … oh!«

Und Sie können zuschauen, wie die Magie einsetzt.

Mir wäre es lieb, wenn Sie das Buch jetzt weglegen und erst ein paar Tage Dankbarkeit praktizieren würden, bevor Sie den Rest dieses Kapitels lesen. Das ruiniert die Magie nicht, aber es ist schön, wenn man die Magie erfährt, bevor man etwas darüber liest, wie eine bestimmte Art von Magie funktioniert.

Ein offensichtlicher psychologischer Grund für die Magie ist, dass Sie, wenn Sie Dankbarkeit in Ihr Leben lassen, Ihre Augen von den negativen Dingen abkehren, von den Dingen, über die Sie stöhnen, und wenn es nur zehn Minuten am Tag sind. Sie bringen Ihrem Gehirn eine neue Gewohnheit bei – Sie sehen, dass, selbst wenn die Dinge in Ihrem Leben schlecht laufen, doch überall Segnungen sind. Und ganz so, wie Sie immer genau dann HAUFENWEISE orange-farbene Pick-up-Trucks auf der Straße sehen, wenn Sie darüber nachdenken, einen zu kaufen, sehen Sie immer mehr Dinge, für die Sie dankbar sein können, wenn Sie über die Dinge nachdenken, für die Sie dankbar sein können. Tatsächlich werden sich die Dinge, für die Sie dankbar sein können, so in Ihrem Bewusstsein drängen, dass die Dinge, über die Sie jammern können, kaum noch Platz haben werden, um sich zu bewegen, bis ihnen dann schließlich so unbequem wird, dass sie sich verziehen, um das Bewusstsein von jemand anderem zu verwirren. Und das ist nicht weniger magisch, weil es Psychologie ist. Das Gehirn ist eine magische Sache.

> Durch Dankbarkeit sagen wir letztlich *Fuck It* zu all den Dingen, die uns aufregen und über die wir jammern sollten.

Durch Dankbarkeit sagen wir letztlich *Fuck It* zu all den Dingen, die uns aufregen und über die wir jammern sollten.

Doch Dankbarkeit ist mehr als nur eine psychologische Angelegenheit.

Sie erinnern sich, ich habe die Sache mit Gott, den Göttern, dem Universum und dem Leben erwähnt? Nun, es scheint nicht nur unsere »Wahrnehmung« der Realität zu sein, die sich ändert (also die psychologische Seite). Es hat den Anschein, dass sie auch die Realität verändern. Wenn wir für etwas danken, dann hat es den Anschein, dass wir mit mehr Dingen überschüttet werden, für die wir dankbar sein können. Es ist also nicht nur so, dass Sie mehr sehen, wofür Sie in Ihrem Leben dankbar sein können (»Oh, ich habe es wirklich nie zu würdigen gewusst, dass schon die Fähigkeit zu gehen oder zu reden an sich eine wunderbare Sache ist«). Sondern die Dinge, für die Sie dankbar sein können, fangen tatsächlich an, sich zu vervielfältigen. Liegt das daran, dass Sie positiver gestimmt und offener sind und deswegen mehr von anderen Leuten anziehen? Ja, aber da ist noch mehr. Und das ist der Ort, an dem Sie die wirkliche Magie antreffen (und weil Magie Magie ist, ist sie schwer zu erklären). Aber Gott scheint es zu mögen, wenn Sie dankbar sind. Das Leben scheint gut darauf zu reagieren, wenn Sie sagen: »Ein Hoch auf diesen Guss, das hat die Dinge wirklich aufgefrischt«, und zwar etwa in der Art: »Okay, John, ich genieße deine Dankbarkeit, also gewähre ich dir die Wünsche, die du vor einiger Zeit hattest.« Das Universum will einfach geliebt werden. Das Universum scheint zu sagen: »Weißt du, so viele Leute beschweren sich immer nur über das, was ich ihnen gebe, sogar wenn es brillant ist. Deswegen denke ich mir: *Fuck It*, ich belohne einfach die, die meine Arbeit zu schätzen wissen.«

Ich bin dankbar, dass ich über Dinge schreiben kann, die mir viel bedeuten und mein Leben auf eine Art bereichern, die die Leute verstehen.

Ich bin dankbar dafür, dass mehr von Ihnen die Gelegenheit haben, echte Magie zu erfahren, indem sie etwas so Simples tun: »Danke« sagen.

Ich bin dankbar für diesen wunderbaren Ort, an dem ich schreibe. Ich bin dankbar für meinen treuen Laptop. Ich bin dankbar für das Wunder kochenden Wassers im Kocher da drüben. Ich bin dankbar für die Beine, die mich jetzt zu diesem Kocher hinüberbefördern werden. Ich bin dankbar für den wunderbaren Geschmack von Earl-Grey-Tee. Ich bin dankbar für die Erfindung des Zuckers. Ich bin dankbar für die zierliche Porzellantasse, die ich benutzen werde.

Ich bin dankbar für alles, was ich bin. Und ich bin dankbar für alles, was Sie sind.

Mache dich wirklich dankbar, oh Herr, für das, was du soeben empfangen hast.

Achtsamkeit

Achtsamkeit. Heute werden mehr von Ihnen wissen, was Achtsamkeit ist, als damals vor sieben Jahren, als ich das erste *Fuck It*-Buch schrieb. Die Kunst der Achtsamkeit ist wunderbar. Doch es ist nicht leicht, darüber zu schreiben – ich habe es jahrelang versucht.

Und das Beste, was mir gelungen ist, war, über eine Figur, die ich erfunden hatte, zu diesem Thema zu schreiben: ein Typ, der Schönheit im Gewöhnlichen findet, Erleuchtung im Alltäglichen: ein Typ namens Bob der Buddha.

Wir veröffentlichen bald eine ganze Menge Texte und Material über Bob der Buddha (anderem auf www.bobthebuddha.com). Dennoch hier ein kleiner Einblick in die wunderbare Welt von Bob der Buddha.

Bob
der
Buddha

**Bob weist uns den einfachen,
achtsamen Weg zur Erleuchtung**

(John C. Parkin)

Bob hat von Buddha gelernt, aber weiß nicht, dass er einer ist

Bob erinnert sich vage, dass er in der Schule etwas über Buddha und den Buddhismus gelernt hat. Er erinnert sich, dass der Buddha erleuchtet wurde, als er unter einem Baum saß.

Bob sitzt auch gern unter Bäumen.

Er erinnert sich, dass seine Lehrer die Schüler anhielten, ebenfalls das Meditieren zu probieren, indem sie an nichts dachten. Er erinnert sich, dass es sehr schwierig war, an nichts zu denken.

Die Wahrheit ist – und die besten Buddhisten würden das zugeben – dass der Buddha kein Gott war ... und jeder erleuchtet und ein Buddha werden kann.

Auch wenn Bob es nicht weiß, ist er ein Buddha (das ist der Grund, aus dem ich ihn »Bob den Buddha« nenne, aber das weiß er auch nicht). Und Sie können es auch. Wir werden einen Blick auf Bobs Leben werfen: was er so anstellt, worüber er nachdenkt, und so herausfinden, wie ungeheuer einfach es ist, »zu erwachen« (wie die Buddhisten das nennen würden), erleuchtet zu werden und fröhlich den eigenen Namen in die folgende Lücke einzusetzen: _____ der Buddha.

Etwas, worin Bob sehr gut ist (aber das er nicht benennen könnte)

Bob ist sehr gut darin, bei der Sache zu sein, wenn er etwas tut.

Er macht das nicht immer. Wie jeder andere Mensch verbringt er einen Großteil seiner Zeit mit Tagträumen, denkt über die Vergangenheit oder die Zukunft nach oder macht sich Sorgen, ob etwas Bestimmtes passieren wird oder nicht.

Doch mit den Jahren hat er sich mehr und mehr daran gewöhnt, einfach in dem gegenwärtig zu sein, was geschieht. Die Erfahrungen, die er gemacht hat, als er hin und wieder eine Weile still dasaß, haben ihn gelehrt, dass er sich nicht so sehr in das verstricken muss, was gerade vorgeht, sei es um ihn her oder in ihm.

Die Leute haben diesen Prozess des »Präsentseins« mit unterschiedlichen Namen belegt. Die Buddhisten nennen ihn »Achtsamkeit«. So viel ist klar: Wir wissen sofort, was wir meinen, wenn wir sagen, dass wir achtsam sind. Aber wenn wir einen Blick auf das Wort werfen, erzeugt das einige Schwierigkeiten (zumindest für mich). Unser normaler Bewusstseinszustand sieht so aus, dass wir den Kopf voll mit Dingen haben, besonders als Erwachsene. Der Prozess der »Achtsamkeit«, wie ihn die Buddhisten anzielen, besteht darin, den Geist von dem üblichen Geschwätz zu säubern und Ihre Aufmerksamkeit ausschließlich auf das zu richten, was hier und jetzt geschieht. Und wenn man seine Aufmerksamkeit auf die Gegenwart richtet, dann klärt sich der Geist oft, wird langsamer und weniger »voll«.

Bob spült gern ab

Obwohl Bob mittlerweile eine Spülmaschine besitzt, spült er immer noch gern ab.

Bei all den guten Dingen, die man über eine Spülmaschine sagen kann, muss man doch zugeben, dass sie bei einer ganzen Bandbreite notwendiger Küchengegenstände versagt: Scharfe Messer (werden stumpf), feine Weingläser (werden verkratzt) und große Töpfe und Pfannen (bringt man nicht leicht unter).

Bob mag den gesamten Vorgang des Abspülens. Er organisiert alles gut, sodass die Töpfe auf der Anrichte stehen, gefüllt mit warmem Seifenwasser, das das Fett ablöst, während er sich etwas anderem zuwendet. Er mag das Gefühl seiner Hände im heißen Wasser. Er wischt und schrubbt und spült. Er denkt nicht an andere Dinge wie die Frage, was er tun soll, wenn er mit der »Aufgabe« fertig ist. Er konzentriert sich auf das, was er tut: wischen, schrubben und spülen. Er genießt den Prozess, die Dinge sauber zu machen.

Obwohl er weiß, dass sie morgen wieder dreckig sein werden und wieder sauber gemacht werden müssen, genießt er den Prozess. Vielleicht genießt er ihn genau deshalb, weil er zirkulär ist. Die meisten

Leute mögen es, auf etwas abzuzielen, das sie erreichen können, an dem sie hart arbeiten, um es dann zu schätzen, wenn es fertig ist und darauf wartet, dass sie die damit verbundenen Vorzüge genießen können. Aber Hausarbeit ist zirkulär und kontinuierlich. Sie müssen dabei eher den Prozess als das Endprodukt wertschätzen.

So findet Bob im Schaum seiner Spüle eine Lebensbotschaft, seinen Zen-Meister. Dieser Topf erlaubt ihm nicht, an das Endprodukt zu denken, sondern nur an den Prozess. Wenn Bobs Aufmerksamkeit abschweift, versetzt ihm der Topf einen Schlag in Form der vergänglichen Natur des Endprodukts (der kurzlebigen Sauberkeit), um ihn wieder in die Achtsamkeit zurückzuholen.

Und obwohl Bob es nicht weiß, gibt es im Buddhismus eine lange Tradition des achtsamen Geschirrspülens. Der Buddha selbst, so sagt man, war gerade mit einer ordentlichen Menge Geschirr, das er gespült hatte, fertig geworden, bevor er sich unter den Bodhi-Baum setzte. Und die buddhistischen Gelehrten haben sich die Köpfe an der Frage heißdiskutiert, ob diese Routinearbeit ein notwendiger Wegbereiter zu der ganzen Geschichte mit dem Erwachen war.

Das Gute daran, das Abspülen als Übung in Achtsamkeit zu benutzen, ist, dass es schwierig sein dürfte, im Leben eine banalere, untergeordnetere, normalere und erbarmungslosere Aufgabe zu finden.

Da wir im Angesicht dieser Aufgabe so bereitwillig abschalten (in Form von Radiohören oder Tagträumen), ist das die beste Gelegenheit, uns »anzuknipsen« und so im Angesicht der wahren Wirklichkeit zu erwachen.

Allein dank dieser einen »Aufgabe« können Sie durchaus in das dreckige Wasser schauen und sehen, wie das Spiegelbild eines Buddhas zu Ihnen zurückschaut.

Bob mag es, wenn es richtig regnet

Bob mag es immer, wenn es richtig regnet. In einigen seiner stärksten Kindheitserinnerungen schaut er zu, wie Regentropfen an Glasscheiben herunterrinnen, oder hört, wie der Regen auf das Dach des Wohnwagens seiner Familie prasselt oder wie er in seinen leuchtend roten Wellington-Stiefeln in Pfützen herumspringt.

Heute liebt er es, in die Türbögen von Läden zu flitzen, seinen Kragen hochzuklappen und plötzlich etwas mit anderen Leuten zu teilen: eine Art blitzartiger Geist angesichts eines harmlosen und alltäglichen meteorologischen Phänomens. Und er liebt das: die Gelegenheit einer Pause von der Routine und den Zeitplänen.

Er mag es auch, im peitschenden Regen Auto zu fahren. Bob fährt langsam, wenn es regnet – ein guter Grund, seine auch sonst vorsichtige und gewissenhafte Fahrweise zu verstärken.

Regen, besonders starker, unvermeidbarer Regen, ganz so wie viele andere Dinge in seinem Leben, lässt bei Bob ein Gefühl der Gemütlichkeit aufkommen. Bob genießt dieses gemütliche Gefühl. Das kommt immer dann auf, wenn er wirklich in Berührung mit dem Sosein des Lebens ist. Der Regen rüttelt ihn aus allen Gedankenmustern auf, in die er gefallen war, denn er erinnert ihn an das, was um ihn herum vorgeht. Und wenn er den Sprung aus den Mustern seines Geistes hinein in das Material der Welt draußen macht, dann fühlt er sich gut und gemütlich.

Das ist Bob der Buddha. Ich hoffe, es hat Sie gefreut, ihn zu treffen. Und ich hoffe, er hat Ihnen dabei geholfen, die Idee der »Achtsamkeit« zu nachzuvollziehen und die Magie, die dadurch in Ihrem Leben entstehen kann.

Oder – weil Achtsamkeit eigentlich so etwas völlig Normales ist – es sollte eher heißen: Achtsamkeit kann es Ihnen ermöglichen, die Schönheit, Magie, die Wunder und das Göttliche in den allergewöhnlichsten Dingen zu erkennen.

Es ist wirklich sehr, sehr simpel: Die Magie ist da, wenn Sie sich nur die Mühe machen hinzusehen.

Lieben

Wenn Sie entspannt sind, eine neutrale Geisteshaltung einnehmen und dem gegenwärtigen Moment achtsam begegnen, werden Sie nach einer gewissen Zeit feststellen, dass Sie anfangen, die Dinge zu lieben – weder »Dinge« im Sinne von Sachen, die man in Geschäften oder online käuflich erwirbt, noch »Dinge« im Sinne der Personen, die Sie normalerweise lieben, wie beispielsweise bestimmte Menschen oder Ihre Eltern und Kinder. Alles, unterschiedslos. Wenn Sie erst einmal zur Neutralität den Dingen gegenüber gefunden haben, dann scheint sich die Liebe zu ihnen einzustellen (das für sich ist schon Magie), selbst den unschönen Sachen gegenüber – wobei das definitiv schwerer ist. Doch werfen Sie einen Blick auf die Zeiten, zu denen Sie sich äußerst schwierigen Dingen oder äußerst schwierigen Situationen gegenübergesehen haben. Nun, das passiert nicht immer, aber oft: Wenn Sie am Ende aus einer komplizierten Lage wieder herauskommen, sehen Sie, was Ihnen das gegeben hat; Sie sehen, dass Sie ohne diese Erfahrung nie dorthin gekommen wären, wo Sie heute stehen; auf eine bestimmte Art können Sie erkennen, dass es »perfekt« war. Nicht immer, aber oft. Sie mögen vielleicht andere Worte oder Erklärungen dafür verwenden, Sie mögen den Schluss ziehen, dass »nichts grundlos passiert«, dass es »Teil von Gottes Plan« ist, dass »alles perfekt ist«. Aber es reicht zu erkennen, dass, wenn wir erst in der besseren Position sind, durch etwas sehr Schwieriges hindurchgegangen zu sein, es einen Zweck hatte.

Etwas zu lieben heißt, genau dieses Gefühl zu leben, jedoch nicht in Retrospektive, sondern in der Gegenwart. »Retrospektive« ist ein wunderbares Wort, nicht wahr? Liebe heißt, etwas sowohl in der Introspektive (im Blick auf sich selbst), in der Extrospektive (im Blick auf seine Umgebung) und in Jetzospektive (im Blick auf das Hier und Jetzt) zu lieben. Ich erfinde ausnehmend gern Wörter. Ich schwöre feierlich, mein nächstes Buch nur mit erfundenen Wörtern zu schreiben. Aber Wörter, die aus anderen Wörtern hervorgegangen sind, die Sie vage wiedererkennen können. Obwohl ich gerade realisiert habe, dass mindestens ein Genie das schon vor mir gemacht hat:

»Verdaustig war's und glasse Wieben
rotterten gorkicht im Gemank.«[*]

Vergessen Sie's, ich schwöre hiermit feierlich, mein nächstes Buch nur in Wörtern zu schreiben, die nicht erfunden sind und bereits benutzt wurden. Ich werde mich stattdessen darauf konzentrieren, die unoriginellen Wörter in eine neue, originelle Reihenfolge zu bringen.

Ich bin ziemlich verliebt. Ich liebe die Realität einfach so, wie sie ist, wie sie sich vor mir entfaltet. Und dieses Gefühl des Liebens verstärkt sich noch, wenn ich entspannt bin: Wenn ich zu den Dingen, die mich nerven, stressen oder aufregen, *Fuck It* gesagt habe. Nicht, dass ich es nicht lieben würde, genervt, gestresst und aufgeregt zu sein. Es ist nur anstrengend. Ich sage *Fuck It*. Ich entspanne mich. Ich liebe. Dann ist, wenn das Genervt-, Gestresst- und Aufgeregtsein zurückkommt, die Wahrscheinlichkeit größer, dass ich es lieben kann.

> Ich sage *Fuck It*.
> Ich entspanne mich.
> Ich liebe.

Nebenbei, wo wir gerade dabei sind, bin es nur ich oder regt der Slogan von McDonald's »Ich liebe es« auch Sie auf? Man muss sich schon wundern, wenn eine große Firma der Öffentlichkeit Worte in den Mund legt. Ich vermute, sie können uns rechtlich gesehen nicht zwingen, ihre kulinarischen Highlights zu essen, also versuchen sie es

---

[*] Aus *Jabberwocky* von Lewis Carroll (für den Fall, dass Sie momentan kein Internet haben oder sich nicht die Mühe machen wollen, es nachzuschlagen).

mit dem Nächstbesten: uns zu manipulieren, ihre Köstlichkeiten zu essen, indem sie uns die Reaktion darauf aufzwingen. Ich kann mir nicht helfen, aber ich höre das immer so, als ob es zwischen zusammengepressten Zähnen hervorgestoßen wird. So, als ob einer der Schlipsträger des McDonald's-Vorstands Ihnen ein Schlachtgerät für Rinder an den Kopf hält, während Sie von einem anderen noch mit einem Big Mac gefüttert und gefragt werden:»Na, wie ist es, Jooooohhhhnnn?« (Die würden »John« genau so sagen, glauben Sie mir.) Und meine Augen würden zu dem anderen Schlipsträger mit dem Schlachtgerät schnellen, das gegen meine Schläfe gepresst wird. Und er würde mir zuzwinkern und ich würde sagen, durch die zusammengepressten Zähne:»Ich liebe es.«

Ich finde es befremdlich, auf welche Weise man heute überall mit nährwertbezogenen Informationen überschüttet wird, alles auf der Grundlage, dass die Menschen die Details sowieso nicht lesen werden, weil sie davon ausgehen, dass, wenn McDonald's es sich leisten kann, diese Informationen an so prominenter Stelle präsentiert werden und das Essen gar nicht SO ungesund sein kann.

Außerdem stört mich, dass die Laster von McDonald's, zumindest in Großbritannien, heute wie Werbungen für Ben & Jerry's aussehen. Plötzlich bezieht McDonald's alles von den Bauern vor Ort und liebt die Kühe, die mit Liebe gewässertes Gras bekommen, bevor man sie fragt, wie es ihnen geht:»Muuuuuhhhh«, sagen die Kühe. »Wir lieben sie«, bevor man sie dann trotzdem mit dem Elektroschocker tötet.

Es ist nicht nur die Tatsache, dass wegen McDonald's Profit Kühe geopfert werden. Es ist auch unser Urteil. Wir sind Zombies, die langsam die Reihe vormarschieren, um unseren Meal Deal zu bestellen.

»Bitte sagt mir Sachen, die bewirken, dass ich mich okay fühle, heute, in unseren umweltbewussten Zeiten, sodass ich dasselbe schlechte Essen zu mir nehmen kann, nach dem ich seit Jahren süchtig bin … Ich weiß, dass es derselbe Mischmasch ohne Nährwert, aber mit viel Fett und Zucker ist, wie zu meiner Kinderzeit, aber ich bitte euch einfach, irgendetwas zu erfinden, um mein Gewissen zu beruhigen, okay?«

Ich würde es vorziehen, wenn diese Leute einfach ehrlich wären: »Sicher, wir wissen, dass das meiste auf unserer Angebotspalette nicht gut für euch ist. Aber es schmeckt schon geil, oder? Besonders nach ein paar Bier oder einem Shake, bei dem einem die Trommelfelle platzen, während man versucht, ihn durch den Strohhalm zu saugen. Und haben Sie den Preis gesehen? In irgendeinem schicken Deli kriegen Sie noch nicht mal ein Salatblatt zum Preis von einem unserer Hamburger. Bitte, bedienen Sie sich. Salat können Sie morgen essen.«

Tatsächlich kann ich mir vorstellen, dass dieser Slogan für McDonald's einen Wendepunkt bedeuten könnte:

McDonald's. Salat gibt's morgen.

Das ist der Grund, warum ich mit größerer Wahrscheinlichkeit eher in ein »Herzanfallcafé« als zu McDonald's gehen würde. Zumindest weiß ich da, womit ich es zu tun habe.

»Ich liebe es.« Das tue ich wirklich. Ich liebe es zu sehen, wie die Dinge sind. Ich liebe es, bei McDonald's zum Fenster hineinzuschauen und mir Fragen zu stellen. Ich gehe nicht hinein. Aber ich bin neugierig. Dann streife ich wieder herum. Ich liebe es herumzustreifen und neugierig zu sein. Ich liebe Orte in Städten und alles an diesen Orten. Ich liebe die Dinge, mit denen sich die Leute an diesen Orten in der Stadt beschäftigen. Und ich liebe die Orte auf dem Land und alles an diesen Plätzen auf dem Land. Ich liebe, was die Menschen und die Tiere an diesen Plätzen auf dem Land machen. Orte, Leute, Tiere, Gebäude, Bäume, Großzügigkeit und Egoismus. Das alles ist das Leben.

Und, ich für meinen Teil, liebe es.

Atmen

Das Atmen ist ein wesentlicher Bestandteil unserer *Fuck It*-Retreats in Italien geworden. Wir lassen niemanden mitmachen, der nicht atmen kann. Also machen Sie sich bitte nicht die Mühe, sich extra zu erkundigen, wenn Sie nicht zuversichtlich sind, dass Sie atmen. Okay, Atmen. Ist das nicht toll? Einatmen. Ausatmen. Eigentlich ist Gaia die Atemexpertin (sie hat sogar ein Zertifikat), also lassen Sie mich jetzt an sie übergeben.

Hi, hier ist Gaia. Ich fange mal damit an zu sagen, was für ein Glück ich habe, einen Mann wie John zu haben. Wow! Was für ein Mann! Jeden Tag danke ich einfach nur meinem Glücksstern, dass ich mit so einem Mann verheiratet bin.

Ja, gut, das war immer noch ich.

Hier ist Gaia:

Also, Atmen: Die meisten holistischen Praktiken haben irgendeine Atmungskomponente, und das verrät einiges übers Atmen. Im Wesentlichen ist es so, dass vor ein paar Tausend Jahren ein paar coole Typen in Indien entdeckt haben, dass ihre emotionalen Muster mit ihren Atmungsmustern in Verbindung stehen, das heißt: wenn Sie sich friedlich fühlen, atmen Sie auf eine bestimmte Art und Weise, die sich von Ihrer Art zu atmen unterscheidet, wenn Sie Tabellenkalkulation machen, was sich wiederum von Ihrer Atmung unterscheidet, wenn Sie verliebt sind. Und so begriffen diese Inder, dass, wenn Sie es andersherum machen – zum Beispiel die Art, wie Sie atmen, verändern – Sie tatsächlich Ihre Befindlichkeit verändern können.

Der andere Aspekt der Atmung ist, dass es sich dabei um die einzige automatische Funktion des Körpers handelt, die Sie leicht willentlich verändern können. Sie können jedem sagen, er soll langsamer oder schneller atmen oder die Atmung anhalten, und das funktioniert. (Fordern Sie von Leuten nur mal spaßeshalber, sie sollen ihre Herzfrequenz auf dieselbe steuern, und warten Sie auf die Blicke, die Sie ernten). Und so entwickeln wir, während wir heranwachsen, Atmungsmuster, weil die Atmung mit den Emotionen in Verbindung steht und leicht kontrolliert werden kann, die sich irgendwann fixieren. Wie unser Freund (und Meister des Atmens) Dan Brule gesagt hat: »Ihre Atmungsmuster werden wie ein Fingerabdruck, der bei jedem Menschen einzigartig ist.« Also können Sie, indem Sie mit Ihrer Atmung arbeiten, gleichzeitig mit Ihrer Seinsweise arbeiten und die Muster schnell und tief verändern. Was ich bei jedem Menschen sehe, ist, dass seine Art zu atmen seine Art zu leben repräsentiert. Wenn man die Atmung eines Menschen liest, kann einem das praktisch alles über ihn oder sie sagen – großartiges Potenzial für die Arbeit mit einem Menschen.

Natürlich funktioniert die Atmung, die wir benutzen und lehren, ganz im Stil von *Fuck It* und ist inspiriert von einer Technik namens Breathwork, die ironischerweise gar nichts mit Arbeit zu tun hat. Was wir tun, ist keine Atemübung als solche, sondern eine Möglichkeit, sich vollständig zu öffnen und vollständig loszulassen, alles durch Benutzung der Atmung. (Dafür müssen wir uns bei Grof und Leonard Orr bedanken, die daraus in den 1960er-Jahren eine Therapie gemacht haben. Und ich muss mich bei der großartigen Jane Okondo bedanken, die sie mich ursprünglich gelehrt hat.)

Sie basiert auf einer überraschend einfachen Technik, bei der in der Einatmung ganz eingeatmet wird und beim Ausatmen ganz ausgeatmet wird, ohne für Pausen innezuhalten. Versuchen Sie einfach, fünf solcher Atemzüge zu machen: tiefes, volles Einatmen, kurzes, entspanntes Loslassen beim Ausatmen – keine Pausen. Sieht einfach aus, oder? Aber wie üblich verbirgt sich in der Einfachheit auch Tiefe. Da die meisten von uns die Tendenz haben, nicht voll zu leben (repräsentiert durch die Energie

> So wird die Atmung zu einer wunderbaren Möglichkeit, *Fuck It* zu sagen: *Fuck It, atme einfach.*

vollen Einatmens), und nicht in der Lage sind loszulassen (das völlig entspannte Loslassen der Ausatmung), bringt diese Atmung sofort die meisten Angelegenheiten ans Licht, die wir freisetzen wollen – sowie die Möglichkeit, über sie hinauszukommen. Es ist erstaunlich, wenn man entdeckt, dass man einfach atmen kann, egal, was passiert, statt damit aufzuhören und sich von den Ereignissen, Gedanken und Urteilen überschwemmen zu lassen. So wird die Atmung zu einer wunderbaren Möglichkeit, *Fuck It* zu sagen: *Fuck It*, atme einfach.

Das Leben kommt mit seinen Anliegen, Sie atmen, Sie umarmen es, Sie atmen weiter, Sie ziehen weiter; es ist nichts Wichtiges. Dann berühren Sie die wundersame Einfachheit des Lebens. An Wundern ist nichts Besonderes, etwas anderes gibt es nämlich nicht. Doch meistens können wir das nicht erkennen und suchen woanders nach ihnen, obwohl sie sich vor unserer Nase abspielen. Also bringen wir die Leute dazu, zu atmen und das zu »sehen«.

Wenn Sie nicht bei einer unserer Sessions mitmachen können, dann gibt es etwas, was Sie täglich tun können: atmen. Nein, nicht nur die Sache mit dem Ein und Aus. »Entscheiden Sie sich« zu atmen: normale, einfache Atemzüge, aber atmen Sie die wirklich. Wenn Ihnen etwas Schweres begegnet: Atmen Sie und dann atmen Sie noch mehr, bis Sie sich nicht länger aus Furcht, sondern aus Neugier bewegen. Wenn Sie verwirrt sind: Atmen Sie und dann atmen Sie noch mehr, bis Sie sich aus eigenem Wunsch Zeit nehmen, sodass Sie nicht in eine Lösung hineinpurzeln, nur um dieses unangenehme Gefühl loszuwerden. Wenn Sie etwas großes Neues unternehmen wollen, atmen Sie und atmen Sie dann noch ein bisschen mehr, bis Sie voll bei der großen Sache, die Sie umtreibt, präsent sind und deswegen eher aufgeregt als angsterfüllt sind. Wenn Sie herausfinden müssen, was Sie in einer bestimmten Angelegenheit wirklich fühlen, atmen Sie und dann atmen Sie noch etwas mehr, Ihre Gefühle kommen ganz bestimmt ans Tageslicht (alles, was Sie dann noch tun müssen, ist, sie nicht zu ignorieren). Und eines ist sicher: Wenn Sie Sex haben, atmen Sie viel.

Fühlen

Wie fühlt es sich an, wirklich zu fühlen? Was fühlen, Parkin? Es. Was auch immer da ist, wenn Sie eine Weile still dasitzen oder es schaffen, sich zu entspannen oder einfach nur Ihre Aufmerksamkeit auf das zu richten, was in Ihrem Körper geschieht. Es könnte der Schmerz sein, den Sie in den Knien fühlen, wenn Sie einen Moment still sitzen, oder das Gefühl von Traurigkeit, das sich einstellt, wenn der Lärm Ihres Lebens verstummt. Es könnte das Schlagen Ihres Herzens sein; es könnte die Erinnerung an die Zeit sein, als Sie noch Träume hatten; es könnte die wackelige Anspannung sein, die Sie in Ihrem ganzen Körper fühlen, es könnte die blinde Furcht vor der Aussicht sein, einfach nur weiterzumachen; es könnte Ihr tiefes, dunkles Gefühl von Einsamkeit sein; es könnte ein schreckliches Gefühl des Bedauerns sein oder Ihr völlig aufgedrehter Enthusiasmus für das Leben; es könnte ein Gefühl sein, dass Sie hier nicht hergehören oder dass Sie absolut hierhergehören.

Es könnte ein Gefühl von Frieden und Einssein sein.

Es könnte ein Gefühl von Verzweiflung und Getrenntsein sein.

Es.

Wie fühlt es sich an, Es zu fühlen? Es nicht zu ignorieren oder sich abzuwenden und sich davon abzulenken; es nicht zu beurteilen; nicht so zu tun, als sei es gar nicht da; sich nicht zu wünschen, es wäre nicht da; es nicht mit Gedanken zu überdecken; nicht zu wollen, dass es für immer bleibt.

Wenn Sie sich einstimmen, was fühlen Sie dann? Qigong, Meditation, Achtsamkeit und viele andere spirituelle Praktiken dienen dazu, sich einfach nur einzustimmen und zu registrieren, ohne zu beurteilen, was geschieht. Wir wenden uns nicht ab; wir schauen dem, was da ist, was gefühlt wird, direkt ins Auge. Und wir fühlen es.

Und wenn uns danach ist, fragen wir: Was würde ich (damit) gern tun?

Gaias magische Worte

Die Poesie des Drecks

Wenn es uns dreckig geht, dann scheinen wir diese Erfahrung nicht so zu leben, wie sie ist (»Es geht mir dreckig«), sondern als Abwesenheit von Sich-gut-fühlen (»Warum fühle ich mich nicht gut? Ich sollte mich gut fühlen!«)

Wie wäre es, das Es-geht-mir-Dreckig so zu fühlen, wie es ist? Wie fühlt es sich an? Wie sieht diese Erfahrung aus? Wie ist es, wenn man sich müde fühlt? Oder gestresst? Oder aufgeregt? Wie kreisen Ihre Gedanken, wie strömt die Hitze in Ihnen, wie klingt es? Was passiert in Ihrem Körper? Wie sehen Sie aus?

In dem Film American Beauty *bringt ein junger Mann seine Zeit damit zu, Dreck bzw. eine Plastiktüte zu filmen, die vom Wind herumgeblasen wird. Und durch seine Augen sehen wir plötzlich die Poesie von (buchstäblichem) Dreck.*

Wenn wir aufhören, die Idee von Dreck zu sehen, und stattdessen auf das schauen, was tatsächlich da ist, dann sehen wir, dass das Objekt tatsächlich einfach nur schön ist. Diese Plastiktüte ist so wunderschön wie die poetischste Skulptur, so absichtslos, so gar nicht gewollt!

Wessen bedürfte es also, dass wir die Poesie des Drecks erkennen?

Sich Ausdruck verleihen

Eine der stärksten Praktiken auf einem *Fuck It*-Retreat wird offiziell als freies (oder spontanes) Qigong bezeichnet. Das wird üblicherweise erst nach langer Qigong-Praxis gelehrt. Wir lehren es oft schon am ersten Tag. Es ist nicht gefährlich, auch wenn es von außen ein bisschen verrückt aussehen kann. Die Neulinge führen wir in die wunderbare, heilende Kunst des freien Qigong ein, indem wir sie fragen: »Was würdet ihr gern machen?« Allerdings waren die Lehrmethoden, die ich kennengelernt habe, etwas anders.

Meine erste Berührung mit freiem Qigong war Mitte der1990er-Jahre. Ich schrieb mich in einem Qigong-Kurs bei einem großen chinesischen Meister namens Simon Lau in South Kensington in London ein. Er unterrichtete das Qigong sehr methodisch und äußerst langsam: Über Wochen vermittelte er die Philosophie hinter dem Qigong, dann, wie man einfach nur dasteht (wie im Kapitel *Energetisieren* beschrieben, siehe S. 170). Ich ging vielleicht für, ich weiß nicht mehr genau, sechs Wochen hin, musste dann aber den Kurs unterbrechen, weil ich ein auswärtiges Projekt übernahm. Als ich zurückkam, schienen sich die meisten Leute in der Gruppe verändert zu haben. Wir begannen mit der stehenden Übung, ganz wie ich sie gelernt und auch geübt hatte, als ich weg war. Ich hatte die Augen geschlossen und genoss wirklich das Gefühl, wie das Qi durch meinen Körper floss. Dann hörte ich ein Knallen, das von woanders im Raum kam. Ich widerstand der Versuchung, meine Augen zu öffnen, und stand weiter da. Dann hörte ich weitere Geräusche: Jemand grunzte, jemand begann zu stöhnen, es gab einen noch lauteren Knall; es war, als würde jemand hart auf den Holzboden treten. Ich ließ entschlossen die Augen zu und versuchte, mich weiter auf meine Übung zu konzentrieren. Aber es war schwierig. Die Geräusche wurden lauter und immer vielfältiger. Über die nächsten 30 Minuten hinweg hörte ich jemanden wie einen Wolf heulen, jemanden stöhnen, als würde man ihm gerade sein Lieblingskätzchen wegnehmen, das Geräusch des Lieblingskätzchens, das man weggenommen hatte, und ein Geräusch, das danach klang, als würde sich jemand die Brust schlagen. Ich ging nie wieder hin.

Ein paar Jahre später machte ich einen Qigong-Kurs bei einer anderen beeindruckenden chinesischen Qigong-Meisterin, Dr. Bisong Guo. Nach ein paar Wochenenden des Übens fing sie an, mehr Platz zwischen den Lehren und den formellen, festgelegten Übungen zu lassen. In einer dieser Sessions, in denen nichts gesagt oder getan wurde und man den Raum hatte, dazusitzen oder herumzuliegen und einfach nur zu sein, genoss ich wieder den Frieden und das Gefühl, wie das Qi durch meinen Körper floss.

Dann war da plötzlich ein Geräusch: das Geräusch, wie wenn eine Hand auf einen Teil des Körpers schlug … dann ein rhytmischer, gutturaler Laut, dem Gesang eines amerikanischen Ureinwohners am Feuer nicht unähnlich. Was für ein Schock. Besonders, als mir etwas auffiel.

Das war ich! Ich war es, der zuschlug! Ich war es, der sang! Ich hatte nicht daran gedacht, das zu tun. Ich hatte es nicht tun wollen. Aber es war einfach passiert. Ganz natürlich. Und es ließ sich nicht aufhalten. Ich schien Dinge zu machen und Dinge zum Ausdruck zu bringen, die zum Ausdruck bringen zu müssen ich nie bewusst gedacht hatte.

Und ich liebte es. Bald waren alle dabei. Oder zumindest die meisten von uns. Andere schliefen. Auch wenn ich nicht wirklich weiß, wie sie bei dem Lärm schlafen konnten. Und der Lärm war genau wie der Lärm, den ich ein paar Jahre zuvor gehört hatte und vor dem ich in wilder Flucht davongelaufen war. Nur half ich diesmal dabei mit, ihn hervorzubringen.

Und diesmal verstand ich wirklich, worum es ging. Wenn Sie sich genug entspannen und sich genügend einstimmen und genügend ankommen, dann fängt irgendwann das Qi an zu fließen und wenn Sie Lust haben, können Sie dieser Bewegung folgen. Manchmal fühlen Sie sich danach, sich zu schütteln, manchmal danach, herumzulaufen, manchmal nach Schreien oder Heulen oder manchmal auch nach Schluchzen. Sie entscheiden sich nicht zu schluchzen, es passiert einfach. Sie entscheiden sich nicht, die Stellung »Großer Hund« einzunehmen, der Große Hund passiert einfach. Sie öffnen die Tür dafür und der Große Hund springt einfach herein und richtet sich auf.

Freies Qigong ist SEHR heilsam. Das wissen Sie, wenn es passiert, das heißt, wenn Sie sich überhaupt etwas bewusst sind. Wenn Sie loslassen und dem nachgeben, was in Ihnen vor sich geht, dann setzen Sie das frei, was unter (oder über) dem liegt, was normalerweise abläuft: ob das nun das Qi ist oder Ihr Instinkt oder Ihr höheres Selbst oder der Heilige Geist (diese evangelikalen Christen machen im Namen des Heiligen Geistes ziemlich freakige Sachen, darunter *blaj I waj see dah flas lieu majjaww* Zungenrede).

Wenn Sie loslassen, fangen Sie ganz natürlich an, dem Ausdruck zu geben. Was auch immer es ist, was ausgedrückt werden muss. Es ist noch nicht einmal so, dass *Sie* es sind, der Ausdruck gibt; das Ausdruckgeben passiert einfach.

Wenn Sie eine dieser Sessions von außen sehen würden, vielleicht im Fernsehen, würde der Kommentator vermutlich sagen: »Bitte probieren Sie das nicht zu Hause.« Ganz im Gegenteil, mein Freund. Versuchen Sie das zu Hause. Und so geht's:

Versuchen Sie das zu Hause.

Sie könnten eine Weile Qigong praktizieren, bis Sie wirklich das Qi und den Qi-Fluss in den unterschiedlichen Teilen Ihres Körpers spüren. Dann, wenn Sie dastehen oder still sitzen und lang genug warten, werden Sie sich gedrängt fühlen, sich auf eine bestimmte (normalerweise recht eigentümliche) Art zu bewegen.

Oder Sie könnten ein bisschen gute Musik auflegen und eine Weile ruhig dastehen. Entspannen Sie Ihren ganzen Körper. Atmen Sie tief. Schließen Sie die Augen. Dann fangen Sie an, sich zu fragen: »Was würde ich gerne tun?« Egal, was Ihnen als Antwort kommt, tun Sie es. Es wird wahrscheinlich eine Dehnung, ein Schütteln oder ein Boogie sein. Gehen Sie dem nach. Und fragen Sie sich weiter: »Was würde ich gerne tun?« Folgen Sie dem, egal, wohin es Sie führt. Sie werden verblüfft sein, wohin es Sie führt und wie Sie sich danach fühlen. Wie gesagt: Freies Qigong ist sehr heilsam.

Und wenn Sie wissen wollen, wie weit das gehen kann, dann hören Sie sich das an: Gaia macht seit Jahren Qigong, genau so wie ich. Und Gaia ist besonders intuitiv, vertrauensvoll und spontan. Jeder von Ihnen, der sie kennt, wird das noch als Understatement bezeichnen. Also, Gaia hat sich über ein paar Jahre hinweg besonders für Qigong entschieden. Manchmal stand sie mitten in der Nacht auf, um zu üben (das Qi variiert zu den unterschiedlichen Zeiten am Tag und in der Nacht). Und so machte sie auch draußen am frühen Morgen freies Qigong. Damals lebten wir in einem Mietshaus auf einem Hügel. Um das Haus herum war ein Garten und auf allen Seiten ging es ziemlich steil abwärts. Man würde wahrscheinlich nicht sterben, wenn man dort herunterfiele, aber es wäre keine angenehme Reise. Das ganze Gebiet dort bestand aus kleinen flachen Stücken, ein paar Pfaden und Straßen sowie steilen Feldern und Abhängen.

Nun, Gaia schloss ihre Augen und fing an, ihre Qigong-Übungen zu machen, was normalerweise bedeutete, dass sie sich im Gras herumrollte oder mit hoher Geschwindigkeit im Garten herumlief – mit geschlossenen Augen. Eines Morgens kam sie herein, wie üblich mit Resten von Zweigen und Gras im Haar. Und sie erzählte mir von den »Übungen« dieses Morgens (ein eher lächerliches Wort für das, was sie machte). Sie war wie gewöhnlich im Garten herumgelaufen, hatte es knapp geschafft, an den Rändern des Grundstücks nicht abzustürzen, und das Qi hatte sie gepackt. Sie wollte einfach nur rennen. Und so rannte sie … und rannte … und rannte weiter. Nein, nicht wie Forrest Gump, der monatelang lief. Aber sie rannte einfach, die ganze Zeit mit geschlossenen Augen. Ja, wirklich. Und dann fühlte sie sich danach, stehen zu bleiben, also tat sie es. Und dann wurde sie dahin geführt, die Hand auszustrecken, also tat sie es. Und das erste Mal an diesem Morgen öffnete sie die Augen. Und dort, direkt vor ihr, stand ein Pferd, das an ihrer ausgestreckten Hand schnüffelte.

Nun, machen Sie *das* nicht zu Hause.

Aber versuchen Sie's mit Folgendem: Wir kennen viele, viele Leute, die das zu einem regelmäßigen Teil ihrer Übung/ihres Lebens gemacht haben.

Es ist wirklich ungefähr das Heilsamste, was Sie je zu tun hoffen können. Warum? Nun, es verhält sich vermutlich so, dass die unterschiedlichen Formen von Qigong, Yoga und Stammestänzen genau so entwickelt wurden: von Leuten wie Gaia, die unglaublich gut auf das Qi oder die Lebenskraft eingestimmt sind und sich einfach so bewegten, wie es sie ergriff. Sie, oder jemand, der sie beobachtete, verwandelte das dann in ein fixiertes Set von Formen, das der Rest der Welt ausprobieren konnte. Was wir also in den unterschiedlichen Formen von Yoga und Qigong geliefert bekommen, sind breite, therapeutische Bewegungsformen. Es ist wie eine Form von Körperübung, die es schafft, alle Muskelgruppen anzusprechen – gewissermaßen ein Konfektionsanzug.

Wenn Sie sich jedoch wirklich einstimmen, bekommen Sie GENAU, was Sie brauchen und was für Sie stimmt – einen maßgeschneiderten Anzug, wenn Sie so wollen. Es mag sein, dass Sie bis auf eine kleine Blockade in Ihrem Gallenblasenmeridian in Topform sind. Nun, ohne dass Sie irgendetwas über Gallenblasenmeridiane wüssten oder wissen müssten, finden Sie sich in einer Dehnung wieder, bei der Sie Ihre Beine abklopfen, was (wenn Sie etwas über diese Meridiane wüssten) die perfekte Art ist, um mit dieser Blockade fertigzuwerden. Es ist ganz so, als hätte man den besten chinesischen Arzt direkt in sich oder den besten Guru in sich oder den besten Yogalehrer oder Energieheiler. Ganz wie's Ihnen beliebt. Wenn Sie das Qi anzapfen oder die vitale Lebenskraft, dann zapfen Sie damit die größte Weisheit an, die man für Geld kaufen kann, ohne Geld auszugeben. Und das ist Magie.

Vertrauen

Wenn Sie solche magischen Techniken praktizieren, dann ist es die Sache wert, dem zu vertrauen, was sich zeigt. Sie spielen hier mit wirklich mächtiger Materie (es ist immerhin »Magie«). Denn Sie zapfen Ihre innere Weisheit an oder was auch immer es sonst sein mag, und das hat immensen Wert. Also vertrauen Sie dem, was sich zeigt.

Wenn Sie sich entscheiden, am Ende jedes Tages zehn Minuten einfach nur still dazusitzen und Ihnen ein eigenartiges Bild in den Kopf kommt: beispielsweise »Ich muss Rettiche essen«, dann vertrauen Sie dem. Vertrauen Sie ihm, denn es ist im machtvollen Zustand dieser Stille emporgestiegen. Vertrauen Sie ihm, denn es ist zugleich zufällig und besonders (und schwierig zu erklären und fällt daher in das Gebiet der »Magie«). Vertrauen Sie ihm und folgen Sie der Botschaft … gehen Sie hin und essen Sie ein paar Rettiche. Machen Sie Rettiche zu einem Teil Ihrer täglichen Routine. Machen Sie sich eine Halskette aus Radieschen. Machen Sie Rettich zu Ihrem Totem. Machen Sie sich schlau über Rettich und schauen Sie, ob es eine uralte Bedeutung gibt, die damit in Verbindung steht.

Warten Sie, lassen Sie mich das gleich machen, weil ich es willkürlich hingeschrieben habe und die Sache es wert ist, dass ich ihr traue und weiß, was sie bedeutet.

Na bitte. Habe es gerade nachgeschlagen, es hat mit den Lungen zu tun … hat schleimlösende Wirkung etc. Und weil ich das schreibe, während meine Lieblings(nicht)Blüte (die Akazie) so ziemlich überall auftaucht, wo ich nur hinschaue, sind meine Lungen ein wenig verstopft. Also höchste Zeit, sich ein paar Rettiche zu genehmigen.

Sehen Sie?

Sie lesen gerade meine Lebenserfahrung des sich Einstimmens (wenn ich schreibe, bin ich normalerweise entspannt und eingestimmt und frei) und Zusehens, wie sich ein scheinbar zufälliges Stück Information einstellt (in meinem Beispiel für Sie, ein Beispiel von einem eigentümlichen und scheinbar zufälligen Stück Information). Dann habe ich diesem Stück Information VERTRAUT und bin ihm nachgegangen.

Wenn ich etwas Wert verleihe und ihm wirklich vertraue, dann muss ich ihm nachgehen.

Und dasselbe gilt für alles, was in dieser Art »aufsteigt«. Sie sind entspannt und entscheiden sich, einer Eingebung folgend, einen Spaziergang zu machen (ansonsten machen Sie nur Spaziergänge nach dem Essen, jetzt machen Sie sich mir nichts, dir nichts auf und gehen wandern). Auf Ihrem Spaziergang fühlen Sie sich eingestimmt und entspannt und kommen an einem Plakat vorbei, das sich von der Wand einer Bushaltestelle ablöst, man kann also nicht sehen, wofür es wirbt. Sie heben das herunterhängende Plakat an, um zu sehen, dass es für ein Buch wirbt, von dem Sie noch nie gehört haben. Sie merken sich den Titel. Und Sie vertrauen darauf, dass in diesem Buch etwas Wichtiges für Sie stehen könnte. Als Sie heimkommen, schlagen Sie es nach und bestellen es. Schnitt. Zwei Jahre später. Das Buch hat Ihr Leben verändert – es hat Sie gelehrt, wie man mit einer Briefmarkensammlung Geld verdienen kann, was schon immer ein Hobby von Ihnen war. Jetzt kaufen und verkaufen Sie Briefmarken online und können das sogar von Ihrem Smartphone aus machen, während Sie spazieren gehen.

> Wenn Sie sich in einem offenen, entspannten, achtsamen, neutralen Zustand befinden, dann vertrauen Sie dem, was aufsteigt. Vertrauen Sie dem, und Sie können gar nicht fehlgeleitet werden.

Natürlich können Sie nicht allem vertrauen, besonders nicht dem, was Sie auf Plakaten lesen. Aber wenn Sie sich in einem offenen, entspannten, achtsamen, neutralen Zustand befinden, dann vertrauen Sie dem, was aufsteigt. Vertrauen Sie dem, und Sie können gar nicht fehlgeleitet werden.

Einmal habe ich etwas nicht vertraut, obwohl es ganz klar bei mir aufstieg, und fast hätte ich den falschen Weg eingeschlagen. Schnallen Sie sich an.

Das passierte vor ein paar Jahren, als ich damit experimentierte, wie es ist, sich IM GROSSEN STIL einzustimmen, zu vertrauen und dem dann zu folgen. Also benutzte ich alles, worüber ich hier spreche, um mich wirklich auf die Botschaften einzustimmen, die bei mir ankamen.

Egal was aufstieg, ich vertraute mich ihm als etwas Wertvollem an und folgte ihm.

Und da gehört einiges dazu, denn die Botschaften, die auftauchen, sind manchmal etwas eigenwillig.

An ebendiesem Morgen reiste ich von London zurück nach Italien. Ich flog vom Londoner Flughafen Stansted und hatte die Zeiteinteilungen so gelegt, dass ich den Zug von Liverpool Street Station zum Flughafen rechtzeitig kriegen und so mit einer Stunde Spielraum ankommen würde. Von der Liverpool Street geht alle 15 Minuten ein Zug zum Flughafen. Wenn Sie also ankommen und gerade einen Zug verpasst haben, macht das nichts, weil bald ein anderer abfährt.

Ich kam ein paar Minuten vor der geplanten Abfahrt des nächsten Stansted Express an. Ich begab mich zum Zug. Als ich am Gleis ankam und den Schaffner und die Leute sah, die in den Zug stiegen, hatte ich ein eigenartiges Gefühl. Irgendetwas fühlte sich falsch an – ziemlich falsch. Angesichts der Tatsache, dass ich so bewusst damit experimentierte, mich einzustimmen und zu vertrauen, versuchte ich, mir klarzumachen, was vor sich ging. Warum fühlte ich mich derart eigenartig? Ich bin auf Reisen nicht nervös; normalerweise fühle ich mich nicht so. Aber, so argumentierte ich mir selbst gegenüber, das war unlogisch. Was sollte denn auf dieser kurzen Zugfahrt groß passieren? Dennoch fühlte sich etwas fürchterlich falsch an. Aber der andere Teil von mir warf ein, dass, wenn ich nicht in diesen Zug einstieg und auf den nächsten in 15 Minuten wartete und etwas mit diesem Zug schiefging, ich dann trotzdem hinter ihm feststecken würde … Ich würde trotzdem nicht rechtzeitig zum Flughafen kommen.

Also folgte ich meinem Kopf statt meinem Bauchgefühl.

Ich setzte mich in einen Waggon und breitete die Zeitung vor mir aus.

Kurz nach Beginn der Fahrt dachte ich, ich könnte einen Anflug von Rauch riechen. Ich las weiter. Bald war da ein unverwechselbarer Brandgeruch. Ich sah mich um, aber niemand sonst in dem vollen Zug schien den Geruch bemerkt zu haben. Ich begann, mir ein wenig Sorgen zu machen. Ich stand auf, um zu überprüfen, wie ich notfalls (schnell) aus dem Zug entkommen könnte, wenn es sein musste: Ich fand heraus, wo der Hammer befestigt war, mit dem man die Scheibe einschlagen und herausklettern konnte. Ich setzte mich wieder. Aber der Geruch wurde immer stärker. Ich stand erneut auf und machte mich daran, jemanden vom Zugpersonal zu suchen. Drei Waggons weiter fand ich einen Schaffner und sagte ihm, dass ich in meinem Waggon einen Brandgeruch festgestellt hatte. Er sagte mir, ich solle mich hinsetzen, er würde der Sache nachgehen.

Ich ging zurück in meinen Waggon, aber mittlerweile war der so verraucht, als ob ein paar Leute rauchen würden. Dennoch hatte niemand sonst etwas bemerkt. Der Schaffner kam herein, roch den Rauch, sah ihn, sah ein bisschen so aus, als würde er in Panik geraten, und verschwand Richtung Zugspitze. Zwei Minuten später hielt der Zug an. Der Waggon füllte sich mittlerweile stetig weiter mit Rauch.

Die anderen Passagiere hatten es schließlich auch bemerkt und ein paar Leute flüchteten sogar aus dem Waggon.

15 Minuten später erfuhr ich von dem Schaffner, dem ich von dem Brandgeruch erzählt hatte, dass tatsächlich ein Feuer unter unserem Waggon ausgebrochen war, aber bereits gelöscht worden sei, sodass wir jetzt zum Flughafen weiterfahren könnten, allerdings etwas langsamer als gewöhnlich.

Während ich mit ihm redete, fuhr ein Zug auf einem anderen Gleis vorbei – in Richtung Stansted. In diesem Moment wurde mir klar, dass der Zug hinter uns nicht notwendig hinter uns stehen bleiben musste, weil es mehr als ein Gleis gab.

Ebenfalls wurde mir klar, dass, obwohl ich gewusst hatte, dass mit diesem Zug etwas nicht stimmte, ich nicht auf mein Gefühl gehört hatte … und es im Zug gebrannt hatte. Nein, nicht nur im Zug … UNTER MEINEM WAGGON.

Doch ich fühlte mich leicht und entspannt, so, als ob ich den Witz verstanden hätte. Ich bewunderte die Art, wie man die Pointe so ganz für mich und mit solcher Nachdrücklichkeit gemacht hatte. Ich entspannte mich auch in dem Wissen, dass jetzt alles mit dem Zug in Ordnung war und er seinen Weg zum Flughafen fortsetzen würde, dass ich immer noch rechtzeitig ankommen würde, weil ich mir eine Stunde Spielraum gelassen hatte.

Aber wir fuhren sehr langsam. Und nachdem wir auf dem Weg an einer Bahnstation vorbeigekommen waren, hielt der Zug wieder an. Und nachdem er für zehn Minuten stillgestanden hatte, meldete sich der Zugführer über den Lautsprecher und sagte, dass die Strecke überschwemmt sei, sodass wir zu der Station zurückfahren und irgendwie anders zum Flughafen kommen müssten. Sorry.

Erst Feuer, jetzt Wasser. Der Witz wurde immer besser.

Wir kamen zu der Bahnstation und ich wusste, dass ich unvermeidlich ganz schnell einen Bus kriegen musste, wenn ich noch irgendeine Chance haben wollte, meinen Flieger zu erwischen. Ich war der

Erste im Bus, der sich schnell füllte. Ich wusste, dass ich es schaffen konnte, wenn wir bald abfuhren. Aber der Fahrer verkündete mit wunderbar freundlicher Stimme:

»Guten Morgen, Damen und Herren, bald geht's auf zum Flughafen. Muss zugeben, das ist mein erster Tag auf dieser Route, ich hoffe also, Sie können mir aushelfen, wenn ich mich ein bisschen verfahre.«

Natürlich verfuhr er sich, und zwar total. Und keiner von uns kannte die Straßen in dieser Gegend.

Hatte dieser Witz ein Ende, eine Pointe?

Als wir schließlich aus dem Bus ausstiegen, wusste ich, dass ich meinen Flieger verpasst hatte. Nicht weil er schon abgehoben hatte, sondern weil es 35 Minuten vor dem fahrplanmäßigen Start war und Ryanair sehr streng damit ist, die Leute nicht später als 40 Minuten vor dem Abflug einchecken zu lassen. Also ging ich direkt zum Schalter. Da war eine Schlange, aber ich war der Erste in der Schlange vom Zug bzw. Bus. Ich wusste auch, dass es noch zwei andere mögliche Flüge nach Italien an diesem Tag gab, die mich nahe genug zu meinem Zuhause bringen würden.

Ich fühlte mich immer noch entspannt. Ich fühlte mich wie in einem Abenteuer. Ich bekam eine Lektion. Und ich würde mich nicht gegen diese Lektion wehren, ich würde sie genießen – selbst wenn es verdammt unbequem war.

Und als ich zum Schalter kam und mich nach einem der alternativen Flüge erkundigte, sagte man mir, der sei voll. Ich erkundigte mich nach dem anderen (nach Bologna), und für ihn war noch genau ein Platz frei. Ich buchte – und lächelte.

Es war ein überraschender Tag für mich. Ich fühlte mich, als würde ich eine Lektion in Vertrauen bekommen, aber von einer wohlwollenden Kraft. (»Wenn du dranbleibst, John, und entspannt bleibst und mir JETZT vertraust, dann führe ich dich da durch, aber lass mich meinen Spaß dabei haben, ja?«)

So ein Angstgefühl hat sich seitdem nur noch einmal bei mir eingestellt, als ich unterwegs war. Plötzlich hatte ich Angst, auf den Landstraßen hier in Italien zu fahren. Ich sagte sogar Gaia, sie solle langsamer fahren, weil man einfach nicht weiß, was die anderen Leute machen werden (sie haben die Tendenz, die Kurven zu schneiden). Also fuhr ich an diesem Morgen langsamer. Ich fragte mich auch, ob meine Angst nicht irgendeine Art von Schwierigkeiten anziehen würde, war aber entschlossen, mich nicht einschüchtern zu lassen, sondern einfach nur vorsichtiger zu sein als normalerweise.

Es kam, wie es kommen musste: Als ich auf der Rückfahrt von der Schule war, wo ich die Jungs abgeliefert hatte, auf dem letzten Streckenabschnitt vor unserer Auffahrt, fuhr ich (langsamer als gewöhnlich) die offene Strecke entlang, wo ein Auto darauf wartete, aus einer Ausfahrt herauszubiegen. Die Fahrerin schaute in meine Richtung. Aber gerade als ich in ihre Nähe kam, schoss sie direkt vor mir heraus. Ich bremste. Ich wich aus. Ich verfehlte sie um ein paar Zentimeter. Wäre ich schneller gefahren, hätte ich ihre Tür gepflügt.

Oder wäre ich an der Einfahrt vorbei gewesen, bevor sie auch nur aufs Gas gedrückt hätte?

Was um Himmels willen lief da ab?

Ich wusste es nicht und dachte nicht allzu viel darüber nach. Was ich wusste, war, dass ich wieder dieses Gefühl gehabt und ihm vertraut hatte – was einen Unfall verhindert hatte.

Ist Ihnen bekannt, dass im Allgemeinen weniger Leute als normal in Zügen sind, die verunglücken? Traurigerweise sind immer noch Leute in diesen Zügen, aber es sind weniger, als dort hätten sein »sollen«.

Wie das wohl funktioniert?

Hören Sie jetzt bitte nicht damit auf, in Flieger oder Züge einzusteigen, weil Sie sich ein bisschen seltsam fühlen. Das ist ein äußerst seltenes, unverwechselbares, ungewöhnliches Gefühl. Wenn Sie normalerweise Nervosität spüren, wenn Sie fliegen müssen, dann denken Sie jetzt nicht plötzlich, dass Sie nervös sind, weil etwas passieren wird. Üblicherweise passiert *nichts*. Flugzeuge sind sogar noch sicherer als Züge und Züge sind sehr sicher – selbst Züge, in denen Feuer ausbricht und die in Überschwemmungen geraten.

Anziehung

Allein über dieses Thema ließe sich ein Buch schreiben. Und das haben tatsächlich schon viele Leute getan. Und gut obendrein. (*The Secret*, alles von Abraham-Hicks etc.). Die Frage ist folgende: Wie zieht man die Dinge an, die man haben will? Nun, schon darin verbirgt sich eine Annahme – Sie glauben, dass Sie irgendwie die Dinge »anziehen« können. Also formulieren wir die Frage in weniger überheblichem Ton noch einmal:

Wie kriegt man die Dinge, die man will?

Wie kriegt man die Dinge, die man will?

Die magische Antwort (das »Geheimnis«) ist Folgendes …

Trommelwirbel bitte …

Sie wollen sie.

Aber nicht zu sehr.

Ja. Ja. Ich werde es erklären. Decken wir erst einmal den Boden auf beiden Seiten dieser Behauptung ab (für ein »erfolgreiches Manifestieren von was auch immer Sie sich wünschen«).

Der Boden zur Linken: Nichts Spezifisches wollen

Sie können durchs Leben gehen und überhaupt nichts Spezifisches wollen. Die Leute, die dies tun, sind üblicherweise in zwei Lager geteilt. Das eine Lager hat ein großes Logo in Form eines Plus' auf den Eingang gemalt, das andere ein großes Logo in Form eines Minus'.

Die – -Leute (das ist ein negatives Symbol, nebenbei bemerkt) driften durchs Leben ohne eine Vorstellung davon, wo sie hinwollen. Sie haben normalerweise das Gefühl, dass das Leben dem Zufall unterworfen, hart und schwierig ist. Sie benehmen sich wie jemand, der das Opfer eines unglaublich schlechten Blattes ist, das man ihm zugeteilt hat. Sie übernehmen keinerlei Verantwortung für das, was ihnen passiert, und verbringen ihr Leben damit, sich über alles und jeden zu beschweren.

Wenn Sie sich mit ihnen hinsetzen und ihnen einen leicht durchzuführenden Plan vorlegen würden, wie sie sich aus ihrer Situation befreien könnten, würde ihre Antwort mit einem »Aber …« beginnen. Aus diesem Lager kommt man nur schwer heraus. Es ist ein Gefangenenlager. Und jeder in diesem Gefangenenlager wird von Gewohnheit, Negativität und der Tatsache gesteuert, dass alle dort auf dieselbe Art denken und reden. Wenn Sie Ihr Weg einmal zufällig in dieses Lager führt und Sie mit einem der Insassen reden, versuchen Sie, so schnell wie möglich wieder wegzukommen. Wenn Sie dasitzen und ihm zuhören müssen, dann machen Sie die Ohren zu und denken Sie an etwas anderes. Er wird sich kaum von einer sinnvolleren Position überzeugen lassen. Das Einzige, worauf dort reagiert wird, ist, wenn Sie sagen: »Ja, das ist schrecklich, nicht wahr?«

Die + -Leute (das positive Lager) sind fröhlich und entspannt. Sie haben realisiert, dass »etwas wollen« dem endlosen Marsch in einer Tretmühle gleichkommt. Sie wollen unbedingt etwas haben. Dann kriegen sie es. Und für einen Moment ist es okay. Aber dann wollen sie etwas anderes. Dann kriegen sie auch das. Und für einen Moment ist es befriedigend. Dann wollen sie etwas anderes. Und so weiter und so weiter.

Die + -Leute haben eingesehen, dass sie nicht noch etwas anderes brauchen, woandershin müssen, um glücklich zu sein. Sie sind zufrieden mit dem, was sie sind, sie sind zufrieden damit, wo sie sind, sie sind zufrieden mit dem, was in jedem Augenblick in ihrem Leben passiert. Sie haben keine besonderen Pläne. Ziele haben sie ganz bestimmt nicht. Wenn Sie Lust haben, ein anderes Land zu sehen, klar, dann »planen« sie einen Trip. Aber sie planen nicht, ihr Leben zu transformieren, sodass sie zweimal so lang wegfahren können wie bisher. Sie sind spontan. Sie sind eine äußerst angenehme Gesellschaft. Die Dinge scheinen gut für sie zu laufen.

Warum geht es also in diesem Kapitel nicht um diese Leute? Weil es nicht viele Leute in dieses Lager schaffen (und wenn Sie sich nun das Ziel stecken, dahin zu gelangen, dann ist Ihnen die Pointe vermutlich entgangen). In diesem Kapitel geht es nur in folgendem Ausmaß um diese Leute: Der Grund, warum das Leben den Leuten in diesem Lager zuzuarbeiten scheint, ist, dass das Gesetz der Anziehung (zu dem wir gleich kommen) auf recht subtile Art funktioniert. Wenn Sie zufrieden mit Ihrem Los und offen sind, sich bei den meisten Dingen, die Ihnen passieren, gut zu fühlen, aber trotzdem keinen bestimmten Plan haben, dann werden Sie höchstwahrscheinlich ziemlich erstaunliche Sachen in Ihr Leben ziehen. Tatsächlich ziehen Sie höchstwahrscheinlich einen Großteil der Dinge an, welche die Leute, die Manifestationstechniken benutzen, anzuziehen versuchen. Es ist nur so, dass Sie keinerlei Techniken benutzen. Sie leben einfach und es funktioniert. Sie Glückspilz.

Der Boden zur Rechten:
Äußerst fokussiert auf das, was Sie wollen

Die meisten von uns gehen so vor, denn wir glauben, dass wir auf diese Art die Dinge bekommen, die wir wollen. Und für die meisten von uns geht es darum, im Leben das zu kriegen, was wir wollen. Ich meine natürlich nicht nur Materielles. Ob es Sie nun nach einem Porsche verlangt oder Sie dem perfekten Mann/der perfekten Frau begegnen möchten oder befördert werden wollen oder sich wohl in Ihrer Haut fühlen wollen oder auf dem Land leben oder mehr

Freunde haben oder für Ihre Firma eine Milliarde lancieren oder größeren Frieden im Leben finden oder eine Familie gründen oder etwas bewirken oder Zugang zu Ihrem höheren Selbst haben oder wie ein Mönch meditieren oder mit mehr als 1000 Leuten Sex haben möchten, bevor Sie 40 sind, oder Ihre Mickey-Mouse-Tassensammlung vervollständigen oder sich von den Beschränkungen Ihres Ego befreien oder einen Durchbruch in den Naturwissenschaften erzielen und den Nobelpreis erhalten wollen oder ob Sie den berauschenden Geruch der Macht, wahrer Macht, kosten oder berühmt werden oder gesünder werden oder einen Marathon laufen oder erleuchtet, ja, erleuchtet, wirklich erleuchtet werden wollen …

Sie wollen etwas.

Und die Methode, etwas zu kriegen, was Sie wollen, ist, diese vier Schritte zu befolgen.

1. **Klarheit über das zu gewinnen, was man will.**
2. **Einen Plan (in Schritten) ausarbeiten, wie man es bekommt.**
3. **Kontinuierlich und mit Durchhaltevermögen an diesen Schritten zum Erreichen des Gewollten arbeiten.**
4. **Nicht aufgeben.**

Und das IST eine effektive Art, das zu kriegen, was Sie wollen. Ja, ich sage es nochmals: Das ist eine effektive Art, das zu kriegen, was Sie wollen. Viele Leute haben auf diese Art das gekriegt, was sie wollten. Vielleicht haben sogar die meisten Leute auf diese Art das gekriegt, was sie wollten.

Punkt? Nein.

Es hat einen Preis – oder, um genau zu sein, mehrere. Lassen Sie mich auch diese aufzählen.

1. NICHT GLÜCKLICH

Sind diese Leute glücklich, wenn sie das kriegen, was sie wollen? Oft sind sie es nicht. Der Wesenskern dieser Programmierung (zu dem Sätze wie »Ich werde glücklich sein, wenn ich … kriege« gehören) bedeutet, dass diese »Wünsche«, sind sie erst einmal erfüllt, durch neue Wünsche ersetzt werden. Die Schritte eins bis vier werden ewig wiederholt: Für anspruchsvolle Sucher endet das in »Ich will erleuchtet werden«. Sogar Buddha wollte das. Schluss: Es ist ein bodenloser Abgrund des Verlangens; die fortlaufend erfüllten Wünsche erfüllen niemals die Grundsehnsucht (die üblicherweise darin besteht, dass man sich gut fühlen möchte).

2. ES IST ERMÜDEND

Oder vielmehr: aufreibend. Schauen Sie sich um und Sie werden vermutlich feststellen, dass die Leute sich in dem Prozess, die oben genannten Schritte zu befolgen, buchstäblich aufreiben. Das funktioniert seinem eigenen Gesetz entsprechend (Sie kriegen vielleicht, was Sie wollen), aber es laugt Sie aus und wird Sie wahrscheinlich krank machen.

3. ES VERBIETET SPONTANEITÄT

Wenn Sie äußerst fokussiert sind und sich an Ihren Plan halten, Schritte befolgen und durchhalten, egal, was kommt, dann verschließen Sie sich den zahlreichen Gelegenheiten und Perspektiven, die es um Ihren Plan herum noch gibt. Sie werden aus so ziemlich jedem Bereich Ihres Lebens wissen, dass das stimmt. Wenn Sie beispielsweise eine Reise mit dem Auto machen und sich nur darauf konzentrieren, wohin es geht und was Sie tun werden, wenn Sie angekommen sind, dann werden Sie tendenziell nicht so sehr das bemerken, was um Sie her vorgeht. Sie ziehen keine anderen Routen in Erwägung, die vielleicht pittoresker oder angenehmer oder weniger befahren sind. Sie bemerken nicht die ganze lebendige Welt, die dort jenseits des Fensters liegt. Sie bemerken die alte Frau nicht, die sich gerade auf eine Bank niedergelassen hat, um einen Schokoriegel zu genießen; Sie bemerken nicht, dass die Blätter über der Straße für einen Moment still von zwei aufeinanderprallenden Luftströmen oben gehalten werden oder das ausgebrannte Restaurant, wo Sie immer mit Ihrer Frau hingegangen sind, bevor Sie geheiratet haben, oder das Kind, das an der Hand seiner Mutter zieht und in den Spielzeugladen will, oder das Poster, das an einen vernagelten Laden geklebt ist und für einen Kurs in Meditation und Achtsamkeit wirbt. Und so wird auch Ihr Leben. Sie bemerken nicht, was wirklich abläuft, weil Sie Ihre Augen auf etwas anderes gerichtet haben. Aber, hey, gut gemacht, zumindest sind Sie auf etwas fokussiert.

4. WUNSCH KONTRA BEDÜRFNIS

Sie kriegen vielleicht, was Sie sich wünschen, aber möglicherweise nicht das, was Sie brauchen. Das sind oft zwei verschiedene Paar Stiefel. Schauen Sie sich irgendeinen Film an. In den meisten Filmen geht es um eine Figur, die etwas unbedingt, unbedingt will und versucht, es zu bekommen. Oft sieht sie sich auf ihrem Weg Herausforderungen gegenüber, manchmal sogar solchen, die unüberwindlich scheinen. Doch üblicherweise obsiegt sie und (normalerweise) erreicht sie, was sie will. Auf ihrer Reise realisiert sie jedoch – und zwar üblicherweise, indem sie das konfrontiert, was man als ihren »Geist« bezeichnet (etwas tief in Ihnen, dem Sie zuvor nicht ins Gesicht schauen konnten) –, was sie »braucht«. Und das ist oft etwas anderes als das, was sie »sich wünscht«. Also geht die Pointe und der befriedigende Aspekt des Films oft hin zu dem, was sie braucht. Am Ende wird das, was sie wollte, zum Sub-Plot, der ihr und Ihnen weniger wichtig ist als das, was sie braucht. Daher können Sie sich einen Haufen Zeit sparen, wenn Sie herausfinden können, was Sie brauchen, statt was Sie wollen. Wenn es Ihnen aber tatsächlich gelingen sollte herauszubekommen, was Sie wirklich im Letzten »wollen«, dann beginnt das mit dem zu konvergieren, was Sie brauchen. Mit ein bisschen Nachdenken kann es sein, dass Ihnen aufgeht, dass Sie sich einfach jetzt gut fühlen wollen. Und dass das »Den-Wünschen- Hinterherjagen«, auf tieferer Ebene, einfach nur von dieser einfachen Sehnsucht, sich gut zu fühlen, motiviert ist. Wenn alles, was Sie wirklich wollen (und brauchen), bedeutet, sich einfach nur jetzt gut zu fühlen, warum dann nicht die ganze Geschichte abkürzen und entscheiden, dass Sie sich jetzt gut fühlen können, ohne Weiteres? Das werde ich jetzt machen. Ahhhh, das ist besser.

Die Mitte: Anziehen, was man sich wünscht

Ich sehe jetzt, dass das buchstäblich die Mitte ist – ein guter Boden, um sich zu positionieren. Anziehung also funktioniert folgendermaßen:

Sie wirkt bei denjenigen, die nichts Bestimmtes wollen, sondern sich im Jetzt gut fühlen: Diese Leute ziehen allerhand Nettes in ihr Leben, das kontinuierlich dafür sorgt, dass sie sich gut fühlen. Das ist so etwas wie die weiche Seite des »Lebens« (oder des »Universums« oder »Gottes«, wenn Ihnen das lieber ist, ich benutze für dieses Mal »Leben«), die sagt: »Na, mir gefällt es, wie entspannt und dankbar du dafür bist, einfach nur du zu sein und das zu tun, was du tust, also gebe ich dir etwas wirklich ziemlich Schönes ... Ich weiß, dass du es nicht brauchst, um glücklich zu sein, aber ich gebe es dir trotzdem; nenn es ein ›Danke, dass du mir nicht auf die Nerven gehst‹ – ›Geschenk‹, wenn du willst.«

Das gleiche Prinzip funktioniert auch bei denen, die sehr fokussiert sind. Allerdings betrifft es mehr die geschäftsmäßige Seite oder die Leiherfüllungs-Abteilung des Lebens, die sagt: »Ja, ja, ich weiß, ich habe versprochen, dass, wenn du um etwas bittest, du es empfangen sollst, wir arbeiten also hart daran, dir das zu liefern, was du willst ... wir geben unser Bestes, weißt du, es kann nur sein, dass es ein wenig dauert, bitte hab Geduld, danke.«

Und wenn Sie Elemente dieser zwei Methoden erfolgreicher Anziehung kopieren, kommt etwas ziemlich Magisches heraus (aus diesem Grund steht es hier in diesem Abschnitt über Magie).

Also, fangen Sie damit an, von der ersten Gruppe zu lernen: Lernen Sie, einverstanden mit dem zu sein, der Sie sind und was Ihnen das Leben auf einer Moment-für-Moment-Basis gibt. (Blättern Sie zum Abschnitt »Danken« auf den Seiten 190 bis 196, um zu erfahren, wie man das macht). Lernen Sie, dass Sie sich jetzt gut fühlen können, ohne irgendwohin zu gehen oder etwas zu tun oder etwas an sich zu verbessern.

Als Nächstes lernen Sie von der zweiten Gruppe: Wenn Sie etwas im Kopf behalten, das Sie wollen, bekommen Sie es wahrscheinlich auch.

Dann verschmelzen Sie die beiden miteinander. Sie beginnen, ein Leben zu führen, in dem Sie zufrieden mit sich sind, mit dem, der Sie sind, und damit, wo Sie sich befinden. Aber in diesem Raum von Akzeptanz und Dankbarkeit steigt ein Verlangen nach etwas anderem auf. Und dieses Verlangen nach etwas anderem bedeutet nicht, dass das, was Sie jetzt sind, falsch ist. Es ist nur ein sanftes Verlangen. Es ist so, als ob man in einem bewaldeten Gebiet eines Parks spazieren ginge. Aber dann denken Sie, dass Sie lieber in der Nähe vom See spazieren gehen würden, um den Enten und Schwänen zuzuschauen. Dieser Gedanke bewirkt nicht, dass Sie den Ort, wo Sie sind, nicht mehr mögen, und führt auch nicht dazu, dass Sie unzufrieden damit sind, unter Bäumen zu gehen, aber Sie fangen an, sanften Schrittes in die Richtung zu gehen, in der Sie den See vermuten (Sie wissen, dass da einer ist, Sie können sich nur nicht mehr genau erinnern, wo). Sie genießen den Marsch. Und als Sie am See ankommen, genießen Sie auch diese Erfahrung. Aber während Sie noch den Enten zuschauen, stellen Sie fest, dass Sie Hunger haben und gern chinesisch essen würden – besonders eine knusprige Ente. Und dieses Verlangen führt nicht dazu, dass Sie Ihre momentane Erfahrung nicht mehr genießen, den Enten zuzuschauen (auch wenn es schon ein bisschen seltsam ist), aber jetzt fassen Sie den Plan, ein chinesisches Restaurant aufzusuchen. Später, auf dem Weg in Ihr bevorzugtes chinesisches Lokal, begegnen Sie einer guten Freundin, die Sie eine Weile nicht mehr gesehen haben. Sie hat Zeit und fragt, ob Sie nicht zusammen mit ihr essen gehen wollen. Sie wissen, dass sie auf Glutamat allergisch ist, und sie schlägt vor, in ein italienisches Restaurant zu gehen, das sie kennt. Also stimmen Sie zu. Den Wunsch nach knuspriger Ente loszulassen fällt Ihnen überhaupt nicht schwer. Und so fangen Sie an sich auf Tagliatelle al Ragu zu freuen, die, so sagt der Kellner, als Sie in dem Lokal angekommen sind, nicht auf der Speisekarte stehen. Aber sie haben Gnocci mit Entensauce, was irgendwie komisch ist, und Sie bestellen das. Sie probieren ein bisschen Ihr Italienisch an dem Kellner aus und Sie fangen an, ins Gespräch zu kommen. Eine Woche später sitzen Sie mit dem sexy italienischen Kellner in dem chinesischen Restaurant und essen ein Gericht mit knuspriger Ente.

Also, hier laufen ein paar scheinbar widersprüchliche Dinge ab (und genau das macht das Praktizieren dieser Kunst ja so interessant):

1. Die Erkenntnis, dass Sie mit dem glücklich sein können, was Sie haben, aber trotzdem gleichzeitig noch etwas anderes »wollen«.
2. Sich darüber im Klaren zu sein, was man will, aber sich dem nicht vollständig auszuliefern. Das ist die Fähigkeit, etwas mit leichter Hand zu halten: *Ja, es wäre*

nett, das zu haben, aber mein Glück ist nicht davon abhängig (und das wird noch durch Punkt eins gestützt, weil Sie sowieso glücklich sind, also ist Ihr Glück sicher nicht davon abhängig).

3. Sich bewusst sein, was man will, aber nicht wissen, wie man es bekommen wird. Wenn Sie dem Drang widerstehen können, einen schrittweisen Plan zu entwerfen, und sich stattdessen dafür öffnen können, dass es auf viele unterschiedliche Arten passieren kann, dann öffnen Sie sich damit dafür, dass Ihnen das Leben hilft, es zu erreichen (erinnern Sie sich, dass Erschöpfung ein großes Problem für die Leute ist, die sich auf das fokussieren, was sie wollen). Das bedeutet, dass Sie freier und spontaner sein können. Und es bedeutet, dass Sie wahrscheinlich unterwegs erstaunliche neue Dinge finden können, die wahrscheinlich sowohl das erfüllen, was Sie »brauchen«, als auch das, was Sie »wollen«.

Wenn Sie das ausklügeln können, dann hat auch das Leben Spaß mit Ihnen. Das Leben ist glücklich, weil Sie glücklich sind, also ist der Druck weg (für Sie und für ihn/sie/es). Das Leben ist glücklich, weil die Botschaft klar ist, aber die Möglichkeiten, wie das verwirklicht werden soll, offen sind (das gibt der Erfüllungsabteilung eine viel größere Flexibilität und die Gelegenheit, KREATIV zu sein – und dort liebt man es, kreativ zu sein). Das Leben ist glücklich, weil, wenn es aus irgendeinem Grund in der Erfüllungsabteilung schiefgeht, Sie nicht daran hängen, also ist es in Ordnung.

Alle gewinnen. Das ist Magie.

Ich habe *Fuck It* gesagt – und einen Porsche gekauft

Ich bin Berater. Ich verdiene gut – gut genug, um einen Kredit abzubezahlen, ein schönes Leben zu führen, hin und wieder Urlaub zu machen und ein anständiges Auto zu fahren. Und es war vor ein paar Jahren auf einem *Fuck It*-Retreat, als ich mich tatsächlich entschieden habe, *Fuck It* zu meinem vernünftigen Auto zu sagen. Ich wusste, dass das mein Bankkonto strapazieren würde. Aber ich dachte auch: »Wann, wenn nicht jetzt?« Ich hatte schon immer einen Porsche fahren wollen, also dachte ich, ich sollte den Sprung ins kalte Wasser wagen und es ausprobieren.

Als wir alle am Ende des Retreats zusammen *Fuck It* schrien, fragte ich mich, wie lange all unsere tollen *Fuck It*-Absichten wohl währen würden. Ich fragte mich, wie lange meine währen würde. Um ehrlich zu sein, rechnete ich damit, dass ich noch den ganzen Winter mein vernünftiges Auto auf vernünftigen Straßen fahren würde. Aber dann kam ich heim. Ich ging ins Haus, stellte meine Taschen ab und ehe ich mich's versah, war ich beim Porschehändler vor Ort ...

Dann fuhr ich mein neues Auto. Und das habe ich seitdem beständig gemacht – nicht wahnsinnig vernünftig, aber auf eine ursprüngliche, instinktive Art ungeheuer befriedigend. Im nächsten Sommer ging ich wieder auf einen *Fuck It*-Retreat in Italien. Diesmal in meinem Porsche Roxy. Roxy habe ich immer noch. Sie macht mir jeden Tag Freude. Manchmal muss ich bei den Werkstattrechnungen zweimal hinschauen. Aber das ist es absolut wert. Und ich habe mich von »*Fuck It*, ich kauf einen Porsche« zu »*Fuck It*, ich hab einen Porsche« weiterentwickelt.

Mark Seabright, UK

(Nur eine von 100 *Fuck It*-Geschichten in dem neuen E-Book
I Said Fuck It, erhältlich unter www.thefuckitlife.com/extras.)

= Der *Fuck It*-Zustand

Auf *Fuck It*-Retreats sagen wir den Leuten oft, dass sie das aufschreiben sollen, was in ihren Köpfen vorgeht. Wir bitten sie, schnell zu
schreiben, ohne zu viel darüber nachzudenken oder zu zensieren.
Das nennen wir »brain-drain«.

Und es ist faszinierend, was sie schreiben, obwohl es normalerweise recht grimmig und negativ ist.

Dennoch ist dies wahrscheinlich immer noch kein wahrhaftiger
Einblick in das, was an einem normalen Tag in ihren Köpfen vor sich
geht. Sehen Sie, selbst wenn Sie den »brain-drain« machen und dabei
kein Wort zensieren, sind Sie immerhin doch weit weg von zu Hause
an einem wunderbaren Ort, an dem Sie wenig zu tun haben und sich
1000 oder mehr Kilometer von der Quelle Ihrer Probleme entfernt
befinden.

Und wer kriegt schon einen klaren, unverzerrten Blick auf das, was
in seinem Kopf vorgeht? Wenn Sie nicht regelmäßig meditieren und
an die »Zuschauer«-Haltung, die sich nach einer Weile beim Meditieren einstellt, gewöhnt sind, dann sind Sie sich höchstwahrscheinlich
nicht voll bewusst, was in Ihnen vor sich geht. Es ist schwierig, einen
Gedanken gleichzeitig zu hegen und ihn von außen zu betrachten.

Also, um Ihnen die Mühe dieser mentalen Verrenkung zu ersparen,
lassen Sie mich raten: Meine langjährige Erfahrung sagt mir, dass ich
mir vorstellen kann, was einen Großteil der Zeit über in Ihrem Kopf
herumspukt.

»Alles war so wichtig, sogar die Dinge, die es nicht waren.«

»Ich hatte mich in meinen Gedanken verloren.«

»Ich weiß, ich habe immer nur auf das geschaut, was an meiner Situation und meinem Leben nicht stimmte.«

»Ich war ganz in meinem Kopf und in meinen Gedanken gefangen; ich war mir nicht wirklich dessen bewusst, was um mich herum vorging.«

»Ich verbrachte einen Großteil meiner Zeit damit, über die Vergangenheit oder die Zukunft nachzudenken.«

»Meine Gedanken rasten, wenn ich darüber nachdachte, was ich zu erledigen hatte und wann ich es tun musste.«

»Ich fühlte mich verklemmt – so sehr, dass meine Schultern und mein Nacken wehtaten.«

»Ich war mir nicht wirklich dessen bewusst, was sich in meinem Körper vollzog, ich war nur in meinem Kopf.«

»Ich wusste, dass ich über alles und jeden urteilte … dass die Situation nicht gut war oder dass das, was dieser und jener getan hatte, schrecklich war.«

»Ich konnte schon feststellen, wenn der Moment gekommen war, dass ein trauriger Gedanke auftauchte, aber ich schob ihn weg und machte weiter.«

»Ich war wirklich unglücklich und wütend, ich hätte schreien können.«

»Ich konnte den ganzen Hass und die ganze Negativität in der Welt sehen.«

»Ich plante viel und fokussierte mich, um das zu kriegen, was ich wollte.«

»Ich nahm alles so ernst«

»Ich fühlte mich aufgeregt und ängstlich.«

»Die meisten meiner Gedanken waren dumpf und drehten sich um das Planen und Organisieren von Dingen.«

»Ich fühlte mich allein, so als ob niemand mich verstehen würde.«

Wow, harter Tobak.

Auf *Fuck It*-Retreats führen wir die Teilnehmer durch einen tiefen Entspannungsprozess. Alle werden dabei ziemlich gelassen und ruhig. Manche Leute schlafen ein. Und als Nächstes bitten wir sie aufzuschreiben, wie sie sich während der Entspannungsphase gefühlt und was sie erlebt haben. Sie können das sehr leicht selbst machen (damit Sie's uns auch glauben).

Die Leute sagen folgende Dinge (alles tatsächliche Zitate):

»Es fühlte sich so an, als sei es nicht so wichtig.«

»Ich war mir der Gedanken, die mir durch den Kopf gingen, sehr bewusst, aber es war fast so, als wären sie weit von mir weg.«

»Ich war sehr dankbar dafür, hier zu sein und ich zu sein.«

»Ich fühlte mich sehr präsent bei all dem, was in meinem Kopf und in meinem Körper vor sich ging, aber auch bei den Dingen um mich her, bis zu dem Punkt, dass ich alle Details und die kleinsten Geräusche hören konnte.«

»Ich war ganz präsent.«

»Mein Geist wurde irgendwie leer. Es lief wirklich NICHTS darin ab. Es herrschte einfach nur Leere.«

»Ich fühlte mich entspannter als jemals zuvor in meinem Leben.«

»Ich spürte im ganzen Körper ein prickelndes, warmes Gefühl.«

»Ich hatte dieses Gefühl von Neutralität, dass alles dasselbe ist, nicht gut oder schlecht, sondern einfach nur irgendwie ›ist‹.«

»Ich fühlte mich tatsächlich sehr traurig.«

»Ich fing einfach an zu weinen, aus keinem bestimmten Grund. Ich fühlte, wie die Tränen kamen, und ich ließ sie einfach fließen.«

»Ich spürte dieses unglaubliche Gefühl von LIEBE, für jeden und alles.«

»Ich hatte ein starkes Gefühl von Vertrauen ... dass alles, was ich brauche, zu mir kommen wird.«

»Ich fühlte mich sehr leicht und verspielt.«

»Ich fühlte mich ganz in Sicherheit.«

»Ich hatte ein paar komische Gedanken und Ideen.«

»Ich fühlte mich mit anderen Leuten verbunden, aber auch zu allen anderen Dingen auf dem Planeten, weil ich nur ein Teil des Ganzen bin.«

Nun, wenn Sie »auf Zack« waren (und das ist dann wahrscheinlich mehr der Bereich der ersten Liste als der zweiten, machen Sie sich also keine Sorgen, wenn Sie nicht »auf Zack« waren), dann ist Ihnen vielleicht aufgefallen, dass die Eigenschaften, die auf der zweiten Liste registriert wurden, so ziemlich das Gegenteil von denen auf der ersten Liste waren.

Und wenn Sie wirklich super »auf Zack« waren, dann ist Ihnen auch aufgefallen, dass sie in derselben Reihenfolge kamen.

Und wenn Sie wirklich super super »auf Zack« waren, konnten Sie wahrscheinlich auch einige dieser Eigenschaften mit den vorangegangenen Kapiteln in Verbindung bringen. Also zumindest aus diesen Beobachtungen und Reaktionen lässt sich der Schluss ziehen, dass wir, wenn wir entspannt sind, so ziemlich im entgegengesetzten Zustand sind wie in unserem normalen, arbeitsreichen, alltäglichen Leben.

Denken Sie daran, diese Antworten sind nicht erfunden, sondern stammen von Retreat-Teilnehmern, die wir nach Übungen, die wir über die Jahre ausprobiert haben, um die Eigenschaften dieser beiden »Zustände« zu erforschen, festgehalten haben.

Und »Zustände« ist kein schlechtes Wort in diesem Zusammenhang. Im Qigong nennt man den Zustand, in den man gerät, wenn man zutiefst entspannt ist, den »Qigong-Zustand«. In der Hypnotherapie zielt man darauf, den Klienten in einen entspannteren Zustand zu »induzieren«, indem man ein »Skript« beruhigender Vorschläge und Visualisierungen benutzt; man bezeichnet diesen Zustand als »Zustand der leichten Trance«. Auf *Fuck It*-Retreats nennen wir diesen Zustand den »*Fuck It*-Zustand«.

> Wenn Sie sich in diesem Zustand befinden, sind Sie ganz von selbst sehr *Fuck It*-mäßig: Die Dinge verlieren an Bedeutung und Sie sind vollständig entspannt.

Wenn Sie sich in diesem Zustand befinden, sind Sie ganz von selbst sehr *Fuck It*-mäßig: Die Dinge verlieren an Bedeutung. Sie kümmern Sie nicht so sehr und Sie sind vollständig entspannt.

Ich war schon immer überaus interessiert an diesem Zustand, und zwar aus zwei Gründen:

1. Ich wusste, dass dieser Zustand, weil ich krank war, sehr heilsam und ziemlich wichtig für mich sein würde.
2. Mir war klar, dass dieser Zustand große Kreativität barg. Und weil ich in einer kreativen Branche arbeitete, war auch dieser Aspekt ziemlich wichtig für mich.

Ich habe tatsächlich und wahrscheinlich ohne diesen Zufall zunächst zu bemerken über die Jahre große Streifzüge durch die Felder Qigong (primär wegen des heilerischen Aspekts dieses Zustands) und Hypnotherapie (primär wegen des kreativen Aspekts dieses Zustands) gemacht.

Und …

1. Ich wusste, dass ich, wenn es mir gelänge, willentlich in diesen Zustand zu gelangen, und das auch noch öfter, höchstwahrscheinlich gesund werden würde.
2. Ich wusste, dass ich, wenn es mir gelänge, willentlich in diesen Zustand zu gelangen, und das auch noch öfter, höchstwahrscheinlich in die Lage versetzt werden würde, sehr viel mehr Ideen zu produzieren als bislang.

Auch das faszinierte mich. Ich war in einer Branche (Werbung) tätig, in der die Leute, die die Ideen hervorbrachten, tatsächlich einen Begriff (»ein Kreativer«) geprägt hatten, der normalerweise ein Adjektiv war (»kreativ«). Und wir bekamen ein hübsches Sümmchen dafür gezahlt, (K)kreativ(e) zu sein. Doch gingen äußerst wenige Leute dem Akt des Kreativseins nach oder dem Zustand, der die Kreativität am meisten förderte. Eigentlich war das Gegenteil der Fall. Ich denke, viele kreative Menschen haben Angst davor, der Kreativität zu sehr auf den Grund zu gehen, weil sie fürchten, so die Magie zum Versiegen zu bringen. Ich ging das Risiko ein und stellte fest, dass es einen Grund gab, warum viele von uns Kreativen herumsaßen und Zeitung lasen oder Pool spielten oder es schwierig fanden, in einem Büro zu sitzen, und stattdessen in ein Café oder eine Bar loszogen. Ich erkannte, dass es einen Grund gab, warum mir die meisten meiner besten Ideen unter der Dusche zu kommen schienen oder während ich vom Bahnhof nach Hause ging oder in der Nacht oder wenn ich nicht aktiv über das Problem nachdachte …

Der Grund war, dass die besten Ideen sich erst dann einstellten, wenn ich in einem besonderen, entspannten Zustand war. Und in diesen Zustand kam ich, wenn ich all die oben aufgelisteten Dinge tat, aber selten, wenn ich an einem Schreibtisch saß und auf eine Anweisung auf einem Stück Papier starrte und versuchte, sie zu »knacken«. Selten auch in Meetings. All die Ideen sprudelten außerhalb dieses Raums, den man speziell für kreative Menschen designed hatte, um darin zu sitzen: dem Büro.

Als ich mich mit der Hypnotherapie auseinandergesetzt hatte, verstand ich auf wissenschaftlicher Ebene, wie dieser Zustand funktionierte. Ich wusste, was ich zu tun hatte, um mich in diesen Zustand zu versetzen, und zwar schnell und, das war entscheidend, ÜBERALL. Ironischerweise fand ich eine Möglichkeit, auch an dem Ort kreativ zu werden, an dem die Leute von Anfang an hätten kreativ sein sollen, aber es nicht waren: im Büro.

Und ich spüre eine große metaphysische Pointe in diesem letzten Absatz, die ich zu vermitteln versuchen will, bevor sie verschwindet, um nie wieder gespürt zu werden: Wenn Sie in den *Fuck It*-Zustand kommen, dann geht Ihnen auf, dass es keinen Ort gibt, an den Sie müssen, und nichts, was Sie tun müssen. Sie können in Ihrem Büro bleiben und es ist okay. Sie können in Ihrer Beziehung bleiben und es ist okay. Sie können in Ihrem Leben bleiben und es ist okay. Der Zen-Spruch dazu lautet:»Vor der Erleuchtung: Holz hacken, Wasser tragen. Nach der Erleuchtung: Holz hacken, Wasser tragen.« Was ein wenig an Eindrücklichkeit für die unter uns eingebüßt hat, die tatsächlich eine Menge Zeit damit verbringen, Holz zu hacken und Wasser zu tragen. Also hier das *Fuck It*-Zen-Update:»Vor der Erleuchtung: auf Facebook surfen und mit dem iDings spielen. Nach der Erleuchtung: auf Facebook entspannen und mit dem iDings spielen.«

Nun, dieser jeweils unterschiedliche Zustand ist über die Jahre auf vielerlei Art interpretiert und erklärt worden, aber lassen Sie mich eine Erklärung herausgreifen, von der ich meine, dass Sie sie attraktiv und hilfreich finden werden – die über das Gehirn. Das erlaubt es mir auch, mich der erstaunlichen Geschichte von Jill Bolte Taylor zu bedienen, die, wie ich finde, ganz erstaunlich die Eigenschaften und die Macht des *Fuck It*-Zustands illustriert und Sie wirklich daran erinnern kann, warum es von fundamentaler Bedeutung für Sie ist, diesen Zustand zu erlangen.

JBT (wie ich sie bei mir nenne, auch wenn sie so wie ein Whisky oder eine Baufirma oder sogar wie eine Krankheit klingt) ist Neurophysiologin. Sie war schon immer fasziniert davon, wie das Gehirn funktioniert. Natürlich hatte sie eine bessere Vorstellung davon, was in ihm abläuft, als die meisten von uns, was sich als wirklich glücklicher Umstand erweisen sollte.

Eines Tages wachte sie mit einem scharfen Schmerz hinter ihrem rechten Auge auf. In den folgenden Minuten erlebte sie, während sie ein paar Übungen machte und ins Bad ging, ein eigentümliches Gefühl von Dissoziation; sie sah ihre eigenen Bewegungen wie in einem Film, hatte Probleme, sich fließend zu bewegen und die Balance zu halten, und als sie sich Badewasser einließ, klang das Wassergeräusch für sie wie ein ohrenbetäubendes Brüllen. Sie merkte, dass sie höchstwahrscheinlich einen Schlaganfall hatte. Und als ihr rechter Arm gelähmt herunterfiel und an ihrer Seite hing, hatte sie Gewissheit.

Ihr war klar, dass das Blut langsam ihre linke Gehirnhälfte überflutete und lahmlegte. Sie musste schleunigst Hilfe rufen, aber ihre Fähigkeit, dies zu tun, kam ihr rapide abhanden (sie verlor ihre Erinnerungen, darunter die Erinnerung an ihren Nachbarn in nächster Nähe und an Telefonnummern, die sie anrufen konnte.)

Doch während ihr Körper mehr und mehr abbaute, fühlte sie sich ruhig. Tatsächlich spürte sie ein bemerkenswertes Gefühl von Frieden und »Einssein« mit allem, ein Gefühl der Befreiung, Sammlung und Sicherheit (obwohl sie sich objektiv gesehen in der gefährlichsten Situation ihres Lebens befand).

Sie wusste, dass die Überschwemmung ihrer linken Gehirnhälfte es ihrem Bewusstsein erlaubte, sich in die rechte Gehirnhälfte zu verlagern, mit ihren Worten:

»In Abwesenheit des analytischen Urteilsvermögens meiner linken Gehirnhälfte geriet ich vollständig in eine Trance von Gefühlen der Ruhe, Sicherheit, des Getragenseins der Euphorie und Allwissenheit.«

Ihr Schlaganfall verschaffte ihr, mit anderen Worten, eine bemerkenswerte »spirituelle« Erfahrung: eine Erfahrung von Erleuchtung oder »Nirwana«.

Sie schaffte es übrigens, Hilfe zu rufen (indem sie sich unter größter Konzentration die Nummer eines Arbeitskollegen zusammenreimte). Und sie erholte sich auf höchst bemerkenswerte Weise (durch eigene Anstrengung). Tatsächlich ist die Geschichte ihrer Genesung doppelt interessant: denn sie musste die Entscheidung treffen, ob sie in dem wonnevollen Zustand, in den ihre lahmgelegte linke Gehirnhälfte sie versetzt hatte, bleiben wollte und die Schwierigkeiten, in der Welt zu funktionieren, in Kauf nehmen, oder die linke Seite ihres Gehirns wiederherzustellen, erfolgreich in der Welt unterwegs zu sein, aber den Zustand der Wonne zu verlieren.

Heute lehrt sie die Menschen, wie sie zu einer besseren Balance zwischen den beiden Gehirnhälften finden können, sowie Techniken, mit denen sich die rowdyhafte Dominanz der linken Gehirnhälfte effektiv mäßigen lässt. Ihre größte Einsicht dabei war, dass sie, basierend auf dem Verlust der Funktionen ihrer linken Gehirnhälfte, nun weiß, dass in den neurologischen Schaltkreisen der rechten Gehirnhälfte ein tiefes Gefühl von Frieden verborgen ist. Dieses Gefühl von Frieden ist immer da, wir müssen es nur anzapfen (indem wir die linke Gehirnhälfte beruhigen).

Wow. Bitte lesen Sie ihr Buch *Mit einem Schlag*. Es ist umwerfend. Und es spart Ihnen die Mühe, selbst einen Schlaganfall haben zu müssen, um zu diesem Grad von Einsicht zu gelangen.

Und hier die Pointe … (Ich verlasse die Seite vorzeitig, weil ich nicht will, dass diese massive Pointe, diese erhellende Information wieder so leicht zu finden ist, dass Sie eine Seitenzahl haben, mit der Sie sie finden können.)

So sind wir überhaupt auf die Idee von *Fuck It* gekommen. Nach vielen Jahren, in denen wir diesen Zustand in allen Aspekten (kreative, heilerische, spirituelle etc.) erforscht haben, in denen wir nach leicht zugänglichen Wegen gesucht haben, in diesen Zustand zu kommen und länger in ihm zu bleiben, haben wir ein äußerst simples »Passwort« gefunden, das diesen Zustand sehr schnell erschließen konnte – *Fuck It*. Von all den Wegen auf der Welt, Zugang zu diesem magischen, heilenden, wonnevollen, friedlichen, erleuchteten Zustand zu erhalten, haben wir eine Möglichkeit gefunden, die ein Schimpfwort beinhaltete und die schneller und stärker zu wirken schien als jede andere. Wow!

Seitdem haben wir die Jahre damit verbracht, ein wirklich sehr großes »WOOOOOOOWWW!« von uns zu geben. Wir haben viel Zeit (und viele Worte) auf den Versuch verwendet zu artikulieren, warum das so gut funktioniert. Und auf diesem Weg haben Hunderte, Tausende von Menschen in unser »WOW!« eingestimmt. Die Leute haben in so ziemlich jeder Sprache gesagt: »Wow, dieser profane Ausdruck hilft mir tatsächlich dabei, mich freier zu fühlen, wow.«

Also: Ja, es gibt viele Möglichkeiten, Ihnen dabei zu helfen, den Sprung von der linken in die rechte Gehirnhälfte zu schaffen (darunter die, die linke Gehirnhälfte mit Blut zu überschwemmen), aber es gibt keine stärkere oder schnellere, als *Fuck It* zu sagen.

Das liegt daran, dass *Fuck It* in der englischen Sprache die einzigartige Funktion hat, die Essenz des Zustands, den Sie in der rechten Gehirnhälfte spüren (und denken), zusammenzufassen: nämlich dass die Dinge nicht so wichtig sind.

Fuck It hat in der englischen Sprache die einzigartige Funktion, die Essenz des Zustands, den Sie in der rechten Gehirnhälfte spüren (und denken), zusammenzufassen: nämlich dass die Dinge nicht so wichtig sind.

Wenn Sie sich einen sehr *Fuck It*-mäßigen Menschen vorstellen sollten, würde dies höchstwahrscheinlich jemand sein, der den Großteil der Zeit von der rechten Gehirnhälfte aus agiert (aber natürlich nicht die ganze Zeit: Lesen Sie Ihre Jill Bolte Taylor).

Und man kann so leben. Leben. Nein, nicht mit geschlossenen Augen herumlaufen und Pferde in abschüssigen Feldern finden. Aber es ist möglich, das, was Sie bei so etwas wie freiem Qigong erleben, anzuwenden und in Ihr wirkliches Leben einfließen zu lassen. Sonst würde man es ja kaum »Übung« nennen, oder?

DER GEHEIME ABSCHNITT

Die magischen Techniken destilliert zu den »Magischen Sechs«

Die Magischen Sechs

Einer der Gründe, die uns motiviert haben, dieses Buch zu schreiben, war, den therapeutischen Prozess zu enthüllen, durch den wir die Menschen während einer *Fuck It*-Woche führen. Wir haben diesen Prozess auf den obigen Seiten herausgearbeitet und sind ihm bis in seine Tiefenregionen nachgegangen. In unseren Wochenkursen machen wir es meistens so, dass wir das Programm um einen sechsteiligen, magischen *Fuck It*-Prozess herum aufbauen. Tatsächlich haben wir unser Programm so breit ausgeführt, dass wir der Meinung waren, es sei vielleicht sinnvoll, alles nochmals für Sie als Neuling in der *Fuck It*-Welt zusammenzufassen und zu destillieren. Und das machen wir im »geheimen Abschnitt« – deswegen ist dieser Abschnitt auch nicht im Inhaltsverzeichnis aufgelistet. Wir haben sogar die Seitenzahlen weggelassen, um jedem eine Nase zu drehen, der versucht, sich mittels Seitenverweisen Stellenanmerkungen zu notieren. Das dreht außerdem uns eine Nase, wenn wir Bücher signieren, weil wir normalerweise zufällig eine Seite aufschlagen, als ob wir eine Tarotkarte ziehen würden, um Sie jemandem als Geschenk anzubieten. Oft trifft das den Nagel auf den Kopf.

(Lassen Sie mich für einen Augenblick zu den Büchern abschweifen, die wir schreiben. Wenn Sie mir gegenüber eine bestimmte Geschichte oder einen bestimmten Abschnitt erwähnen und ich verwirrt schaue, dann liegt das daran, weil ich mich nicht erinnere, es geschrieben zu haben, manchmal, weil es schon eine Weile her ist, manchmal aber auch, weil ich einfach vergesslich bin. Erst letzte Woche haben mir zwei Leute gesagt: »Ich fand *Fuck It* toll, der einzige Teil, mit dem ich zu kämpfen hatte, war da, wo Sie sagen, dass es okay ist zu rauchen.« Es ist okay zu rauchen? Was, ich habe das gesagt? Warum sollte ich das sagen? Ich rauche nicht. Rauchen ist ganz offensichtlich gefährlich – für mich und für die Leute um mich herum. Warum sollte ich sagen, dass es okay ist zu rauchen? Gibt es jemanden im Redaktionsteam, der insgeheim von einem Tabakgiganten gesponsort wurde, wenn er positive Bemerkungen über das Rauchen in den Text hineinschummelt? Hat da jemand gedacht: »Aha, *Fuck It* ist das perfekte Medium für meine Pro-Tabak- Botschaft. Bei all diesen spirituellen Büchern über Heilung ist es extrem schwierig, so eine Bemerkung einzubauen, aber Parkin wird es gefallen, yeah, sag *Fuck It* und rauch dich zu Tode, das wird den Lesern gefallen.«

Nun, ich habe es soeben nachgeschlagen. In dem Kapitel »Sagen Sie *Fuck It* zu Krankheiten und Schmerzen« sage ich:

…

»Worauf ich hinaus wollte, war natürlich, dass Entspannung und Aufgeben überraschende Effekte haben können, weil es Ihnen nicht mehr so wichtig ist, und das selbst bei Sachen, die sich ungesund ausnehmen.«

Ich meinte damit nicht, dass Rauchen gut ist. Es ist vermutlich besser, wenn Sie nicht rauchen, keine Drogen nehmen, nicht bewusst anderen Leuten Schaden zufügen, nicht in Liften furzen, nicht sagen, dass Ihnen das Essen nicht schmeckt, das jemand anderes für Sie gekocht hat, und jemandem nicht mit einer Knoblauchfahne ins Gesicht rülpsen.

Wenn Sie jetzt in fünf Jahren daherkommen und sagen: »John, ich fand *Die Fuck It-Lösung* toll, aber ich hatte damit zu kämpfen, dass du gesagt hast, es ist falsch, in Aufzügen zu furzen, weil ich unter chronischer Flatulenz leide und ich das nicht willentlich unterdrücken kann, es passiert einfach, und zwar ständig, und statt mir einen orthopädischen Korken in den Hintern zu schieben, sage ich lieber *Fuck It* und lass es raus, sodass ich entspannt damit umgehen kann«, dann kriegen Sie einen Knoblauchrülpser ins Gesicht. Ich nehme tatsächlich in meiner Tasche immer ein bisschen Knoblauch zu Autogrammstunden mit. Wenn Sie mit etwas daherkommen, was nicht für Sie funktioniert hat, dann mache ich einfach kurz Pause, nehme mir den Knoblauch, kaue ein bisschen darauf herum, trinke dann ein Glas Wasser mit Kohlensäure und rülpse Sie an.)

Das ist das Bermudadreieck der *Fuck It*-Lösung. Betreten dieses magischen, fokussierten, destillierten Bereiches auf eigene Gefahr.

Das ist das Bermudadreieck der *Fuck It*-Lösung. Die destillierten magischen Techniken sind so machtvoll, dass Sie diesen Abschnitt sicher nicht mehr als derselbe Mensch verlassen werden, als der Sie eingetreten sind. Vielleicht kommen Sie überhaupt nicht mehr heraus. Oder wenn Sie es tun, tragen Sie vielleicht eine nigelnagelneue Uniform eines Bomberpiloten aus dem Zweiten Weltkrieg.

Es kann gut sein, dass dies für Sie der Abschnitt des Buches mit den meisten Eselsohren wird.

Und wo wir schon von Eselsohren bzw. Eselsbrücken reden: Die Magischen Sechs sind so leicht zu merken, dass Sie sie fast an einer Hand abzählen können. Tatsächlich hatten wir eine Teilnehmerin, die so scharf darauf war, die Magischen Sechs an einer Hand abzählen zu können, dass sie sich in einer Operation einen Finger von der linken Hand entfernen und dann an der rechten wieder annähen ließ. Sie fragen sich jetzt, wo der hingekommen ist, nicht wahr? Gute Frage. Sie ließ ihn direkt zwischen ihrem Ringfinger und ihrem Mittelfinger annähen. Um ehrlich zu sein, bin ich der Meinung, dass es, sowohl im Hinblick auf die Kosten als auch auf die Schmerzen, die Sache nicht wert war. Das macht es ihr nämlich de facto unmöglich, ihren »Ringfinger« zu identifizieren. Ist es der Finger, der zuvor ihr Ringfinger war? Oder ist es der zusätzliche Finger, der sich jetzt direkt neben dem Mittelfinger befindet? Ich weiß nicht, ob es ihr je gelingen wird, diese Frage zu klären.

1. Sich Öffnen

Öffnen Sie sich für neue Möglichkeiten. Öffnen Sie sich dafür, dass sich das Leben auf eine Art entwickelt, die Sie nie für möglich gehalten hätten.

2. Entspannen

Entspannen Sie Ihren Körper. Entspannen Sie Ihren Geist. Machen Sie ein paar tiefe Atemzüge und fühlen Sie, wie sich die Spannung auflöst, wenn Sie sehr langsam ausatmen. Entspannen Sie bewusst jeden Teil Ihres Körpers.

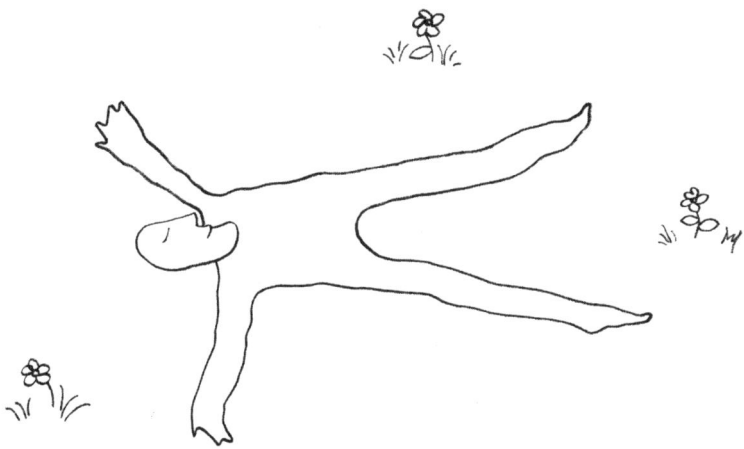

3. Perspektivenwechsel

Schon allein das Einnehmen einer Perspektive ist ein Perspektivenwechsel. Machen Sie sich klar, dass die Dinge, über die Sie sich Sorgen machen, im großen Schema der Dinge keine so gewichtige Rolle spielen.

4. Einstimmen

Machen Sie sich klar, was auf jeder Ebene bei Ihnen abläuft, und fühlen Sie es richtig, ohne es zu beurteilen oder zu ignorieren.

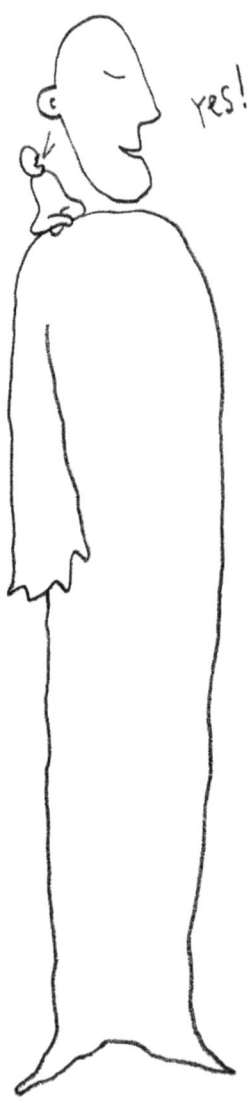

5. Vertrauen

Vertrauen Sie dem, was Sie spüren, wenn Sie sich einstimmen, bzw. darauf, dass die Botschaften, die Sie bekommen, wenn Sie sich einstimmen (zum Beispiel »Ich bin müde«) wertvoll und wahr sind. Lassen Sie ihnen die gleiche Aufmerksamkeit zukommen wie den Worten eines legendären Gurus.

6. Folgen

Folgen Sie dem, was auch immer sich richtig anfühlt, nachdem Sie sich einmal eingestimmt haben. Wenn Sie darauf vertrauen, dass Bewegung oder Fühlen genug ist, dann werden Sie das fühlen und in Ihrem Leben voll zum Ausdruck bringen.

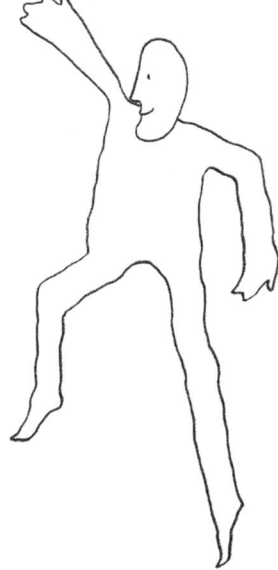

Tägliches Üben mit den Magischen Sechs

Fangen Sie damit an, die Magischen Sechs zum Teil Ihrer täglichen Übungen zu machen. Sie können die Anweisungen für das Qigong im Kapitel »Energetisieren« ab S. 165 verwenden, um ein Gespür dafür zu entwickeln, wie sich das Qi anfühlt. Dann können Sie anfangen, richtig mit spontanem Qigong zu spielen.

Wenn Sie die Magischen Sechs benutzen, geht das etwa so: Legen Sie ein bisschen Musik auf und stehen Sie still.

Öffnen Sie sich für die Möglichkeit, dass in den nächsten 20 Minuten Erstaunliches passieren könnte, etwa dass sich eine dramatische Veränderung in Ihrem Leben vollzieht.

Entspannen Sie Ihren ganzen Körper; benutzen Sie dabei die Atmung, wenn nötig.

Wechseln Sie die Perspektive, wenn Sie feststellen, dass Sie hier etwas anzapfen, das Sie nicht ganz verstehen, dass das Leben oder die Heilung vielleicht nicht so funktionieren, wie Sie gedacht oder geglaubt hätten.

Stimmen Sie sich ein auf das, was in Ihnen vorgeht. Machen Sie das, indem Sie sich die Frage stellen: Was würde ich gern tun?

Vertrauen Sie darauf, dass die Botschaften, die bei Ihnen ankommen (zum Beispiel »Schüttele deinen Arm«) wertvoll sind.

Folgen Sie dieser Botschaft – gehen Sie los und tun Sie, was sie Ihnen sagt. (Also schütteln Sie zum Beispiel Ihren Arm).

Durchlaufen Sie diesen Prozess, bis Sie beim Üben nicht mehr darüber nachdenken müssen. Sie werden einfach nur dastehen und dann schließlich dem Qi folgen.

Die Magie dieser Praxis werden Sie bald genug erkennen.

Und wenn Sie so weiterüben, dann können Sie regelrecht dabei zuschauen, wie sich die Magie in Ihr Leben ausbreitet. Wenn Sie wollen, benutzen Sie die sechs magischen Schritte bewusst. Aber bald wird das ganz natürlich vor sich gehen (obwohl es höchstwahrscheinlich so ist, dass allem, was Sie tun, sowieso ein Prozess im Sinn der Magischen Sechs zugrundeliegt).

Im Kapitel »Draußen Leben – Frei sein« (Das Fuck It-Leben leben) in Teil 8 auf den Seiten 270 gehen wir der Frage nach, wie ein Leben dieser Art aussehen kann.

TEIL 7
BESCHOSSEN WERDEN UND
TROTZDEM ÜBERLEBEN

(Wie man *Fuck It* zur Meinung anderer sagt)

Wer wird auf Sie schießen?

Nun, man würde ja gerne glauben, also in Anbetracht der Tatsache, dass Sie in einer Art Gefängnis waren und das nicht gerade angenehm für Sie war und Sie jetzt versuchen, Frieden in Ihrem Leben zu finden, aus dem Gefängnis zu entkommen, dass Sie die Macht und Magie von *Fuck It* benutzen, um Freiheit, Frische und Frohsinn in Ihr Leben zu bringen ... man würde gerne glauben, dass die Menschen um Sie her Sie unterstützen, nein, sogar Ihr edles Streben nach Freiheit mit einem ordentlichen Applaus würdigen.

Man würde gerne glauben, dass die Leute von dem neuen Leben, das Sie in sich sehen, inspiriert würden, dass sie Sie fragen würden, was passiert ist und was Sie getan haben, und dass sie dann anfangen, in ihrem Leben ähnliche Veränderungen vorzunehmen.

Man würde gerne glauben, dass Sie in Ihrer Gemeinde ein lokales Vorbild werden, auf das die Leute zeigen und über das sie ehrfürchtig flüstern: »Er hat es geschafft, aus dem Gefängnis, in dem wir alle sitzen, auszubrechen, er hatte den Mut, *Fuck It* zu sagen und den Ausbruchsversuch zu wagen.« Die Leute würden Ihnen dann überallhin folgen und hoffen, dass dieses köstliche Gefühl von Freiheit, das Sie mit sich tragen, auf sie abfärbt, nur weil sie in Ihrer Nähe sind. Sie wären dann so etwas wie der Rattenfänger von *Fuck It*. Man würde es gerne glauben.

Und manchmal passiert es auch. Viele Leute, die auf *Fuck It*-Retreats kommen, besuchen uns, weil sie einen Freund hatten, der einmal da war, und sie nicht glauben konnten, wie sehr er sich nach nur einer Woche verändert hatte … und das wollten auch sie erleben, egal, was es war, was ihren Freund umtrieb, sodass sie selbst eine Woche buchten. Leute, die auf *Fuck It*-Retreats waren, schicken uns E-Mails, in denen sie schreiben, wie verblüfft die Leute über ihre Veränderung sind – dass sie anders aussehen, dass sie ruhiger sind, dass sie mehr Zeit zu haben scheinen etc.

> Viele Leute, die auf *Fuck It*-Retreats kommen, besuchen uns, weil sie einen Freund hatten, der einmal da war, und sie nicht glauben konnten, wie sehr er sich nach nur einer Woche verändert hatte …

Aber es ist nicht immer so.

Sehen Sie, wenn Sie den Ausbruchsversuch in die Freiheit machen, dann erinnert das tendenziell alle anderen, dass sie nicht frei sind. Und die Leute im Gefängnis, die dazu neigen, nicht zu sehr an diese Tatsache zu denken, werden nicht unbedingt gern daran erinnert.

Schauen wir uns ein Beispiel an. Sie arbeiten, obwohl Sie Ihren Job nicht mögen, weil Sie einen Kredit abzahlen müssen. Sie müssen einen Kredit abzahlen, weil Sie irgendwo wohnen müssen und Sie das Geld nicht in Form von Miete zum Fenster rausschmeißen wollten. Sie brauchen einen Platz zum Leben, der noch obendrein angenehm ist, und in Ihrer Stadt hat ein angenehmer Wohnort seinen Preis, und das bedeutet, dass Ihr Kredit ziemlich hoch ist. Sie haben also auch nicht die Möglichkeit, den Job zu wechseln, denn jeder Einschnitt bei Ihrem Gehalt wäre tödlich für Ihre Fähigkeit, den Kredit abzuzahlen. Und die Situation ist bei Ihren Arbeitskollegen recht ähnlich. Viele stecken vielleicht sogar noch stärker fest als Sie, auch wenn sie es nicht mögen, schließlich haben sie alle Familien. Und diese Situation oder eine ähnliche gibt es in jedem Büro, jedem Geschäft, jeder Fabrik, jedem Krankenhaus und jedem Bordell in der Stadt, in der Sie leben. Jeder hat sich irgendwie damit abgefunden.

Außer Ihnen. Sie haben entschieden, dass es Sie umbringt, einen Job zu machen, den Sie nicht mögen. Das Leben ist kurz und wertvoll und Sie verschwenden es, indem Sie 43 Stunden die Woche etwas tun, das nichts mit Ihnen zu tun hat. Sie hatten einmal Träume. Sie wollten Sängerin oder Schauspielerin werden. Aber das erste Ablehnungsschreiben von einer Schauspielschule, bei der Sie sich mit 18 beworben hatten, schreckte Sie ab. Jetzt sind Sie 38 und leben das ereignislose Drama eines unerfüllten Lebens, eine Schauspielerin ohne Publikum, die das Leben einer anderen lebt.

Genug.

Sie fangen an, im Internet nach Schauspielschulen zu suchen. Es jagt Ihnen einen Schauer über den Rücken, sich diese Seiten auch nur anzuschauen. Der Gedanke, drei Jahre damit zuzubringen, das Schauspielen zu lernen, zu spielen und mit interessanten Leuten in Kontakt zu kommen, erzeugt bei Ihnen ein rauschhaftes Gefühl. Sie sagen *Fuck It* und bewerben sich bei drei Schulen, darunter der besten von ganz London, Großbritannien und wahrscheinlich der ganzen Welt, auf der viele berühmte Schauspieler ihr Handwerk gelernt haben. Sie benutzen die Tricks, die Sie über *Fuck It*-Manifestation gelernt haben (Anziehen) und Sie fokussieren sich auf das, was Sie wollen, aber Sie halten es nicht zu fest. Sie wissen, dass sich Ihnen magisch eine andere Route öffnen wird, wenn diese nicht funktioniert.

Sechs Wochen später, nach Interviews und Vorsprechen, bekommen Sie einen Platz an der besten Schauspielschule der Welt. Der Kurs beginnt in drei Monaten, im September.

Sie sagen *Fuck It*, kündigen mit einem Monat Vorlauf und beginnen, einen Riesentrip für die freien zwei Monate zu planen.

Und man würde gern glauben, dass sich nun alle mit Ihnen freuen und Sie bewundern, nicht wahr? Und manch einer tut es auch:

Betreff: WOW!!!!!
Sarah,
Wow! Jenny hat mir gesagt, dass du im RADA aufgenommen worden bist und auf Weltreise gehst. Teufel noch mal, wow! Riesengratulation. Ich bin so neidisch. Hast du noch Platz für jemand Kleinen in deinem Koffer? LOL.
Annie xx

Und

Betreff: Glückspilz
S.
WTF? Wie kommt es denn dazu? Tu mir das nicht an. Lass mich nicht mit dem notgeilen Lenny im Bürobedarf-Schrank sitzen. Das ist einfach gemein. Du bist eine Heldin ... vorwärts.
Mit den besten, neidischen Grüßen
T x

Aber es gibt auch andere:

Betreff: Deine Neuigkeiten
Hey Sarah,
hier ist dein Bruder. Mama hat mir von den Neuigkeiten in deinem Leben erzählt. Wow. Das ist ja eine ganz schöne Veränderung. Du kennst mich. Ich persönlich bin ganz dafür, seinen Träumen zu folgen (warum würde ich sonst wohl für Goldman Sachs arbeiten?), aber ist das nicht ein bisschen extrem?
Mama und Papa sind auch besorgt. Du hast doch mit dem Kauf deiner Eigentumswohnung so einen geschickten Schachzug gemacht, warum willst du die jetzt verbrennen? Weißt du, wie viele Schauspieler es da draußen gibt, die um jeden Job kämpfen? Und du hattest doch schon einen Job!

Ich versteh es wirklich nicht, aber du musst dein Leben so führen, wie du es für richtig hältst.

Aber bitte ruf bei Mama und Papa an, die machen sich Sorgen.

x David

Und

Betreff: Deine Entscheidung

Sarah,

hier ist Phil. Ich habe mit den anderen Direktoren über deine Entscheidung, uns zu verlassen und wieder auf die Schule zu gehen gesprochen und wir alle sind sehr enttäuscht. Du warst ein wertvolles Teammitglied und wir werden dich vermissen. Insgeheim hoffen wir, dass du deinen Fehler einsehen wirst und deine Meinung änderst. So das passiert, wartet hier immer ein Schreibtisch auf dich. Tatsächlich hat mich Cliff an eine andere vielversprechende Managerin erinnert, die Künstlerin werden wollte. Sie ist ebenfalls wieder auf die Schule gegangen, in der Hoffnung, das zu tun, was sie liebte und in der Kunstwelt groß rauszukommen ... und jetzt hat Cliff gehört, dass sie bei irgendeiner Firma in der Stadt Zeitarbeit macht. Autsch! Natürlich wünschen wir dir das Beste und hoffen, dass für dich in der Welt der Schauspieler alles gut geht.

Phil

Und dann gibt es immer noch ein paar äußerst ehrliche Zeitgenossen

Betreff: Wahnsinnige ausgebrochen

Sarah,

du weißt ja, dass ich dich liebe wie verrückt, habe ich immer getan, ABER WAS ZUM TEUFEL MACHST DU?

Ich habe Freunde, die für deinen Job und dein Gehalt töten würden. Und deine Wohnung ist einfach nur SCHÖN.

Warum wirfst du das alles weg? Für die Chance auf eine Rolle in einer Polizeiserie?

Hast du die Schwachsinnstabletten genommen? Sorry, ich weiß, dass das harsch klingt, aber irgendjemand muss dir ja den Kopf zurechtsetzen. Ruf mich an. Schreib mir eine SMS. Denk um und beruhige mich.

Lieber Himmel.

Tanny x

Wie man nicht getroffen wird

Ein Schlüsselaspekt der *Fuck It*-Lösung ist, sich nicht so sehr um die Meinung anderer zu kümmern.

Immer wenn wir unsere *Fuck It*-Retreats veranstalten, ist eine der wichtigsten Sachen, die die Leute davon abhält, das zu tun, was sie wollen, die Angst davor, was andere denken und sagen werden.

Das ist deshalb ein Schlüsselaspekt des *Fuck It*-Lösungsprozesses, weil die Schritte, die Sie ergreifen, um freier zu werden, voraussetzen, dass Sie sorgfältiger auf das hören, was Sie tief drinnen wollen. Bei einem Großteil des Prozesses geht es um Folgendes: sich öffnen, entspannen, sich einstimmen, ein besseres Bewusstsein für die eigenen Gefühle entwickeln, wirklich auf die Botschaften hören, die Sie bekommen, auf diese Botschaften vertrauen und schließlich (Ihrem Herzen) folgen. Es geht vor allem um einen Perspektivenwechsel: darum, sich von dem, was Ihre Familie, Ihre Freunde, die Schule, die Arbeit, die Gesellschaft von Ihnen erwarten, und dem, was Sie tun zu sollen glauben, hin zu dem zu orientieren, was Sie gerne tun würden und wer Sie gerne wären.

Gesetzt den Fall, dass Sie lange auf das gehört haben, was andere denken, wird es ganz klar schwierig für Sie werden, wenn Sie hinsichtlich dessen, was Sie wollen, einige Schlüsse ziehen, die von denen abweichen, die andere in Bezug auf Sie ziehen. Das kann hart werden. Jedenfalls wird es höchstwahrscheinlich eine Dissonanz geben (wie wären Sie sonst schon in dem Gefängnis gelandet, in dem Sie waren?). Was beim *Fuck It*-Lösungsprozess passiert, ist, dass Sie den Botschaften, die von außerhalb Ihrer selbst kommen (Eltern, Freunde, Lehrer, Anführer, Politiker, Stars etc.) viel weniger Bedeutung beimessen und mehr Wert auf die Botschaften legen, die aus Ihnen kommen.

Stellen Sie sich Folgendes vor: Sie sind in einem Zimmer voller Erwachsener – eine Cocktailparty vielleicht. Es ist recht laut, wirklich jeder redet, so hat es jedenfalls den Anschein. Alle haben eine Meinung, die sie unbedingt unters Volk bringen wollen. Jeder hat eine Geschichte, die er gern erzählt. Von fast allen unbemerkt hat sich ein vielleicht fünfjähriges Mädchen ins Zimmer geschlichen. Sie ist so klein, dass niemand außer Ihnen sie sieht. Weil sie so leise ist, hört sie auch niemand, wenn sie redet, nicht einmal Sie. Es ist wirklich laut auf der Party. Sie versuchen, näher an das Mädchen heranzukommen. Sie redet weiter. Es ist klar, dass sie etwas sagen will. Bald stehen Sie neben ihr. Sie lehnen sich hinunter, um zu hören, was sie sagt. Sie hören ein paar Worte: »Ich wollte nur sagen, dass ...« Aber der Lärm im Raum ist zu stark, um mehr zu verstehen. Sie bitten sie, eine Sekunde zu warten. Sie stehen auf und sagen zu den Erwachsenen so laut Sie es mit normaler Stimme, ohne zu schreien, können:

»Entschuldigung, Entschuldigung ... sorry ... bitte einen Moment Ruhe. Bitte seien Sie nur kurz still.« Nach einer Weile wird es leise. »Entschuldigung, aber hier ist ein kleines Mädchen, und es möchte etwas sagen ... bitte, jetzt kannst du.«

Und das Mädchen redet. Was Sie sagt, ist für Sie bestimmt. Oder Sie glauben es zumindest. Es berührt Sie zutiefst. Auf diese Weise bemerken Sie, dass Sie bislang alles falsch gemacht haben. Dass sogar Ihre Anwesenheit in diesem überfüllten Raum falsch ist. Sie fühlen sich traurig und fröhlich zugleich. Sie danken diesem Mädchen aus ganzem Herzen. Sie versprechen ihr, dass Sie immer, wenn sie etwas sagen will, nicht nur zuhören, sondern auch alle anderen zum Schweigen bringen werden, sodass Sie genau hören können, was sie sagt. Aber trotzdem verlassen Sie den Raum, weil es dort drin zu laut ist und Sie überhaupt nicht wissen, warum Sie überhaupt anwesend waren bei all diesen aufgeblasenen, meinungsbeladenen Leuten.

Das ist die *Fuck It*-Lösung. Sie müssen den Lärm zum Schweigen bringen, um zu hören, was die kleine Stimme in Ihrem Innern sagt. Sie müssen dieser Stimme sorgfältig zuhören und ihr einen Wert beimessen. Dann müssen Sie demgemäß handeln, und das bedeutet im Normalfall, dass Sie entweder die Stimmen der anderen lauten Erwachsenen in dem Raum leise halten oder ganz hinaus müssen.

Sie müssen, mit anderen Worten, im großen Stil *Fuck It* zu dem sagen, was andere über Sie denken und reden.

Natürlich bedeutet das nicht, dass Sie alles ignorieren werden, was jemand anderes Ihnen sagt, so wie ein rebellischer Teenager jedes Mal »Bullshit« sagt, wenn jemand redet. Wir meinen damit, die Sache wieder auszubalancieren. Wenn Sie erst einmal besser auf das eingestimmt sind, was in Ihnen vor sich geht und was Sie im Leben wirklich wollen, dann können Sie das, was »da draußen« geredet wird, von einer anderen Warte aus hören. Tatsächlich werden ja auch viele, unendlich wunderbare Dinge gesagt, die Ihnen helfen können, beständig in Freiheit zu bleiben. Und wenn sich das mit dem koordiniert, was Sie wollen, können Ihnen diese externen Stimmen auf Ihrem gesamten Weg weiterhelfen. Wir reden hier von einer Verlagerung des Schwerpunkts oder der Perspektive, und zwar einer dramatischen: Erst nehmen Botschaften von außen den größten Stellenwert ein, was sich dann ändert, sodass nun die

> Sie müssen im großen Stil *Fuck It* zu dem sagen, was andere über Sie denken und reden.

Botschaften aus dem Inneren den größten Wert haben (wenn Sie genau genug zuhören). Das ist, wenn Sie so wollen, die »innere Reise«, von der spirituelle Menschen immer sprechen. Es ist das, wenn Ihnen das lieber ist, Hören auf die innere Stimme oder Ihr höheres Selbst. Es ist Ihr Instinkt. Oder Gott. Oder das intelligente Energiefeld, das alles durchdringt. Egal, was es ist, Sie müssen sich weniger um das kümmern, was »da draußen« vor sich geht, um sich einzustimmen, und dem Wert beimessen, was »da drinnen« gesagt wird.

Und die einfachen Worte »*Fuck It*« werden in dieser Beziehung wie ein magischer Schild. Immer wenn Sie Botschaften hören, die versuchen, Sie wieder zurück in Ihre Kiste zu scheuchen, zurück ins Gefängnis – die Angst schürenden, Risiko vermeidenden Folge-der-Menge-Stimmen – und sich das nicht richtig für Sie anfühlt, dann sagen Sie *Fuck It* und hören Sie weiter auf Ihren inneren Weg, vertrauen und folgen Sie ihm. Sie können sich, wenn Sie wollen, vorstellen, wie Sie von einem magischen *Fuck It*-Schild umgeben sind, der die Pfeile der Angst, die man auf Sie schießt, abwehrt, wenn Sie den Ausbruch in die Freiheit wagen.

Gaias magische Worte

»Ich will nicht.«
Wie fühlt es sich an, diese Zeile zu lesen?
»Ich will nicht.«
Wann haben Sie diesen Satz das letzte Mal gesagt?
Ein wunderbare Frau aus einer meiner Gruppen ertappte sich dabei, wie sie das mitten in einer Stunde sagte. Es klang wie die vergessene Stimme eines kleinen Mädchens.
Wie viele Dinge gibt es nicht, die wir nicht tun oder sein wollen!
Als Kinder sagen wir das. Wir haben uns Gehör verschafft, so sehr

wir nur konnten. *Immer wenn etwas nicht zu unserem Rhythmus oder unserer Welt passte ... »Ich will nicht.«*

Sehen Sie, dieses magische Kind hat seinen eigenen Rhythmus, seine eigene verblüffende Weisheit, ein Wissen, das nicht auf Wissen basiert, und es braucht keinen Daumen im Kreuz, sondern einfach nur Liebe und Sicherheit. Stattdessen meinen die Erwachsenen, dass ihre Rolle darin bestünde, den Kindern Lektionen zu erteilen und ihnen zu diktieren, wie sie zu sein haben. Und so hält das magische Kind irgendwann den Mund und es bleiben Tausende »Ich will nicht« ungesagt.

Und doch ist es, wenn man sich mit jemandem unterhält, so, dass es endlos viele Dinge gibt, die das Gegenüber nicht will, aber über die man sich nicht zu reden traut, ja, die man sich nicht einmal zu fühlen traut.

Das liegt an unserer Kultur des »lächelnden Ertragens«. Die Leute sagen: »Wir müssen erwachsen werden, genug mit dem Kind-Sein«, sodass wir heranwachsen müssen; wir müssen der Welt und unseren Pflichten ins Gesicht schauen; wir müssen zusehen, dass diese Erwachsen-sein-Geschichte funktioniert. Wir können keine Kinder sein; wir können nicht sagen: »Ich will nicht.«

Aber wir haben vergessen, dass das Kind ein integraler Bestandteil unserer selbst ist. Heranwachsen bedeutet nicht, das Kind aufzugeben. Es kann bedeuten, alles zu haben: das magische Kind UND den tüchtigen Erwachsenen.

Aber das magische Kind kommt auch mit einer Dosis Schmerz und Bedürfnissen daher, sodass wir die Magie aufgeben, in der Hoffnung, so auch den Schmerz und die Bedürfnisse loszuwerden. Die Wirklichkeit holt uns dann dennoch ein und die Unterdrückung endet damit, dass wir uns eher abgeschnitten fühlen.

Daher ist es an der Zeit, dass wir uns zugestehen zu sagen: »Ich will nicht«, und dem magischen Kind etwas Platz schaffen. Der Schmerz ist nur vorhanden, weil die Leute diesem Kind nicht zu-

gehört haben. Also, werden Sie dasselbe tun? Nicht zuhören? Das Kind sind Sie selbst. Und wenn Sie aufhören, es zu ignorieren, realisieren Sie, dass es eine ganze Welt von Selbstliebe, Selbstrespekt, Staunen und Magie, Intuition und Introspektion gibt, die Sie vergessen haben, weil Sie dachten, Sie könnten nicht »Ich will nicht« sagen.

Wenn man getroffen wird

Es wird natürlich Zeiten geben, in denen das, was andere Leute sagen und denken, Ihnen an die Nieren geht (Sie fragen sich jetzt vielleicht, woher Sie wissen sollen, was andere Leute denken, wenn sie es nicht sagen, aber Sie wissen es, Sie wissen, dass Sie es wissen.), besonders dann, wenn Sie diese Leute lieben und ihre Meinung schätzen. Wie bei Ihrem fiktiven Gefängnisausbruch gibt es auch hier mehrere Möglichkeiten, was Sie tun können:

Rückzug oder Deckung

Sie sehen ein, was für Sie nicht funktioniert, Sie haben Ihren Fluchtplan entworfen und angefangen, ihn durchzuführen. Und alle um Sie her denken, Sie seien verrückt. Und das macht Ihnen zu schaffen. Nun, machen Sie ein bisschen Pause. Springen Sie noch nicht. Geben Sie der Sache etwas Zeit. Gehen Sie alles nochmals durch. Sie haben alle Zeit der Welt und es gibt wahrscheinlich mehr als eine Möglichkeit, das Pferd aufzuzäumen, Sie müssen nicht alle Eier in einen Korb geben und Ihre Brücken hinter sich verbrennen etc. Immerhin ist der Spatz in der Hand mehr wert als die Taube auf dem Dach, der frühe Vogel fängt den Wurm und man kann einem alten

Fuchs neue Tricks beibringen (die drei letzten habe ich willkürlich eingestreut, als mir klar wurde, dass die Leute, die das Buch übersetzen, voller Schreck zurückzucken werden, wenn Sie sehen, dass ich ein paar idiosynkratische Idiome verwende, die wenig mit der ursprünglichen Pointe zu tun haben).

Der Prozess des Ausbrechens aus den gewohnten Bahnen gefolgt von einem Rückzug ist äußerst natürlich. Machen Sie ihn sich also zunutze, so machen wir immerhin in den meisten Bereichen unseres Lebens Fortschritte. Dafür gibt es Fernsehen und Pizza vom Lieferservice. Sie brauchen das Yin des Rückzugs um das Yang des Ausbruchs auszubalancieren.

Holen Sie sich professionelle Hilfe

Ein Ausbruch in die Freiheit kann sich oft nach einer sehr einsamen Sache anfühlen. Also holen Sie sich Hilfe. Finden Sie einen Führer – jemanden, der versteht, was Sie durchmachen und was Sie zu tun versuchen, und Ihnen von einem objektiven Standpunkt aus helfen kann (zum Beispiel jemand, der nichts davon hat, wenn Sie genau da bleiben, wo Sie sind und der bleiben, der Sie sind). Es gibt auch viele »Führer« in Bücherregalen oder im Internet – Lehrer (wie wir), die Ihnen auf unterschiedlichste Weise auf den unterschiedlichen Stadien Ihrer Reise in die Freiheit helfen können. Und was Sie von einem Führer oder Lehrer brauchen, kann sich durchaus mit Ihren Fortschritten wandeln. Öffnen Sie sich der Idee, dass Hilfe auf den Plan treten wird, wenn Sie sie brauchen.

Halten Sie durch

Dranbleiben. Niemand hat gesagt, dass es leicht wird. Vertrauen Sie weiter auf sich selbst. Sie befinden sich auf einer wenig befahrenen Straße und genau deshalb ist sie uneben und nicht besonders gut gepflegt. Sie kann ruckelig, voller Schlaglöcher und schwer passierbar sein. Manchmal sehen Sie nicht einmal, wo genau sie langführt. Sie vergessen sogar, warum Sie diesen Weg überhaupt eingeschlagen haben. Aber es ist schwer umzukehren. Tatsächlich ist der Rückweg genauso holprig und zerfurcht. Ruhen Sie sich hin und wieder aus., Benutzen Sie Ihr Herz und Ihren Bauch als Kompass, dann können Sie sich an die eingeschlagene Richtung halten und Sie können letztendlich nicht in die Irre gehen.

Hinlegen und sich tot stellen

Kennen Sie jemanden, der sich so verhält: Sie bitten ihn, etwas zu tun, das Ihnen helfen und Ihre Beziehung verbessern würde, und er antwortet, dass er das natürlich machen wird und dass er Sie völlig versteht und es ihm leidtut, dass sein Verhalten Ihnen Schwierigkeiten bereitet hat ... und dann benimmt sich dieser jemand genauso wie vorher? Sie reden nochmals mit ihm. Und er reagiert erneut verständnisvoll und positiv. Aber schlussendlich ändert sich wiederum rein gar nichts. So ein Verhalten ist verwirrend.

Es ist das Äquivalent vom Sich-tot-Stellen. Wenn Sie mit dieser Person reden, gibt es keinen Widerstand, nur Zustimmung. Aber wenn Sie weggehen, macht sie genauso weiter wie bisher. Ganz so, als würden Sie sich einem liegenden Körper nähern, der keine Anzeichen von Atmung und keine Bewegung zeigt. Aber sobald Sie ihm den Rücken zuwenden und weggehen, steht er auf und fängt an zu tanzen – bis Sie sich umdrehen und ihn ansehen. Dann fällt er wieder auf den Boden und ist »tot«.

Das ist irritierend, aber es kann sehr effektiv sein. Sie können also Folgendes ausprobieren: Wenn jemand an Sie herantritt und seine Besorgnis oder seine Nichtübereinstimmung mit Ihnen zum Ausdruck bringt, sitzen Sie ruhig da und stimmen allem, was er sagt, zu und Sie verstehen völlig, was er sagt. Aber Sie fügen nicht das »Aber«

hinzu, das im Normalfall als Nächstes kommt. Sie bieten keinen Widerstand. Sie lassen es so aussehen, als hätte der Betreffende Ihnen geholfen, Ihren Irrweg zu erkennen, und Sie gingen aus dieser hilfreichen Konversation davon und machten alles rückgängig.

Aber in Wirklichkeit ändern Sie gar nichts. Sie verfolgen weiter wie gehabt Ihr Ziel, auszubrechen. Wenn dieser jemand wieder zu Ihnen kommt und verwirrt ist, weil Sie doch nichts geändert haben, benutzen Sie dieselbe Taktik und stimmen Sie völlig mit ihm überein, aber tun wiederum nichts.

Nach ein paar Runden dieses Verhaltens wird man Sie in Ruhe lassen. Das ist weder für Sie noch für Ihren Gesprächspartner unangenehm. Aber Sie haben erreicht, was Sie wollten (nämlich in Ruhe gelassen zu werden). Es ist ironisch genug, dass die Reaktion, die Sie mit der größten Wahrscheinlichkeit bei diesen Leuten auslösen werden, ein mildes »Ach, *Fuck It*« ist. Sie werden das Gefühl haben, es versucht zu haben, dass sie ihre Pflicht getan haben, aber dass es die Sache einfach nicht wert ist. Sie werden Sie in Ruhe lassen, aber sich dann für Sie freuen, wenn alles gut geht. Es kann – was eigentümlich genug ist – durchaus vorkommen, dass sie das Gefühl haben, Teil dieses Prozesses gewesen zu sein.

TEIL 8
DRAUSSEN LEBEN – FREI SEIN

(Das *Fuck It*-Leben leben)

Frei sein und das Ankommen in einer Stadt, in der Sie vergessen, weswegen Sie gekommen sind

In einer meiner bleibenden Kindheitserinnerungen betritt meine Mutter irgendwie zielstrebig einen Raum, hält dann inne und sagt: »Was wollte ich hier noch gleich?« Das passiert uns allen, besonders wenn wir älter werden. Ich wollte eigentlich »traurigerweise« hinter »das passiert uns allen« setzen. Aber dann habe ich vergessen, was ich schreiben wollte. Nein. Nein. Eigentlich finde ich das nicht traurig. Es bedeutet lediglich, dass man etwas mehr im Haus herumgeht, und das ist nicht schlecht. Ich steige manchmal die zwei Stockwerke von meinem Büro ins Parterre hinunter, um mir etwas zu holen, das ich brauche, und gehe dann zurück an meinen Schreibtisch, um festzustellen, dass ich mit etwas zurückgekommen bin, was ich eigentlich gar nicht holen wollte (normalerweise Essen) und völlig vergessen habe, was ich eigentlich wollte (irgendetwas, das nichts mit Essen zu tun hat). Es bedeutet einfach nur, dass ich etwas mehr Training absolvieren muss (was dann wieder hilft, die Kalorien von den ungewollten Essensstreifzügen zu verbrennen).

Außerdem ist es auch deshalb nicht traurig, weil es mich an eine wunderbare universelle Wahrheit erinnert: Wir alle finden uns in dieser Sache, die wir Leben nennen, wieder und sagen an einem bestimmten Punkt: »Was wollte ich hier noch gleich?« Sehen Sie, wir gehen davon aus, dass wir wegen irgendetwas hierhergekommen sind, uns aber nicht erinnern können, was es war. Dann streifen wir langsam, aber immer noch verzweifelt, im Zimmer herum und versuchen herauszubekommen, was das noch gleich war. Manche von uns versuchen, sich selbst davon zu überzeugen, dass sie sich daran erinnern (»Ah ja, ich bin wegen der Schere gekommen, ja, das war es, ich bin definitiv wegen der Schere hergekommen, weil, ja, ich muss unten etwas Papier zurechtschneiden, das ist es«). Manche von uns glauben, sich zu erinnern, sind sich dann aber nicht sicher, gehen weiter herum und schauen (»Ah, aber war es wirklich die Schere, wegen der ich gekommen bin?… Ich weiß, dass ich unten etwas Papier zurechtschneiden muss, aber das kann nicht der einzige Grund sein, warum ich hergekommen bin, es muss bestimmt noch etwas anderes, etwas Wichtigeres geben«). Manche von uns haben keine Vorstellung, weswegen sie gekommen sind, und es ist ihnen auch nicht wirklich wichtig, es ist einfach nur in Ordnung und nicht weltbewegend wichtig, im Zimmer zu sein, und man lässt auf sich zukommen, was man dort findet.

Nun kann es natürlich sein, dass Sie wegen etwas Bestimmtem gekommen sind, aber es einfach vergessen haben. In diesem Fall, wenn es tatsächlich die Schere war: gut gemacht. Nun, gut gemacht, dass Sie an die Schere gedacht haben, aber vielleicht waren noch eine Menge anderer Dinge im Raum, die Sie verpasst haben, weil Sie sich einfach die Schere geschnappt haben und wieder nach unten gerannt sind. Wenn Sie definitiv wegen etwas gekommen sind, aber wirklich nicht mehr wissen, weswegen, und aus diesem Grund in dem Zimmer wirklich nicht glücklich werden, bis Sie herausgekriegt haben, was es ist, obwohl Sie die Schere schon in der Hand haben, dann ist Ihr Leben wahrscheinlich recht anstrengend. Aber Sie könnten argumentieren, dass Sie ohnehin nie glücklich werden würden, bis Sie herausgefunden hätten, was es ist, gesetzt den Fall, dass Sie tatsächlich wegen etwas Bestimmtem gekommen sind.

Im Gegensatz zu Pascal jedoch, der behauptete, es sei logisch gesehen besser, an Gott zu glauben, da, wenn es sich herausstellt, dass es Gott gibt, Sie gerettet sind, anstatt nicht an ihn zu glauben und die Chance zu riskieren, dass Sie, wenn es Gott gibt, verdammt sind (was eigentlich nur ein Kosmisches Auf-Nummer-sicher-Gehen ist), im Gegensatz zu Pascal jedoch bevorzuge ich es, das Risiko einzugehen, keine Lüge zu leben, um mir eine »mögliche« zukünftige Erlösung zu sichern, sondern mich einfach der Möglichkeit zu öffnen, dass, nur weil ich vergessen habe, weswegen ich hergekommen bin, ich vielleicht gar nicht wegen etwas Bestimmtem hergekommen bin und ich neugierig bin, was es hier denn so gibt; vielleicht geht mir dabei auf, dass ich wegen etwas Bestimmtem gekommen bin, vielleicht auch nicht; oder vielleicht realisiere ich das und ändere meine Meinung, um dann festzustellen, dass ich die ganze Zeit unrecht hatte, aber genieße dennoch den ganzen Prozess meiner Unwissenheit und des Staunens über das Dasein (oder Dortsein).

Also haben wir ein Happy End. Mutter kam zielstrebig ins Zimmer, hielt inne und sagte: »Was wollte ich hier noch gleich?« Dann überlegte sie kurz und sagte: »Ach, ich weiß es nicht. Oh, hallo John, warum spielen wir nicht etwas miteinander?« Und das taten wir. Ich spiele noch immer weiter. Von nun an bis in Ewigkeit. Amen.

Frei sein in der Arbeitsstadt

Was haben Sie für ein Bild vor Augen, wenn Sie das Wort »Arbeitsstadt« hören? Sehen Sie eine industrielle Stadt vor sich, voller Fabriken, Ruß und Rauch, mit erschöpften, an Obdachlose erinnernden Gestalten, die zu ihren aufreibenden, dreckigen Jobs schlurfen, die ihnen zu wenig geben, aber zu viel abverlangen? Sehen Sie eine Stadt voller Büros, in der die Pendler jeden Morgen zusammengepfercht werden, um pünktlich um neun Uhr morgens im Büro zu sein und einen Arbeitstag zu beginnen, der darin besteht, auf Tastaturen herumzutippen oder sich in Meetings wichtig zu machen? Sehen Sie eine Stadt voller Leute in Heimbüros, Gleitzeitarbeitern, die an Laptops in Starbucks sitzen und Skype-Konferenzen an ihren Smartphones abhalten und die Arbeit ihrem Leben anpassen und nicht umgekehrt, die sich Arbeitsclubs, privaten Clubs, Fitnessstudios und Club Lounges anschließen und sie wieder verlassen und passives Einkommen über E-Business und kluge Investitionen generieren?

Sehen Sie Arbeit als etwas Unangenehmes, das Sie tun und tolerieren müssen, damit Sie Geld verdienen können, um für Ihren Lebensunterhalt aufzukommen? Sehnen Sie das Ende der Arbeitsstunden, die Wochenenden, Zahltage und den Urlaub herbei?

Oder lieben Sie Ihre Arbeit? Verschafft Ihre Arbeit Ihnen so viel Befriedigung, dass Sie auch gern noch am Abend arbeiten, an Wochenenden und dafür den Urlaub sausen lassen? Wollen Sie, dass ich aufhöre, so viele Fragen zu stellen – angesichts der Tatsache, dass ich Ihre Antwort nicht hören kann? Oh, kommen Sie, nur noch ein paar …

Müssen Sie weiterhin Geld verdienen, um leben zu können?

Müssen Sie so viel verdienen, wie Sie momentan verdienen, um leben zu können?

Es gibt ein paar Menschen, die auf die erste Frage mit »Nein« antworten können; die paar glücklichen, die ihren Lebensstandard (sei dieser nun höher oder niedriger) aufrechterhalten können, ohne jemals wieder einen Pfennig zu verdienen. Es gibt nicht viele von ihnen da draußen, aber herauszukriegen, was sie mit ihrer Zeit und ihrem Leben anfangen wollen, ist für sie eine ebenso gehaltvolle Frage wie für die anderen 99 Prozent.

Und bei den anderen 99 Prozent bin ich mir ziemlich sicher, dass viele von ihnen sich verkleinern könnten, wenn sie wirklich wollten oder müssten.

Das ist also unser Ausgangspunkt für die Frage nach der Arbeit: Nehmen Sie Ihren Ansatz bei der Arbeit unter die Lupe, Ihre Annahmen und all Ihre Vorstellungen über Geld und Lifestyle. Eigentlich eine Kleinigkeit.

Oder Sie könnten so anfangen:

Was täten Sie LIEBEND gern?

Wenn Sie kein Geld verdienen müssten, um zu leben, was würden Sie dann machen? Wie würden Sie Ihre Zeit verbringen?

Wenn Sie eine Lotterie gewinnen würden, die Ihnen genug Geld brächte, um Ihren momentanen Lebensstil, sagen wir, über zwei Jahre aufrechtzuerhalten, was würden Sie dann mit Ihrer Zeit machen?

Schreiben Sie sich die Antwort auf. Sie könnten sich sogar ein kleines Notizbuch kaufen oder eine Seite auf Ihrer Smartphone-Notizbuch-App aufmachen und sie »WAS ICH LIEBEND GERN TUE« nennen. Zensieren Sie sich dabei nicht. Sie versuchen nicht auszuarbeiten, ob Sie damit Geld verdienen können. Noch nicht. Sie schreiben einfach nur alles auf.

Ich mache das ständig. Und ich mache es jetzt. Ich mache jetzt LIVE ein paar Notizen zu dem, was ich LIEBEND GERN TUE.

- Ich höre liebend gern laute Musik, wenn ich allein im Auto unterwegs bin.
- Ich wecke morgens liebend gern unsere Jungs mit demselben Spruch »Guten Morgen, meine schönen Jungs!« auf und höre, wie sie sich stöhnend beschweren (sowohl darüber, geweckt zu werden, wie auch über meinen immer gleichen Spruch).

- Ich liebe es, wenn mir Ideen für neue Projekte kommen.
- Ich mache liebend gern Qigong.
- Ich gehe liebend gern mit Gaia in Urbino essen.
- Ich mache liebend gern Musik, die ich dann den Leuten in den Gruppen vorspiele, ohne dass sie wissen, dass sie von mir ist.
- Ich gehe liebend gern spazieren.
- Ich mache mir liebend gern Dinge über mich selbst oder das Leben oder das Wesen der Dinge klar.
- Ich schreibe liebend gern Dinge, die die Leute lesen können.
- Ich bringe die Leute liebend gern zum Lachen.
- Ich bringe die Leute liebend gern zum Nachdenken.
- Ich gehe liebend gern schwimmen im warmen Meer.
- Ich liebe den Winter und bin immer traurig, wenn er vorbei ist.
- Ich liebe den Sommer und bin immer traurig, wenn er vorbei ist.
- Ich gehe liebend gern mit meiner Schwester und unseren Verwandten chinesisch essen.
- Ich liebe meine Trips nach London, das Übernachten in Hotels und den Trubel der Stadt.
- Ich liebe Sie.
- Ich liebe mich selbst.
- Ich bin liebend gern gesund und fühle mich liebend gern ganz und gar lebendig.
- Ich fühle mich liebend gern müde und steige dann ins Bett.
- Ich liebe es zuzusehen, wie die Bedeutung der Dinge mit der Zeit klarer wird.

⚮ Ich falle liebend gern in die Beliebigkeit des Ganzen zurück.

⚮ Ich spiele liebend gern Fußball mit den Jungs.

⚮ Ich gebe liebend gern Radiointerviews.

⚮ Ich werde liebend gern dafür bezahlt, etwas zu machen, was ich liebend gern tue.

Okay, ich habe das weder zensiert noch editiert.

Zensieren oder editieren auch Sie Ihre Liste nicht (selbst wenn ganz oben steht:»Ich masturbiere liebend gern«). Regen Sie sich nicht auf, wenn ganz oben keine lohnenden Dinge (oder Leute) stehen. Wenn Sie im Kapitel»Das Durchbrechen der Mauer aus Fantasielosigkeit« ein bisschen Zeit darauf verwendet haben, sich all die Arten vorzustellen, wie Sie Ihre Zeit gern verbringen würden, dann ist es jetzt an der Zeit, das aufzuschreiben, was Ihnen in den Sinn kommt, wenn es Ihnen in den Sinn kommt. Machen Sie schnell.

Sie können ein paar Wochen damit verbringen, wenn Sie Lust haben. Behalten Sie Ihr Notizbuch/Smartphone bei sich, sodass Sie immer etwas hinzufügen können. Ich habe das schon oft gemacht und ich füge immer ziemlich viel hinzu, denn mir ist klar geworden, dass ich im Lauf meines Lebens viele wichtige Dinge vergessen habe, die ich wirklich liebend gern tue.

Und so gewinnen Sie, indem Sie das tun, eine umfassende Vorstellung davon, was Sie mit Ihrem Leben gern anstellen würden. Auch Sie werden sich wahrscheinlich an Dinge erinnern, die Sie liebend gern getan haben, aber nicht länger tun. Ich habe diese Übung vor ein paar Jahren gemacht und realisiert, dass ich, als ich jünger war, WIRKLICH liebend gern Musik gemacht habe (auf der Gitarre). In diesem Moment realisierte ich, dass ich ja wieder Musik machen könnte, und zwar diesmal nicht auf der Gitarre, sondern digital – ich konnte die Musik, die ich liebend gern hörte (Electronica) selbst machen. Super. Ich brauchte eine Weile, um den Umgang mit der nötigen Software zu lernen, aber schließlich hatte ich mir erarbeitet, wie es geht. Ich habe es geliebt und liebe es noch. Und bald verdiene ich damit* auch noch Geld.

Und so kommen wir zur nächsten Frage: Können Sie Geld mit dem verdienen, was Sie liebend gern tun? Wenn Sie nun antworten, dass Sie kein Geld mit dem verdienen wollen, was Sie liebend gern tun, weil das die Dinge, die Sie so gern tun, für Sie ruinieren würde, dann springen Sie bitte zurück zum Beginn dieses Kapitels und untersuchen Sie Ihre Beziehung zu Arbeit und Geld.

Die Idee, um die es mir hier geht, ist, so Ihnen das bisher entgangen ist, Geld zu verdienen (seien das nun größere oder kleinere Beträge, ganz abhängig vom gewünschten Lebensstandard) mit Dingen, die Sie liebend gern tun.

Und es braucht einiges an *Fuck It* und an »*Fuck It*, ich will das nicht für den Rest meines Lebens machen« und an »*Fuck It*, ich kriege das hin« und an »*Fuck It*, es ist mir gleich, was ihr alle sagt, ich mache das jetzt«.

Ja, ich weiß, Sie schauen auf Ihre Liste und fragen sich: Wie kann ich Geld damit verdienen, Blumen nach Ikebana-Mustern zu stecken? oder … Modelle von Gießkannen aus Streichhölzern zu bauen?

Aber man kann mit so ziemlich allem Geld verdienen, besonders wenn man es liebend gern tut.

Zuerst mal der zweite Punkt: Wenn Sie etwas liebend gern tun, dann gehen Sie mit ganzer Kraft ans Werk; es macht Ihnen Freude, das zu tun, und das fällt den Leuten auf. Sie verdienen Geld, sobald andere Leute wollen, was Sie geben können. Und die Wahrscheinlichkeit ist größer, dass sie wollen, was Sie geben können, wenn sie das Gefühl haben, dass es aus Ihrem Herzen und Ihrer Leidenschaft kommt.

---

* *Fuck It*-Musik anhören können Sie unter www.thefuckitlife.com.

Ein einfaches Beispiel: Sie gehen in ein Eisenwarengeschäft, um eine Zange zu kaufen. Hinter dem Tresen steht ein schmuddeliger Jugendlicher und hört auf seinem iDings irgendeinen Club-Hop. Sie fragen ihn: »Entschuldigen Sie, ich würde gern Fork Handles, eine Zange, kaufen haben Sie da zufällig welche?« Plötzlich bemerkt er, dass Sie da sind. Er nimmt die Kopfhörer ab und fragt: »Was?« Also wiederholen Sie Ihre Frage. Er antwortet: »Weiß nich, wahrscheinlich nicht, eine Spange gibt's vielleicht im Schmuckgeschäft, probier's mal da, Kumpel.« Sie verstehen seine Antwort nicht, sind aber recht verärgert, besonders wegen seiner allzu vertraulichen Verwendung des Wortes »Kumpel«, und gehen.

Vergleichen Sie das mit der Erfahrung, die Sie mit dem Typen gemacht hätten, der den Großteil seines Erwachsenenlebens in einer Fabrik gearbeitet und immer davon geträumt hat, eine Eisenwarenhandlung zu besitzen. Eisenwarengeschäfte waren seine große Liebe – oh, ein Geschäft zu haben, das so viele nützliche Dinge für die Leute auf Lager hat! Er liebte einfach die Vorstellung von Regalen über Regalen voll mit Werkzeugen, Schrauben, Rollen von Klebeband, Schlüsselrohlingen, Griffen und anderen nützlichen Dingen. Als er also in der Fabrik entlassen wird, investierte er seine Abfindung, um eine eigene Eisenwarenhandlung aufzumachen.

Und dann steht er hinter der Theke und poliert seine altmodische Kasse, bis Sie hereinkommen:

»Entschuldigen Sie, ich suche eine Zange, haben Sie da zufällig welche?«

»Natürlich, mein Herr. Darf ich fragen, an welche Größe Sie denken?«

»Nun, ich denke, einfach eine normale Zange.«

»Und was darf es genau sein? Klein oder groß, kurz und kräftig, weiß oder farbig, wir haben so viele, mein Herr? Darf ich Ihnen eine Auswahl zeigen, aus der Sie sich das passende Gerät aussuchen können?«

»Ja, vielen Dank, das wäre wunderbar.«

Sie sind höchst erfreut über diesen Ladenbesitzer und seine offene, freundliche Art. Und natürlich wollen Sie von ihm eine Zange kaufen. Als er dann mit einer Auswahl an Candles [Kerzen] wiederkommt, sind Sie verwirrt. Doch die Verwirrung lässt sich schnell auflösen. Sie haben »Fork Handles« gesagt, er dachte, Sie meinen »Four Candles«. Sie müssen beide lachen. Und Sie bezahlen für Ihre vier Fork Handles, die es neuerdings auch in Kerzenform gibt, sodass Sie an Ihrem Geburtstag auch noch den Kuchen mit ihnen dekorieren und sie ausblasen können, während Sie gleichzeitig mit einer normalen Gabel über den Kuchen herfallen.

Nun als Zweites zum ersten Punkt: Es ist möglich, mit so ziemlich allem Geld zu verdienen – besonders mit einer Bandbreite moderner Technologien (man kann Dinge flott produzieren, die Dinge flott bekannt machen und dann auch noch die flotten Sachen an flotte Leute auf der ganzen Welt ausliefern). Kombinieren Sie diese flotten Technologien mit etwas Fantasie und Sie können sich ziemlich schnell in einer Situation wiederfinden, in der Sie das tun, was Sie lieben, und damit auch noch Geld verdienen. Wenn Sie genug Geld damit verdient haben, um zu wissen, dass Sie nicht länger das tun müssen, was Sie nicht so gern tun, obwohl Sie es getan haben, um Geld zu verdienen, können Sie aufhören, das zu machen, was Sie nicht so gern tun, und stattdessen das machen, was Sie liebend gern tun. Und das ist gut.

Hier die Formel:

1. Finden Sie heraus, was Sie liebend gern tun.
2. Benutzen Sie Ihre Fantasie, um Möglichkeiten zu finden, mit dem, was Sie liebend gern tun, Geld zu verdienen.
3. Benutzen Sie flotte Technologien, um das Ganze umzusetzen.

Wenn Ihnen keine Idee kommt, wie man Geld damit verdienen kann, dann legen Sie sich hin und träumen Sie noch ein bisschen, reden Sie mit Freunden … irgendwo ist die Antwort verborgen … Sie müssen sie nur zu sich kommen lassen.

Sie können das. Kommen Sie schon. Sprechen Sie mir nach:

»*Fuck It*, ich kann und werde von dem leben, was ich liebend gern tue. Und dabei werde ich allen Menschen, die ich kenne, zeigen, dass es auch ihnen möglich ist, von dem zu leben, was sie gern tun. Bis irgendwann die ganze Welt das macht, was sie liebend gern tut, und davon leben kann.«

Ich verdiene Geld mit dem, was ich liebend gern tue. Gaia verdient Geld mit dem, was sie liebend gern tut. Dazu gehört, wie es der Zufall will, anderen Leuten beizubringen, wie man sagt: »*Fuck It*, ich werde mit dem Geld verdienen, was ich liebend gern tue.« Großartig, oder?!

Frei sein in der Geldstadt

In der Geldstadt frei zu sein, ist nicht leicht. Das ist ein Ort voller Blendwerk, wo aller Reichtum, den Sie sich nur vorstellen können, es Ihnen erlaubt, ein Leben zu führen, von dem Sie momentan nur träumen können.

In der Geldstadt werden die, die wenig haben, von denen, die genug oder mehr haben, ständig daran erinnert, dass Geld entscheidend ist: Geld verdienen, Geld anhäufen, Geld ausgeben. In der Geldstadt ist es das Geld, das Ihnen Wert verleiht. Angesichts der Tatsache, dass Geld die Währung für alles (darunter auch Selbstwertgefühl) ist, fühlen sich die Leute, die aus der Währungsschleife gefallen sind, furchtbar. Stets blicken sie mit Neid auf die, die Geld haben. Natürlich gibt es ältere Leute, die sich an frühere Zeiten erinnern, bevor das Geld die Herrschaft übernahm, als die Leute auch ohne zufrieden waren und es ihnen nichts ausmachte, nicht in dieser Schleife zu hängen. Tatsächlich empfanden sie es als ein wenig vulgär, in dieser Schleife zu hängen. Aber das ganze System in der Geldstadt dient dazu, die Idee zu verstärken, dass Geld eine Rolle spielt. Immerhin ist die Stadt danach benannt. Also spielt Geld eine Rolle. Das muss so sein. Wenn es keine Rolle spielen würde, dann würde weniger davon zirkulieren. Und wo würden die Bewohner der Geldstadt dann bleiben?

Aber auch für die Menschen in der Schleife ist das Leben nicht leicht, für die, die das Geld und damit Zugang zu all den Wundern der Geldstadt haben, die nur Geld kaufen kann. Natürlich, die haben einen tollen Lebensstil. Aber sie sehen, dass Leute ohne Geld in den Schatten der Stadt lauern: schmutzige, verzweifelte, hoffnungslose Seelen. Und sie haben in jedem Augenblick Angst davor, dass auch sie ihr Geld verlieren und in den Schatten landen könnten. Sie fürchten darüber hinaus, nicht genug zu haben, weil es immer neue Leute gibt, die in die Stadt kommen und auch Geld scheffeln wollen, und weil es ältere Leute gibt, die an ihrem Geld kleben und es nicht in die Schleife fließen lassen. Beides ist bedrohlich. Es kann doch gar nicht genug Geldfluss geben, wo so viele neue Leute es begehren und so viele Alte es horten.

Gibt es also glückliche Menschen in der Geldstadt? Ist das Geld an allem schuld? Oder zieht die Geldstadt einfach nur unglückliche Leute an, die dann dem Geld die Schuld dafür geben, dass sie unglücklich sind?

Nun, natürlich sind ein paar der glücklichen Leute auf diesem Planeten einfach aus der Geldstadt ausgezogen. Sie haben entschieden, die Sache sei es nicht wert, sich so viele Sorgen zu machen, also sind sie an Orte gezogen, an denen sie nicht jeden Tag daran erinnert werden, wie wichtig Geld ist. Oder sie haben ihre hochbezahlten Jobs aufgegeben und entschieden, dass sie mit weniger leben könnten, und haben die Stadt verlassen, um das Leben zu genießen, statt sich einen Lebensunterhalt zu verdienen.

Aber die überraschende Neuigkeit ist, dass es viele Leute in der Geldstadt gibt, die glücklich *sind*. Es gibt jene, die nicht viel haben und trotzdem das, was sie haben, genießen und den Erfolg der anderen feiern, selbst wenn die anderen viel mehr haben als sie selbst. Es gibt jene, die unvorstellbar viel haben und jeden Cent voll genießen, aber trotzdem nicht daran hängen. Sie wissen, dass Geld keine SO große Rolle spielt, und sie würden wahrscheinlich auch mit weniger zurechtkommen. Tatsächlich sehen sie im Geldverdienen eine Art Spiel.

WO LEBEN SIE?

Es ist nicht leicht, in der Geldstadt frei zu sein, aber es ist möglich.

In unserem Kreis von Freunden und Bekannten habe ich Leute aus allen Bereichen der Geldstadt kennengelernt, aber auch viele Leute, die die Stadt verlassen haben.

Unser Interesse liegt, trotz der Tatsache, dass unsere Gesellschaft von Geld dominiert wird, nicht darin, sich dem zu verschließen oder auszusteigen, sondern zu sehen, wie es möglich sein kann, mit Geld frei zu sein. Wie ist es möglich, in Sachen Geld *Fuck It* zu sagen?

Wie ist es möglich, Geld und alles, was es mit sich bringt, zu genießen, ohne daran anzuhaften und sein Sklave zu werden?

Ich weiß es nicht. Also gehen wir weiter zum nächsten Kapitel »Wie man einen Hamsterkäfig ausmistet«.

Doch, eigentlich weiß ich es schon, keine Sorge.

Was meine Geldgeschichte ist? Nun, meine Eltern kommen aus eher bescheidenen Verhältnissen. Sie arbeiteten hart und erreichten es, ein »sehr bequemes« (das war die Antwort meiner Mutter, als ich sie als Kind fragte »Mama, sind wir reich?«) Zuhause und Leben für uns zu schaffen. Wir wussten, dass wir Glück hatten. Und wir alle mochten das, was man mit Geld kaufen konnte: Ein schönes Zuhause, ein großer Fernseher, Urlaube, Essen im Restaurant etc. (Ich weiß, dass das heute ein wenig seltsam klingt, aber das war zu der Zeit, als ein Essen im Restaurant wirklich etwas Besonderes war.) Aber da waren auch Schuldgefühle. Wir waren eine christliche Familie. Und auch wenn es schön war, zum Beispiel in einem schicken Auto mit Ledersitzen zur Kirche zu fahren, fühlte man da einen Missklang.

So bin ich aufgewachsen. Später ging ich auf die Universität und dann ins Arbeitsleben. Ich dachte, ich hätte eine sehr gesunde Einstellung zum Geld: Ich glaubte, dass, wenn ich das täte, was ich wirklich mochte, das Geld bald folgen würde. Ich verurteilte die, die nur für das Geld arbeiteten, und jene, die ihren Reichtum demonstrativ zur Schau stellten. Aber ich weiß, ich wollte es immer noch »sehr bequem« haben. Ich entschied mich, keine akademische Karriere zu verfolgen, weil ich sehen wollte, wie ich in der wirklichen Welt zurechtkäme (und dazu gehörte auch, echtes Geld zu verdienen). Und schon relativ früh lief es für mich recht gut. Ich hatte einen spannenden Job, bei dem ich machen konnte, was ich wirklich liebend gern tat, nämlich schreiben und Ideen sprudeln lassen, und das zahlte sich aus.

Aber in mir war ein Konflikt, und manchmal wusste ich das. Ich wollte ein größeres Gehalt und alles, was man damit kaufen konnte (eine größere Wohnung, ein besseres Auto, etwas Sicherheit, vielleicht sogar »Freiheit«). Doch ich hielt Geld auch für etwas Vulgäres. Ich arbeitete nur bei Projekten mit, an die ich glaubte, und machte mir sogar selbst weis, dass ich mit ein paar der Dinge, die ich tat, etwas Entscheidendes bewirkte. Wie in dem Umfeld, in dem ich aufgewachsen war, war auch in mir ein stetiger Missklang, die Sehnsucht nach etwas, das doch stets von Schuld begleitet wurde.

Ein paar Jahre Schnellvorlauf. Gaia und ich entschieden uns, unseren gut bezahlten Jobs und der ganzen Sicherheit den Rücken zu kehren, um ein Retreat-Zentrum in Italien zu gründen. Wir wollten ein einfacheres Leben auf dem Land führen und das tun, was wir von Herzen liebten – holistische Disziplinen praktizieren und lehren. Wir packten unsere Habseligkeiten in einen Campingwagen (darunter auch unsere ein Jahr alten Zwillinge) und fuhren nach Italien, um einen Platz für das Zentrum zu finden. Wir fanden den perfekten Ort bemerkenswert schnell: einen Hügel in der Nähe von Urbino mit zwei verlassenen Bauernhäusern darauf. Also begannen wir zu planen, wie wir den Fleck kaufen, renovieren und dort ein Retreat-Center einrichten konnten.

Ein paar Monate später fuhren wir nach London zurück, um ein bisschen Geld zu verdienen. Wir lebten in einer Einzimmerwohnung in Balham. Gaia gab Einzelstunden in Atemtechniken in der Wohnung und ich fuhr die Jungs im Kinderwagen im Park spazieren.

Und in dieser Zeit arbeiteten wir die Details aus, wie das ganze Projekt funktionieren sollte. Ich musste einen Geschäftsplan erstellen (was ich noch nie getan hatte) und wir mussten Geld auftreiben (so viel wie noch nie zuvor). Ich wurde nervös. Wir hatten das Gefühl, wir würden unglaublich viel Geld brauchen. Und wie der Blitz schoss es mir in diesem Moment durch den Kopf, dass ich Schwierigkeiten mit Geld hatte. Mir wurde klar, dass ich Geld gegenüber misstrauisch war, obwohl ich einen Haufen davon brauchte, um unseren Plan vom »einfacheren Leben« in die Tat umzusetzen. Außerdem stellte ich fest, dass ich es gleichzeitig wollte und nicht wollte. Ich wollte es, aber es war vulgär. Ich wollte es zu meinen Bedingungen. Ich beurteilte die anderen Leute, die Geld hatten, einzig und allein nach den Begriffen, die ich in Sachen Geld kreiert hatte: Es ist okay, welches zu haben, solange man nicht zu viel damit herumklimpert und man es dafür verwendet, »etwas auf die Seite zu legen«. Ich konnte plötzlich all die Widersprüche und Blockaden und Themen spüren, die mich persönlich im Hinblick auf Geld umtrieben.

Also entschied ich, es sei an der Zeit, das zu klären. Ich schrieb Dutzende positiver Sätze über Geld: Sätze, von denen ich voll und ganz wusste, dass sie von meinen Geld-Glaubenssätzen abwichen, Sätze, die gegen jede moralische Logik verstießen. Ich überlegte mir (wie Sie sehen werden) Sätze, die gegen jedes ökonomische Gesetz verstießen, das man mir beigebracht hatte (besonders da wir auf einem Planeten mit beschränkten Ressourcen leben).

Das sah etwa so aus:

- ⚹ Das Geld kommt von allen Seiten zu uns.
- ⚹ Es gibt einen Haufen Geld, der die Runde macht.
- ⚹ Ich liebe das Geld und das Geld liebt mich.
- ⚹ Wir ziehen mehr als genug Geld für unser Retreat-Projekt und unsere privaten Bedürfnisse an.
- ⚹ Ich feiere alle Leute, die Geld haben, als Seelen des Überflusses.

Und so weiter.

Beurteilen Sie das nicht.

Okay, also tippte ich diese Affirmationen in meiner winzigen Wohnung in meinen Laptop, druckte sie aus und klebte sie überall an die Wand im Wohnzimmer. Ich fing an, die Sprüche zu wiederholen und erbarmungslos laut vorzulesen. Ich ermunterte auch Gaia, es so zu machen. Unsere 18 Monate alten Jungs habe ich nicht dazu gezwungen (es hätte ja passieren können, dass jemand die Fürsorge anruft – »Die Parkins indoktrinieren die Babys mit positiver Geldpsychologie, es ist WIDERLICH«).

Am nächsten Tag machte ich wie üblich einen Spaziergang mit den Jungs, während Gaia wieder jemandem half, seine Angst zu überwinden oder was auch immer, und ich musste wegen einer Besorgung zur Post. Als ich anhielt, um die Tür aufzuziehen und den Wagen mit den Jungs hindurchzumanövrieren, sah ich zu Boden, und dort lag eine 20-Pfund-Note. Ich hob sie auf. Ich steckte sie nicht sofort ein. Ich sah mich um, um zu sehen, ob jemand aus dem Postgebäude herauskäme und nach einem verlorenen Geldschein suchte. Aber niemand kam. Also behielt ich ihn. Es funktionierte SCHON JETZT. Das Geld kam aus allen Richtungen zu mir. Wow. Ich hatte noch nie mehr als 10 Pence auf dem Boden gefunden, und da war ich, am ersten Tag nachdem ich all diese positiven Sätze rezitiert hatte, und fand das Geld auf dem Erdboden.

Am nächsten Tag bekamen wir einen Anruf von Gaias Mutter. Sie war gerade zu etwas Geld gekommen und wollte uns einen Teil davon zukommen lassen. Es war eine ansehnliche Summe, genug, um uns über die erste finanzielle Hürde zu helfen. Und so ging es los.

Ich war verblüfft. Meine Affirmationen funktionierten, und das nicht nur überraschend gut, sondern auch überraschend schnell.

Wir fingen an, das Retreat-Center zu gestalten, und nannten ihn »The Hill That Breathes«. Und das Retreat-Center lief gut. Wir lebten (und leben immer noch) an einem fantastischen Ort und verdienten (und verdienen immer noch) genug Geld, um ein bequemes Leben zu führen.

Seitdem habe ich zum Geld eine Beziehung, die sich gesund anfühlt. Wir genießen die Fülle, will heißen, wir geben selber fröhlich Geld für uns selbst und für andere Leute aus, investieren in neue, aufregende Projekte und wissen, dass das Geld schließlich, im Normalfall vervielfacht, zu uns zurückkehren wird. Weder verurteilen noch verabscheuen wir Leute, die Geld haben, wer auch immer das sein mag, wie auch immer sie es ausgeben mögen. Wir sind nicht der Meinung, dass zu wenig Kapital zirkuliert, sodass wir uns an Geld oder an Sachen klammern müssten. Doch wir sind ebenfalls nicht der Meinung, dass eine endlose Quelle von Geld oder materiellen Dingen existiert, die Verschwendung rechtfertigen würde.

Ich persönlich habe so ziemlich alles, was ich mir wünschen könnte. Ich fantasiere manchmal darüber, mehr zu haben (zum Beispiel ein hübsches Auto mit Ledersitzen) und genieße diese Gedanken. Ich besitze gern Sachen, und zwar durchaus einige. Aber ich hänge mein Herz nicht zu sehr daran und weiß, dass es uns wahrscheinlich immer noch gut gehen würde, wenn wir all diese Sachen nicht mehr hätten. Ich weiß, dass ich das aus einer glücklichen Position heraus sage.

Also zurück zur ursprünglichen Frage: Wie ist es möglich, *Fuck It* in Sachen Geld zu sagen?

Wie ist es möglich, Geld und alles, das es mit sich bringt, zu genießen, ohne daran anzuhaften und sein Sklave zu werden?

Es ist möglich, wenn Sie sich Ihre Beziehung zum Geld bewusst machen; es ist möglich, wenn Sie alle Probleme, die Sie mit Geld haben, klären und sich aller Urteile über Geld und jene, die es besitzen (oder nicht besitzen), enthalten; es ist möglich, wenn Sie realisieren, dass es Ihnen wahrscheinlich auch ohne gut ginge.

So sagt man *Fuck It* zum Geld und den anderen Dingen im Leben: Man macht sie sich bewusst, klärt die Knackpunkte und Blockaden, urteilt weniger und erkennt, dass es auch ohne ginge.

Ein alltägliches Beispiel, um klarzumachen, dass das nicht nur für Geld gilt …

Sie merken, dass Sie Probleme mit engen Freunden haben. Erstens: bewusst machen: Wie stehen Sie generell zum Thema Freundschaft? Als Nächstes klären Sie die Knackpunkte und Blockaden: Haben Sie Angst, verlassen zu werden, weil Ihr bester Freund in der Schule mit jemand anderem weitergezogen ist? Und schließlich: Urteilen Sie weniger. Seien Sie nicht eifersüchtig auf jene, die zahlreiche Freunde haben, und verachten Sie nicht diejenigen, die keine haben. Dann machen Sie sich klar, dass Sie auch ohne Freunde okay wären und dass es Ihnen auch gut ginge, auch wenn Sie einige Ihrer Freunde verlieren würden.

Dieser kleine Prozess erzeugt einiges an echter *Fuck It*-Magie. Nicht nur für Ihre Euros und Cents … sondern für alles. Es macht einfach Sinn.

Frei sein in der Beziehungsstadt

Mit dem Schreiben dieses Kapitels wollte ich warten, bis Gaia und ich einen richtig fiesen Streit hätten. Warum? Weil wir von außen gesehen die perfekte Beziehung zu haben scheinen. Wir sind seit 15 Jahren zusammen; wir teilen so viel Gutes miteinander. Wir haben zwei tolle Kinder. Wir verbringen sogar mehr Zeit zusammen als die meisten anderen Paare, weil wir zusammen arbeiten. Viele der Leute, die unsere *Fuck It*-Retreats besuchen, machen Bemerkungen, wie gut wir als Paar harmonieren. Manche haben gesagt, wir hätten ihnen den Glauben an Beziehungen zurückgegeben und sie wären nun wieder zuversichtlicher, dass es möglich sei, seinen Seelengefährten zu finden und mit ihm den Alltag zu meistern.

Also schreibe ich dies, wie versprochen, nach einem bombastischen Streit – einem dreckigen, stinkenden Streit, bei dem Beleidigungen der Art »Ich kann dich überhaupt nicht leiden« und Schläge zu Kopf, Herz und Bauch ausgeteilt werden. Es gab sogar illegale Hiebe unter die Gürtellinie.

Fuck It zu sagen und in der Beziehungsstadt frei zu bleiben ist eine schwierige Sache. *Fuck It* zu sagen und in einer beliebigen Stadt frei zu bleiben ist schon schwierig, aber Beziehungen, so kommt es zumindest uns vor, bringen immer besondere Herausforderung mit sich. Besonders dann, vielleicht, wenn man einen *Fuck It*-Geisteszustand hat.

Die Statistiken sehen nicht gut aus, wie ein Blick auf langfristige Beziehungen beweist. Zwischen 40 und 50 Prozent erster Ehen enden in Scheidungen. Und wer kann schon sagen, wie viel Prozent der verbleibenden Ehen glücklich sind? Wie viele bleiben nicht wegen der Kinder zusammen oder wegen einer religiösen Überzeugung oder aus Angst (was ihnen ohne diese Ehe passieren würde?). Wie würden Sie überhaupt »glückliche Ehe« definieren? Gibt es da draußen jemanden, der eine Ehe in beständigem Glück führt, oder auch nur eine Ehe, die im Allgemeinen glücklich ist und nicht hin und wieder einen Hänger hat? Ja, ich denke, das gibt es, aber nicht oft.

Angesichts der Zahlen und der Fakten Ihrer Erfahrungen in Sachen Beziehung, was für einen Sinn hat es, es überhaupt zu versuchen? Ist die Vorstellung einer langfristigen Beziehung nur ein kulturell oktroyiertes Luftschloss? Ah, sagen Sie jetzt, aber es ist äußerst natürlich, in einer langfristigen Beziehung zu sein, das ist Teil unseres Wesens, die Vorstellung, einen Lebenspartner zu treffen, mit dem man Nachkommen zeugt und aufzieht. Aber waren langfristige Beziehungen jemals die Norm? Ist die Anzahl der Paare, die lange zusammengeblieben sind, jemals über diese Halb-Marke hinausgekommen? Wenn wir zurückblicken, gehen wir davon aus, dass die Scheidungsraten niedriger waren, dass die Leute länger zusammengeblieben sind. Aber wir leben in einem Zeitalter mit längerer Lebenserwartung als jemals zuvor (durchschnittlich betrachtet zumindest). Sie müssen nicht besonders weit in der Zeit zurückgehen, um Zahlen zu sehen, die beweisen, dass die Leute schon in den »mittleren Jahren«, wie wir das heute nennen, starben. Vor noch nicht allzu langer Zeit sind viele Frauen im Kindbett gestorben. Und damit ist noch gar nichts über das massenweise Sterben (hauptsächlich) junger Männer in den zwei Weltkriegen gesagt.

Wenn Sie die Sache so betrachten, ist die Idee, dass Sie in relativ jungen Jahren jemandem begegnen, mit dem Sie zusammenbleiben, bis Sie relativ alt sind, wahrscheinlich schon immer genauso unrealistisch gewesen wie heute. Früher lag das daran, dass wahrscheinlich einer von Ihnen beiden relativ früh unfreiwillig ausgekockt worden wäre. Heute liegt es daran, dass einer von Ihnen beiden genug hat und sich freiwillig früher verabschiedet.

Wenn wir also schon beim Verabschieden sind, warum verabschieden wir uns dann nicht von der Vorstellung, dass ein Zeichen eines erfolgreichen Lebens und einer erfolgreichen Beziehung deren Lang-fristigkeit ist?

Ah, so fühlt es sich gleich besser an.

Also, ob Ihre Beziehung nun funktioniert oder nicht, es handelt sich dabei nicht um eine Spiegelung dessen, wie Ihr Leben läuft, okay? Wenn Sie fünfmal geschieden sind, dann bedeutet das nicht, dass es bei Ihnen schlechter oder besser gelaufen ist als bei Mr und Mrs Bloggins von drüben, die immer noch darüber streiten, wer das Abendessen zu ihrer goldenen Hochzeit kochen soll.

Also, wonach suchen Sie in der Beziehungsstadt?

Die Sache ist es wert, sich diese Frage zu stellen. Tatsächlich ist es Ihr Ansatz in Beziehungsdingen wert, einen kompletten *Fuck It*-Pro-zess zu durchlaufen.

Wenn wir die sechs Schritte nehmen, die wir uns im geheimen Ab-schnitt angeschaut haben (siehe S. ... ah, die sind nicht nummeriert, oder?) ... Okay, ich fasse zusammen:

Öffnen Sie sich zunächst mehr Möglichkeiten im Leben Ihrer Be-ziehung (und wir reden hier von einer Beziehung zu einer anderen Person, die Ihnen etwas bedeutet, obwohl natürlich klar ist, dass Sie diese Ideen auch auf andere Beziehungen in Ihrem Leben ausdehnen können). Öffnen Sie sich ganz deutlich, wenn Sie das nicht schon ge-tan haben, der Möglichkeit, mehr oder weniger Nähe zuzulassen (das heißt, Sie lassen sich entweder tiefer ein oder weniger tief und gehen).

Entspannen Sie sich in Sachen Beziehung. Ihr Leben besteht aus mehr als nur Beziehungen. Man wird Ihr Leben nicht anhand des Erfolges dieser Beziehung beurteilen. Ihr Leben wird voraussichtlich nicht auseinanderfallen, wenn es nicht funktioniert. Nehmen Sie ein wenig Dampf vom Kessel, sowohl bei sich selbst als auch bei Ihren Erwartungen an die Beziehung. Nehmen Sie Druck von Ihrem Part-ner. Nehmen Sie Druck von den Vorstellungen, die Sie in Ihrem Kopf darüber hegen, was aus dieser Beziehung werden könnte (und wahrscheinlich handelt es sich dabei um einander widersprechende Vorstellungen von einerseits einer idyllischen Zukunft und solchen, in denen Sie auch diese Person verlassen).

Verändern Sie Ihre Perspektive. Wenn Sie sich einfach klarmachen, dass die Idee einer langfristigen Beziehung, praktisch gesprochen, recht neu ist und die Wirklichkeit, statistisch gesehen, recht düster aussieht, dann verändert schon das Ihre Perspektive. Wechseln Sie darüber hinaus Ihre Perspektive vom Nach-vorne-Blicken oder Zurückblicken (entweder indem Sie auf Ihre vertrackten Beziehungen zurückschauen oder riesige Erwartungen an künftige Beziehungen hegen) hin zum Schauen auf die Gegenwart, indem Sie einfach sehen, wie die Dinge jetzt sind, und damit arbeiten.

Stimmen Sie sich ein und hören Sie auf sich selbst und die Realität Ihrer Beziehung. Was fühlen Sie wirklich in einer Beziehung und Ihrer Rolle darin? Stimmen Sie sich auch auf Ihren Partner ein. Fangen Sie an (wenn Sie es nicht schon tun), mit ihm über das zu reden, was er fühlt und was Sie fühlen, aber im Allgemeinen und in Bezug auf Ihre Beziehung. Wenn Sie sich wirklich bewusst und sanft einstimmen, werden Sie eine Riesenmenge an Informationen darüber bekommen, was wirklich vorgeht.

Vertrauen Sie den Botschaften, die Sie bekommen. Wenn Sie den Fuß vom Gas nehmen und sich auf Ihre Gefühle zu Ihrer Beziehung einstimmen und jeder Teil von Ihnen nur noch schreit, wie hoffnungslos und fürchterlich Sie sich in dieser Situation fühlen, dann vertrauen Sie darauf, dass das die Wahrheit ist. Es ist Zeit aufzuhören, das zu ignorieren. Und auch das Gegenteil gilt: Wenn Sie Tag für Tag miteinander streiten, aber nach dem Einstimmen (auf sich selbst und aufeinander) herausfinden, dass Sie einander noch immer zutiefst lieben, dann hören Sie darauf und finden Sie einen Weg, das Streiten zu beenden.

Befolgen Sie, was auch immer Ihnen diese Botschaften sagen. Dazu braucht es eine gehörige Portion an *Fuck It*-Mut. Dieses (Be-)

Folgen kann auf direktem Weg dazu führen, dass Sie sich aus einer disfunktionalen, schrecklichen Beziehung verabschieden. Wenn Sie das tun, kann das leicht bedeuten, dass Sie *Fuck It* dazu sagen müssen, was andere von Ihnen denken, oder auch dazu, was mit Ihnen oder Ihrem Partner passieren wird oder wie es außerhalb dieser Beziehung sein wird. Aber manchmal muss man das so machen. Wenn Kinder im Spiel sind, wird es natürlich noch schwieriger und schmerzhafter. Aber wir kennen viele Leute, die ihre Familien verlassen haben oder mit ihren Kindern sitzen gelassen wurden und denen es gut geht bzw. in der neuen Situation besser als in der alten. Das gilt auch für die Kinder: Es ist immer schwierig zu beurteilen, aber wir alle wissen, wie schwierig das Heranwachsen sein muss, wenn die Eltern im Krieg miteinander liegen. Und wenn Sie das (be-)folgen (Sie vertrauen dem, was Sie als starke Botschaft empfangen, wenn Sie sich einstimmen), dann kann Sie das auch tiefer in Ihre aktuelle Beziehung führen und Ihnen frische und neue Ideen, Akzeptanz und Erneuerung bringen.

Es gibt keine Regeln – nur den Prozess.

Wir? Wir führen sicherlich keine idyllische Beziehung, wie manche Leute das vielleicht glauben mögen. Sie sehen das Beste von uns, im Normalfall. Aber wir lieben einander sehr. Wir leben mit der zugrunde liegenden Annahme, dass wir im Guten wie im Bösen zusammenleben. Wir wissen auch auf den beschissenen Streckenabschnitten, dass wir zusammen durchkommen werden.

Aber das heißt nun keineswegs, dass es leicht ist.

Gestern haben wir uns ziemlich verabscheut. Keiner von uns konnte sich wirklich vorstellen, wie es funktionieren könnte. Alles, was wir tun, macht den anderen verrückt. Egal, worüber der eine spricht, es langweilt den anderen zu Tode. Gaia lebt in einer anderen Welt als ich. Sie hat andere Prioritäten. Sie ist Herz; ich bin Kopf. Sie kommt zu spät, ich bin pünktlich. Sie ist spontan, ich plane. Sie ist traurig, wenn ich fröhlich bin. Und Sie ist fröhlich, wenn ich traurig bin. Ihr Yin verabscheut mein Yang. Mein Yang trampelt auf ihrem Yin herum. Ihr Yang ignoriert mein Yin. Mein Yin wird von Ihrem Yang übertönt. Es ist alles den Bach runtergegangen. Es gibt keine Hoffnung.

Und heute ist uns wieder klar, dass wir einander zutiefst lieben. Und der ganze Streit von gestern kommt uns wie ein weit entfernter, böser Traum vor, gerade so, als ob jemand anderes all das sagen und fühlen würde. Wie konnte ich gestern etwas so tief und so schmerzhaft fühlen, ohne dass davon heute noch etwas übrig ist? Jetzt fühlt es sich so an, als wäre das eine Erschütterung der Oberfläche eines tiefen, schönen und gesunden Teichs.

Heute morgen, als wir darüber redeten, wurde uns klar, dass wir manchmal beide Opfer unserer spezifischen tiefsten Ängste werden und dann das Gefühl haben, dass sich diese Angst vor uns in der anderen Person manifestiert. So werden wir nicht nur damit konfrontiert, dass sich unsere tiefsten Ängste manifestieren, sondern auch noch damit, dass sie sich in der Gestalt unseres Partners widerspiegeln, an den wir praktisch unlösbar gebunden sind. Und als ich das geschrieben hatte, kam mir ein eigenartiges Bild. Es ist so, als ob man allergisch auf Federn ist und sich die ganze Zeit Sorgen macht, man könnte irgendwie in Kontakt mit Federn kommen, um dann festzustellen, dass man mit einer Ente verheiratet ist. Oder, in dem Bild, das ich im Kopf hatte (das keineswegs unangenehm ist, muss ich sagen), dass meine Partnerin von Federn bedeckt ist. »Hatschi, aber hallo!«

Also, Gaia legte das Verhalten an den Tag, vor dem ich mich bei einem Menschen am meisten fürchte. Und umgekehrt. Wenn wir darauf zurückblicken, stellen wir fest, dass genau die Angst davor das Verhalten beim anderen verstärkt hat, das die Angst auslöste. Ein Teufelskreis von Angst vor Federn, wachsenden Federn und Niesen.

Ein schönes Ende? Wer weiß? Heute fühlt es sich toll an, aber morgen? *Fuck It*, das ist alles Teil des Spiels. Wer weiß?

Frei sein in der Wohlfühlstadt

Verdammt, ich fange an, dieses Kapitel zu schreiben, während ich genüsslich einen Schokoriegel esse. Böser Junge, John. Nimm dir wenigstens ein Salatblatt, wenn du schon übers Wohlfühlen schreibst. Aber ich habe gerade keines zur Hand. Alles, was ich habe, ist der Rest meines Schokoriegels. Den kann ich unmöglich liegen lassen. Er wird schmelzen oder etwas ähnlich Gefährliches.

Wohlfühlen. Komische Konstruktion, nicht wahr? Ich frage mich, woher die kommt (ich hab gerade kein WLAN, also kann ich es nicht googeln, sorry). Jemand sitzt da und denkt sich: *Es gibt eigentlich gar kein Wort für das weite Feld von Wellness, sich wohlfühlen … irgendwas, was einen körperlichen und einen geistigen Zustand gleichzeitig ausdrückt … wenn man sich richtig wohlfühlt … aha, ich weiß es, WOHLFÜHLEN.* Und warum hat sich sonst niemand dieser flotten Konstruktion bedient? Sexy fühlen, cool fühlen, heiß fühlen … ah, das ist der Grund. Jetzt, da ich dies schreibe, sitze ich direkt neben einem »Wellbeing Center«, einem Spa, tatsächlich. Und wenn ich da drin bin, dann fühle ich mich wirklich wohl. Das geht gar nicht anders: Wenn man sich eine Weile in heißem Wasser oder Dampf geaalt hat, massiert worden ist oder in einem starken Strom im Whirlpool saß.

Ich werde jetzt etwas tun, das ich (beabsichtigtermaßen) einen Großteil des Buches über nicht getan habe: Ich werde auf das ursprüngliche *Fuck It*-Buch zurückverweisen. Ich habe solche Verweise vermieden, weil ich a) wollte, dass die unter Ihnen, die das erste Buch nicht gelesen haben, dieses hier froh und zufrieden lesen können, ohne zu meinen, sie müssten zuerst das erste lesen, was dieses hier zu einer Art subtilen Angebot gemacht hätte (»subtil« ist nicht mein Ding: **Das erste *Fuck It*-Buch ist absolut hervorragend und liefert die perfekte Begleitlektüre zu diesem hier.** 250.000 Men-

schen können schließlich nicht irren! SMILEY. LOL. AUSRU-
FUNGSZEICHEN. SMILEY.)

Und b) weil ich nicht wollte, dass die unter Ihnen, die das erste
Buch (erhältlich in jedem guten Buchladen und natürlich auf Ama-
zon) gelesen haben, denken, dass wir nun einfach dasselbe noch mal
abspulen.

Die Sache ist die, dass das, was ich im ersten Buch über Essen,
Gesundheit und Wohlfühlen geschrieben habe, ziemlich gut war,
aber ich seitdem sieben Jahre Erfahrung damit gesammelt habe, wie
es in Wirklichkeit läuft, und genau das möchte ich nun mit Ihnen
teilen.

Also, kurz zusammengefasst lässt sich sagen, dass ich schrieb, man
sollte seine Nervosität wegen der ganzen Wohlfühlgeschichte loswerden (und dank des Typen, der die Formulierung erfunden hat,
können wir so einiges in diesem Begriff unterkriegen: Training, Essen, Gesundheitsfragen etc.). Beim Essen kommt die Nervosität
zum Beispiel daher, dass man befürchtet, zu schwer zu sein (oder zu
leicht, aber üblicherweise zu schwer), und so machen wir diese ganzen komischen Sachen, die wir eben so machen: Wir unterwerfen
uns schwer einzuhaltenden Essens-Regimen, brechen sie dann und
stopfen uns voll mit dem, was Kühlschrank und Vorratskammer her-
geben. Wir erleben den Jo-Jo-Effekt, weil wir so unglaublich angespannt sind wegen unseres Gewichts.

Also Nein zum Jo-Jo.

Die Idee: Unser Gewicht stabilisiert sich, wenn wir uns in Sachen
Essen einfach entspannen. Klar, wir verlieren dabei wahrscheinlich
nicht unglaublich viel Gewicht (aber vielleicht immerhin ein bisschen), wir nehmen jedoch auch nicht mehr zu. Das war die soge-
nannte *Fuck It*-Diät. Natürlich sollen Sie jetzt nicht *Fuck It* sagen und
das Haus leer futtern, bis Sie selbst so fett sind wie das Haus. Der
Ansatz bedeutet vierlmehr, den eigenen Essgewohnheiten etwas

chilliger gegenüberzutreten, ob es sich nun um Chili oder etwas anderes handelt.

Dasselbe gilt fürs Trainieren: Es ist die Anspannung in Sachen Training – der Gedanke, dass wir wirklich mehr trainieren SOLL-TEN (oder überhaupt trainieren sollten) –, die zu eben dieser Mentalität von Einsatz und Aufgeben führt. Wir trainieren nicht, weil wir es mögen, sondern weil wir glauben, wir müssten das tun. Ganz so wie bei einer Diät halten wir eine Weile durch, weil wir die besten Absichten hegen. Doch über einen längeren Zeitraum hinweg ist der damit verbundene Kummer unerträglich, sodass wir ganz damit aufhören. Schauen Sie sich die Geschäftsmodelle von Fitnessstudios an, wenn Sie eine Bestätigung brauchen, dass die meisten Leute genau so an ihr Training herangehen. Die Fitnessstudios holen das meiste aus den guten Absichten der Leute heraus (indem sie sie dazu bringen, Verträge mit großen Einstiegsprämien und monatlich fälligen Raten zu unterschreiben) und melken die Leute noch immer, wenn der Enthusiasmus schon lange vorbei ist (denn wenn man seine Mitgliedschaft kündigt, zeigt das schließlich, dass man aufgegeben hat). Ein herrliches Geschäftsmodell, basierend auf dem Triumph der Hoffnung über die Realität. So verdienen manche an Ihrer wunderbaren positiven Hoffnung, dass es diesmal anders sein wird.

Also forderte ich die Leser auf, sich hinsichtlich dieses Gefühls der Verpflichtung zu trainieren zu entspannen … die Vorstellung aufzugeben, man *müsse* es tun, und stattdessen zu schauen, wann Sie es tun *wollen*. Zu sehen, ob Sie nicht vielleicht mehr trainieren, wenn Sie nur dann trainieren, wenn Sie wirklich Lust haben, als wenn Sie sich einem Fitness-Regiment unterwerfen.

Und als es um Gesundheitsfragen ging, erzählte ich meine Geschichte: Ich wollte über Jahre verzweifelt gesund sein, hatte alles versucht, war sogar ausgewandert, um meine Gesundheit in Ordnung zu bringen. Aber dass diese Sehnsucht, gesund (oder »ganz«, wie das in der holistischen Nomenklatur heißen würde) zu werden, eine Spannung in mir erzeugte, die höchstwahrscheinlich dazu führte, dass ich angespannt blieb. In dem Augenblick (und es war wirklich ein bestimmter Augenblick), als ich *Fuck It* zu der Vorstellung sagte, in meinem Leben noch ganz gesund zu werden, als ich einsah, dass mein Leben auch so recht gut war, dass es jede Menge Dinge gab, für die ich dankbar sein konnte, und ich das Glücklichsein für immer auf einen Zeitpunkt verschob, an dem etwas recht Unwahrscheinliches eintreten würde … da geschah etwas eher Unwahrscheinliches … es ging mir besser: wesentlich besser. Innerhalb von sechs Monaten ging es mir besser als jemals zuvor in 20 Jahren. In diesem Sommer schrieb ich *Fuck It,* saß in dem erleichterten Gefühl da, das erste Mal seit meiner Teenagerzeit ganz gesund zu sein.

Das war ungefähr das, was ich geschrieben habe. Das Folgende habe ich seither dazugelernt:

Essen

Indem ich aß, was ich wollte und wann ich es wollte, wurde meine Ernährung ziemlich ausgewogen. Ich gab die Jo-Jo-Ernährung auf (Phasen äußerst gesunder Ernährung, die von Phasen abgelöst wurden, in denen ich mich nur von Snack-Müll ernährte) und ernährte mich ausgeglichen. Mein Gewicht stieg ein wenig und blieb, wenn ich mich auf die *Fuck It*-Art ernährte, relativ konstant. Immer wenn ich irgendeine Art Diät machte, sank es erst und schoss dann in größere Höhen als vor dem Beginn der Diät. Ich stellte fest, dass die *Fuck It*-Ernährung eine großartige Methode zum Halten des Gewichts ist (ganz anders, als man erwarten könnte, stellt sie eben keinen narrensicheren Weg zum Zunehmen dar).

Hier ist jedoch der Haken: Ich entschied, dass ich dauerhaft schlanker werden wollte. Also entschloss ich mich, die Ideen von *Fuck It* auf Diäten anzuwenden. Ich entschied mich, *Fuck It* zu sagen und wirklich mit den Diäten loszulegen. Wenn eine Diät nicht für mich funktionierte, ließ ich sie sein und probierte eine andere aus. Dabei habe ich festgestellt, dass die meisten Diäten für mich nicht funktionieren, Smiley, LOL, dass mein Gewicht immer wieder in die Höhe schießt. Die effektivste Methode, auf die ich stieß, war das intermittierende Fasten, bei der man sich genau an das hält, was auf dem Etikett steht (unter anderem steht auf so einer Büchse »Iss mich am einen Tag, aber nicht am Tag darauf«). Diese Fastenmethode tut dem Körper angeblich sehr, sehr gut (und wenn Sie eine Maus oder eine Ratte sind, bedeutet es, dass Sie länger leben werden als normalerweise). Aber es ist VERDAMMT schwer durchzuhalten. Ich fand, es war anfangs leichter – die Vorstellung, dass man seine Diätqualen in einen begrenzten Zeitraum hineinpresst und dann am anderen Tag entspannt. Aber der eine Fastentag ist ziemlich hart. Brechen Sie ihn, und alles ist im Eimer, wenn Sie am Essenstag mehr Kalorien zu sich nehmen. Wie auch immer, das gefiel mir, aber ich hielt es einfach nicht länger als ein paar Wochen durch. Und mein Gewicht schoss sofort wieder nach oben.

Also gab ich es bewusst wieder auf. Dann schickte ich die Botschaft hinaus, es solle bitte eine neue Essmethode auf meiner Schwelle landen (vorzugsweise neben einem dampfenden Karton vom Pizzaservice). Und tatsächlich, es kam eine. Bei ihr werden die Nahrungsmittel auf ganz bestimmte Weise verzehrt, das heißt, man kombiniert nicht Proteine mit Kohlenhydraten. Aber man isst so viel man will, solange man sich an die festgelegten Prinzipien hält. Also, jede Diät die »ESSEN SIE SO VIEL SIE WOLLEN« herausposaunt, hat meine Stimme. Was soll ich sagen, es funktioniert. Wirklich. Ich habe abgenommen, dann etwas nachgelassen, wieder ein bisschen zugenommen, aber mein Gewicht hat sich nun auf einem niedrigeren Grad eingependelt. Diese Methode gefällt mir. Das ist etwas, womit ich klarkomme, ist nicht zu schmerzhaft (aber auch nicht supereinfach) und funktioniert. Wenn ich das nächste Buch schreibe, werde ich berichten, wie es langfristig funktioniert hat.

Wir haben jetzt also zwei *Fuck It*-Ansätze in Sachen Essen:

1. Das *Fuck It*-Essregiment, mit dem Sie wahrscheinlich nicht leichter werden, aber das Ihnen helfen wird, Ihr Gewicht zu halten und Sie aus dem lästigen Jo-Jo-Karussell befreit (eine interessante Mischung von Metaphern haben wir hier, die höchstwahrscheinlich einen interessanten Abend ergäbe, würde man sie umsetzen – man benutze Jo-Jos mit langer Schnur auf schnellen Karussellen …)

2. Die »*Fuck It*, ich FINDE einen Weg, mit dem ich die Extrapfunde loswerde«-Methode (die *Fuck It*-Qualität hierbei ist, ganz so wie bei der Entschlossenheit, sich zu weigern, ein Opfer zu sein und sich trotz wiederholter Niederlagen geschlagen zu geben – »Ach, Diäten funktionieren einfach nicht bei mir, das muss an meinen Genen liegen« – sondern dranzubleiben, bis man etwas gefunden hat, was perfekt zu einem passt).

Training

Es funktioniert. Seitdem ich als Training das mache, worauf ich Lust habe, trainiere ich mehr. Manchmal trainiere ich sehr unbeständig, aber ich habe insgesamt sicher mehr gemacht. Ich habe angefangen zu laufen und ich liebe es. Im Winter jedoch war mir nicht danach, also hörte ich auf. Aber im nächsten Frühling verspürte ich wieder richtig Lust. Ich ging also nicht wieder hinaus, weil ich meinte, ich müsse das tun, oder weil ich entschieden hatte, ich sei nun ein Läufer (und sei es nur ein Schönwetterläufer), sondern einfach, weil ich wollte … in der Tat konnte ich mich kaum bremsen; ich musste einfach laufen. Genauso, wie ich jetzt Lust habe, eine Stunde oder so spazieren zu gehen, also mache ich das.

Wieder da. Probieren Sie's aus. Das ist *Fuck It* in Action (buchstäblich, in Aktion und in Inaktivität). Man lässt die sechs Prinzipien wirken: Man öffnet sich einer neuen Art zu trainieren; man entspannt sich hinsichtlich der Verpflichtung zu trainieren; man verändert seine Perspektive und realisiert, dass es genauso gut funktionieren könnte; man stimmt sich ein und trainiert nur dann, wenn man Lust hat und wie man Lust hat; Sie vertrauen darauf, dass diese Botschaft wertvoll ist, und folgen ihr, indem Sie Ihren Arsch hochkriegen, wenn Sie die Lust überkommt, ihn hochzukriegen und auf Ihrem Arsch hocken zu bleiben, wenn Sie die Lust überkommt.

Gesundheit

Okay, das war tough, ich will Ihnen erzählen, was passiert ist. Ich liebte es, gesund zu sein. Obwohl es den Anschein hatte, dass ich durch Annahme meines Zustandes gesund geworden war, war es so offensichtlich besser, gesund zu sein. So befürchtete ich natürlich, ich würde wieder krank werden, und lebte in der unterschwelligen Spannung und Angst, dass das tatsächlich eintreten könnte. Es vergingen noch ein Winter und ein Sommer, in denen ich mich großartig fühlte ... aber im nächsten Winter erkrankte ich wieder richtig. Himmel, was für ein Schock. Es traf mich hart. Ich fragte mich, ob es das jetzt war und die Magie versiegt sei, ob es jetzt wieder zurückginge ins chronische Kranksein. Als jedoch der Frühling kam, ging es mir besser, und im Sommer war alles wieder okay. Also dachte ich jetzt:»Ah, das war eine Wintersache, na gut« und so kam mit dem September die Anspannung zurück. Aber es ging mir gut, wirklich gut. Tatsächlich ist es mir seitdem immer gut gegangen. Im Winter habe ich hin und wieder Rückfälle, wenn ich zu hart arbeite. Aber im Allgemeinen ist alles in Ordnung. Nach sieben Jahren scheint sich die lang gehegte Sorge, die schlechte alte Zeit könnte zurückkommen, so ziemlich aufgelöst zu haben. Natürlich ist die Wahrscheinlichkeit größer, dass ich gesund bleibe, weil ich auch in diesem Punkt heute entspannter bin.

Etwas ist mir aufgefallen – und ich habe auch mit anderen Leuten mit ähnlichen Heilungserfahrungen geredet, die dasselbe sagen –, und zwar, dass ich ständig zu rekonstruieren versucht habe, warum überhaupt diese dramatische Verbesserung eingetreten ist. War es wirklich nur, weil ich losgelassen hatte? Oder war es eine Kombination dieser Tatsache mit der Diät, die ich damals machte? Oder war es der Ort, an dem wir waren? Ich zermarterte mir das Hirn in dem Versuch, die exakten Umstände zusammenzubekommen, sodass ich sie, wenn nötig, reproduzieren könnte. Und wenn es die Lage erforderte, also wenn ich wieder krank würde, könnte ich versuchen, einige dieser Umstände wiederherzustellen. Aber nichts schien auf dieselbe Art zu wirken. Ich sah ein – auch wenn das ein wenig dauerte – dass ich nichts jemals auf dieselbe Art wiederherstellen können würde. Mein Körper hatte sich zu der Zeit, als ich wieder krank wurde, verändert, mein Geist ebenfalls und auch meine Umgebung war auf subtile Weise nicht mehr dieselbe. Die Welt und ich waren anders geworden. Und obwohl die Krankheit eine ähnliche war (in Wirklichkeit war es nie exakt dieselbe), würden die Mittel, sie zu lindern, stets andere sein müssen.

Wenn ich jetzt darüber nachdenke, meine ich, dass die Lektion für mich genau darin bestand – sicher, das »Loslassen« war sehr wichtig, wahrscheinlich zum besagten Zeitpunkt sogar entscheidend –, aber die bleibende Lektion besteht darin, dass die Antwort in nichts Spezifischem besteht. Es ist eine Kombination von einfach nur bei dem »da zu sein«, was im Moment geschieht, und dann auf mögliche eindringliche Botschaften zu hören, die in diesem Moment aufsteigen mögen.

Lustigerweise repräsentiert dieses Buch genau die besagte Akzentverlagerung: von der Idee, bei *Fuck It* gehe es ums Loslassen und Entspannen (was natürlich stimmt) hin zu der weiteren Vorstellung, dass *Fuck It* die alles umfassende Präsenz angesichts dessen ist, was geschieht (Anspannung, Entspannung, gut, schlecht, Wohlfühlen und Krankheit).

Ich habe *Fuck It* gesagt – und abgenommen

Diäten funktionieren nicht. Ich habe alles ausprobiert: Tonnenweise Kohlsuppe, Atkins, Metabolic Balance [»Stoffwechselgleichgewicht«] ... tatsächlich habe ich bereits mit sechs Monaten meine erste Diät gemacht – schon damals dachte meine Familie, ich wäre zu dick. Das zog sich wie ein roter Faden durch meine Kindheit, meine Pubertät, bis in meine 30er. Ein wunderschönes Mädchen, ABER mit zu viel Hüftgold und Bauch ... ich habe mich nie schön gefühlt, immer nur miserabel wegen meines Gewichts und der mangelnden inneren Stärke abzunehmen ... Elend!

Dann kam mit dem Buch *Fuck It. Loslassen. Entspannen. Glücklich sein* meine Chance. Als ich die Worte »Sagen Sie *Fuck It* zu Diäten« las, war mein erster Gedanke, dass das nie funktionieren würde ... aber ich war so fertig vom ewigen Probieren, dass ich der Idee, loszulassen und einfach zu essen, was ich wollte, eine Chance gab. Ich fing an, einfach *Fuck It* zu sagen, und schwor mir, nie wieder in meinem Leben so eine verfluchte Diät zu machen. Anfangs war es nicht leicht – ich hatte Angst, ich würde immer dicker werden, bis ich wie ein gestrandeter Wal aussehen werde ... aber die Erleichterung, nie wieder Diäten machen zu müssen, war größer, und langsam wandelte sich meine Angst in Zuversicht ... Und ich fing obendrein an, mir zu sagen, wie schön, liebenswert, anbetungswürdig, wunderbar und sexy ich bin ... dass ich wirklich großartig und perfekt BIN, und zwar so, wie ich bin.

Also ... anfangs nahm ich noch ein paar Kilo zu (keine Panik), aber dann fing mein Körper langsam, Schritt für Schritt an, sich zu verändern. Und dann wurde ich die Kilos langsam los ... und so habe ich insgesamt dank *Fuck It* sieben Kilo verloren! Heute habe ich eine einfache Beziehung zum Essen: Wenn ich Lust auf ein Stück Schokolade oder Kuchen habe, dann sage ich *Fuck It* und genieße es. Wenn ich das, was man mir serviert, nicht essen will, dann sage ich *Fuck It* und lass es auf dem Teller. Wenn ich darauf brenne, Sport zu machen, sage ich *Fuck It* und mache das ... Wenn ich gerade faul im Bett liege und nicht mal Lust darauf habe, meinen kleinen Zeh zu bewegen, raten Sie mal, was ich dann mache? Ich sage *Fuck It*, bleibe liegen und genieße es.

Ich setze meine »*Fuck It*-Diät« fort, weil mein Leben nur so zu funktionieren scheint ... und wenn ich noch etwas abnehme, ist das okay und wenn ich einfach so bleibe, wie ich jetzt bin, und es mir damit gut geht, dann sag ich einfach *Fuck It* und es ist in Ordnung so.

Lydia Plankensteiner, Österreich.

Nur eine von 100 *Fuck It*-Geschichten in dem neuen E-Book *I Said Fuck It*, erhältlich unter www.thefuckitlife.com/extras.

So wird man frei in der Wohlfühlstadt und so wenden Sie die Methode, wie man *Fuck It* sagt, auf das Wohlfühlen an: Benennen Sie nichts, stimmen Sie sich einfach nur ein und folgen Sie dem Fluss. Das funktioniert auf manchmal lustige, geheimnisvolle Art, die sich nicht auseinandernehmen oder verstehen lässt, aber funktioniert.

Frei sein in der Stadt, in der nichts funktioniert

Heute Morgen wollte ich dieses Kapitel beginnen. Ich dachte nach, was ich darüber schreiben könnte, wie man an einem Ort zurechtkommt, an dem nicht alles so funktioniert, wie man es gerne hätte. Es fing damit an, dass ich meinen neuen Arbeitsplatz einrichtete – wir sind gerade auf dem Grundstück inklusive Spa in Urbino – dem luxuriösen Anwesen, das wir für viele unserer *Fuck It*-Retreats benutzen. In der Nähe eines Fensters fand ich schließlich einen passenden Tisch mit Sonnenlicht und frischer Luft; auch eine Steckdose für mein Laptop befand sich in nächster Nähe. Als ich jedoch den Stecker einstecken wollte, musste ich feststellen, dass er nicht passte. Ich probierte eine andere Steckdose aus, aber auch da ging nichts. Ich weiß, was Sie jetzt denken, wenn Sie aus einem der durchorganisierten Länder dieser Welt kommen ...»John, hast du wirklich versucht, einen ausländischen Stecker in eine italienische Steckdose zu kriegen?« Nein, meine Freunde, ich versuchte, einen italienischen Stecker in eine italienische Steckdose zu bekommen. Das passte leider nicht, weil sich in Italien mehrere Arten von Steckern und mehrere Arten von Steckdosen tummeln. Manche Stecker haben drei Zapfen, andere zwei, aber nicht zwei in gleicher Entfernung voneinander ... manche liegen weiter auseinander, manche enger zusammen. Grrrrr. Also haben wir zu Hause in einer Schublade eine ansehnliche Auswahl an Adaptern, die die eine Art von Stecker in eine andere Art von Stecker verwandeln.

Nun weiß ich, dass wir Briten andere Stecker haben als jedermann sonst, wir mit unseren drei Zapfen, die dreieckig angeordnet sind. Aber wenigstens haben wir nur das und sonst nichts. Wenn Sie Ausländer sind (und die Definition von »Ausländer« lautet in diesem Fall, dass Sie nicht in Großbritannien leben, nicht nur, dass Sie eine andere Sprache sprechen. Mir ist klar, dass einige von Ihnen in diesem

Sinn Ausländer sein werden, aber nicht Ausländisch sprechen, wie die Amerikaner zum Beispiel, die eine andere Art von Stecker haben als wir Briten, bei denen ich mir jedoch sicher bin, dass sie einen standardisierten Stecker haben. Tatsächlich fällt mir gerade ein, dass ich einmal über eine Amerikanerin gelesen habe, die es in den Wahnsinn trieb, dass es in Großbritannien unterschiedliche Glühbirnen und Fassungen gab, sie war die Standardfassung aus den USA gewöhnt) … Okay, wenn Sie Ausländer sind, dann kaufen Sie sich einen Adapter für Ihren ausländischen Stecker und die Sache mit dem anderen Steckersystem in Großbritannien ist für die Dauer Ihres Aufenthalts erledigt.

Dasselbe gilt für unsere Straßen. Wir fahren auf der anderen Seite, aber daran halten wir uns. Es ist beispielsweise nicht so, dass man über die Grenze nach Wales fährt und dann auf die andere Seite der Straße wechseln muss (Wales ist, nebenbei bemerkt, ein kleines, wunderschönes Land, das wie ein großer Bierbauch an der Seite von England hängt; nicht dass die Waliser berühmt dafür wären, dass sie viel Bier trinken … sie sind berühmt für Liebesbeziehungen – mit Schafen –, Minenbau, Rugby, Singen und liebreizende, flauschige, attraktive Schafe).

Mich überrascht es ja schon, dass sich die Italiener zumindest in der Frage, auf welcher Seite der Straße man fahren *soll*, einigen konnten. Doch da hört es auch schon auf: Wenn Sie es gewöhnt sind, auf den Landstraßen zu fahren, so wie wir, dann werden Sie wissen, dass die meisten Ortsansässigen keine Ahnung zu haben scheinen, auf welcher Straßenseite sie fahren sollen, besonders in Kurven.

Zurück zu den Steckern. Gaia hatte mir glücklicherweise einige Adapter eingepackt, die ich nach ein paar Minuten des Herumwühlens in den Taschen fand. Deswegen sitze ich nun da, habe mich adaptiert und tippe fröhlich vor mich hin. Aber immer wenn ich mich so einer Steckerkrise gegenübersehe, frage ich mich, wie ein Land erwarten kann, auch nur ansatzweise die Politik, Wirtschaft,

Gesetze etc. für seine Bevölkerung auf die Beine zu stellen und dann loszuziehen und in der Welt erfolgreich zu sein, wenn es noch nicht einmal in der Lage ist, ein einfaches, konsistentes System für Stecker auszuarbeiten. Das ist doch nicht so schwer, oder?

Dasselbe denke ich mir, wenn ich zur Post gehen muss, um die unterschiedlichsten Sachen zu regeln, weil niemand sich die Mühe macht, einen Weg zu finden, wie man online oder auch nur auf der Bank bezahlen kann.

Und warum hat die Post eine eigene Kasse für so ziemlich jede Sache, die Sie vielleicht abwickeln wollen (zum Beispiel einen Brief schicken oder etwas bezahlen oder Geld abheben), für die man wieder ein neues Ticket ziehen und 20 Minuten warten muss? Nun, ich weiß, dass das vielleicht einmal ausgesehen hat wie ein schlauer Einfall … so effizient, ein Sprung nach vorn in der Kundendienst-Technologie, ähnlich wie Adam Smiths bahnbrechender Einfall mit der Arbeitsteilung … aber es hätte doch ganz bestimmt zehn Minuten nach diesem Geistesblitz jemand im Büro »ABER …« sagen und eine lange Liste von Gründen vorlegen müssen, warum das doch keine so tolle Idee ist. Wenn ich beispielsweise etwas Geld abheben will, um damit meine Telefonrechnung zu zahlen und dann einen Brief an meine Mutter zu schicken, muss ich Folgendes tun: Ein Ticket ziehen, um Geld abzuheben, 20 Minuten warten, mein Geld holen; ein Ticket ziehen, um die Rechnungen zu zahlen, 20 Minuten warten, die Rechnung zahlen; ein Ticket für den Postschalter zahlen, 30 Minuten warten (normalerweise), und besagten Brief schicken.

Wahnsinn.

Letzte Woche wollte ich eine Rechnung bezahlen und einen Brief schicken. Als ich die Frau, die meine Rechnungsüberweisung bearbeitete, fragte, ob sie nicht einfach meinen Brief durchschieben könne, bitte-bitte, sah sie mich an, als wäre ich der Erste, der jemals so einen Wunsch geäußert hätte. Ich erklärte ihr, dass ich mich sonst nochmals anstellen müsste, um den Brief zu schicken, und ich nun doch schon einmal hier bei ihr sei und ich sicher war, dass man sie genauso gut dafür ausgebildet hatte, eine Briefmarke auf einen Brief zu kleben, wie dafür, diese Rechnungen zu bearbeiten. Sie machte »ts, ts«, ging dann hinüber zu der Dame, die sich um die Post kümmert, und erklärte dieser dann lauthals, dass ich einen Brief schicken wollte. Dann machte die besagte Dame »ts, ts«, dann sah die ganze Schlange der Leute, die da mit ihrer Post warteten, zu mir herüber und machte »ts, ts« (obwohl ich zugeben muss, dass sie recht hungrig aussahen, wahrscheinlich hatten Sie sich seit Tagen geduldig in den unterschiedlichen Schlangen angestellt und gewartet). Doch mein Brief wurde abgeschickt. Erfolg.

Ach, Teufel auch, bringen wir die Liste zu Ende … allein über das Postsystem könnte man ein ganzes Buch schreiben. Es ist unterirdisch.

Italien ist ein witziges Land. Die Leute drängen sich so selbstverständlich und mit solchem Selbstvertrauen vor, dass ich es aufgegeben habe, ihnen zu sagen:»Stell dich verdammt noch mal hinten an wie jeder andere auch«, weil sie sich dann unvermeidlich zu mir umdrehen, verletzt aussehen und sich damit entschuldigen, das sei ihnen nicht klar gewesen, natürlich würden sie sich hinten in der Reihe anstellen, deren Existenz ihnen mit einem Mal aufgegangen ist.

Es ist äußerst schwierig, hier irgendetwas zu erledigen. Alles ist so bürokratisch, dass man davon in den Wahnsinn getrieben werden könnte. Und manchmal treibt es uns auch in den Wahnsinn. Italien ist eine einzige große Stadt, in der nichts funktioniert. Die Wirtschaft geht den Bach runter. Aber »die da oben« bestehen immer noch darauf, sämtliche Steuern zu erhöhen und es zu erschweren, Leute einzustellen und das rote Band sogar noch dicker zu machen. Wahnsinn.

Und trotzdem leben wir noch immer hier. Warum? Weil es wunderschön ist. (Die Hügel der Toskana, die Alpen, das sardische Meer, die Olivenhaine im Süden etc.): Es ist ein Land voller Kultur (Urbino ist der Geburtsort der Renaissance und die Heimatstadt Raphaels); die Leute sind im Allgemeinen warm und freundlich und überaus expressiv (schauen Sie einfach zu, wenn sie gestikulieren, *mamma mia*); das Essen ist das beste auf der Welt (selbst auf Autobahnraststätten) und die Männer und Frauen sieht man sich gern an.

Italien ist WUNDERVOLL.

Aber es ist auch unglaublich SCHRECKLICH.

Wie lebt man in einer Stadt, in der nichts funktioniert?

Zunächst mal haben wir an genug Orten gelebt, um zu wissen, dass keine Stadt so gut funktioniert, wie man sich das erhoffen würde (und mit »Stadt« meinen wir hier ganz klar die Straße, den Ort, die Stadt, das Land oder den Kontinent). Irgendwas ist immer, nicht wahr? Ich schätze, die einzige Ausnahme bildet die Schweiz, wo alles funktioniert, alles sauber ist, es keine Kriminalität gibt und man nicht viel Steuern zahlt. Aber selbst inmitten der schweizerischen Perfektion sieht man, dass das seinen Preis hat, und genau das ist Teil des Problems: Alles ist sehr teuer. Und die Regeln sind verblüffend. Wenn Sie beispielsweise in eine neue Wohnung ziehen, werden Sie mit einer Liste von Regeln bombardiert. Die Polizei patrouilliert durch die Straßen und hält Ausschau nach Leuten, die ihre Vorleger über den Balkon ausschütteln oder zur falschen Zeit staubsaugen oder das Wasser in den falschen Ausguss kippen oder eine Glasflasche in den falschen Container geben – urgh, da ziehe ich Südlondon allemal vor.

Später ...

Ich musste diesen Extraabsatz hinzufügen, weil es so wunderbar und erstaunlich ist ... Vorher habe ich darüber geschrieben, wie »perfekt« die Schweiz ist, um dann zum Mittagessen zu gehen und festzustellen, dass einer der Gäste (und wir haben die Gruppe diese Woche bewusst klein gehalten, es ist eine der »Magic Six«-Wochen von Gaia, zu denen wir höchstens sechs Leute aufnehmen) eine Schweizerin ist und ich erwähnte, dass ich darüber geschrieben habe, wie perfekt die Schweiz sei, und sie erzählte mir, dass sie gerade einen Anruf von ihrer Mutter bekommen habe, die erzählte, dass in ihrem Ort (stellen Sie sich einen kleinen, perfekten, pittoresken Ort vor) gerade an diesem Morgen Bombenalarm gegeben worden sei. Unglaublich. Das ist angekommen, so sehr es nur geht, vielen Dank. Nicht nur dass die perfekte Schweiz in Sachen persönliche Freiheit ihre Nachteile hat, es gibt dort AUCH NOCH Bombenalarm und Kriminalität wie überall sonst. Tatsächlich bin ich mir gar nicht mehr sicher, ob ich immer noch Südlondon vorziehen würde. (Was, Sie meinen, ich kann Bombenalarm, Kriminalität, eine angespannte, bedrohliche Atmosphäre UND die Schweizer Berge, pünktliche Züge und niedrige Steuern haben? Einen Moment, ich packe meine Taschen.)

Also, uns ist aufgegangen, dass es den idealen Ort nicht gibt. Wir haben den Platz gewählt, der uns am besten passt, wenn man ein paar Variablen miteinberechnet. Nun könnten wir uns in einer Reihe von Klischees verlieren, um nicht durchzudrehen, etwa: »Nimm das Leben, wie es ist«, »Du hast dein Bett gemacht, also leg dich hinein«, »Besser das bekannte Übel …«.

Aber bei den Sachen, die nicht funktionieren, haben wir einen ganz einfachen Ansatz: Erstens: Entweder entscheiden wir uns zu gehen (worauf wir momentan keine Lust haben) oder zweitens finden wir eine Art, das Problem zu umgehen (beispielsweise haben wir es aufgegeben, ein Retreat-Zentrum zu führen, weil es so schwierig war, ein Unternehmen dieser Art zu leiten) oder drittens akzeptieren wir es, wenn wir es nicht vermeiden können.

Und alle drei Möglichkeiten sind ein jeweils anderer Ausdruck von *Fuck It*.

1. *Fuck It*, wir sind dann mal weg. Es gehört Mut zu einem so großen Schritt, aber manchmal muss man es einfach tun.
2. *Fuck It*, wir finden einen Weg. Wenn Sie entschlossen sind, einen Weg um das Hindernis herum zu finden, dann schaffen Sie das normalerweise auch.
3. *Fuck It*, wir müssen uns entspannen, weil wir hier gar nichts machen können. Geraten Sie nicht wegen Kleinigkeiten ins Schwitzen. Immerhin ist es nur ein Stecker. Dazu müssen Sie flexibel sein (also in meinem Fall, sodass es nicht so klingt, als hätte ich den heutigen Tag geplant. Ich gehe lieber schwimmen.) Und Sie müssen in der Lage sein, Ihre innere Ruhe anzuzapfen, auch wenn Sie das Gefühl haben, gleich zu explodieren.

> Und natürlich gibt es auch eine Betrachtungsweise zu der ganzen »Nicht funktionieren«-Geschichte, die zutiefst *Fuck It* ist: Alles funktioniert auf ihre ureigene perfekte Art.

Natürlich gibt es auch eine Betrachtungsweise dieser ganzen »Nicht funktionieren«-Geschichte, die zutiefst *Fuck It-* ist: Alles funktioniert auf ihre ureigene perfekte Art (selbst die Dinge, die überhaupt nicht zu funktionieren scheinen) und alles, was mir in diesem sich entfaltenden, wunderbaren Geheimnis des Lebens vorgesetzt wird, wird mir mit voller liebender Absicht präsentiert, sodass mir also durch alles Führung zuteilwird, egal, welche Gestalt die Führung annimmt. Liebevoll und sicher werde ich durch die Dinge, die sich schwierig ausnehmen, hindurchgeführt, durch Zeiten, die ihre Herausforderungen mit sich zu bringen scheinen, und durch Orte, die sich fehlerhaft ausnehmen, aber tatsächlich für mich und meinen Weg genau richtig sind.

Oder ich ignoriere erstens, zweitens und drittens und den tiefen *Fuck It*-Ansatz und bringe wegen meines Ärgers über einen Stecker ein Blutgefäß zum Platzen. Was mir natürlich auch noch hin und wieder passiert. Und das bin ich, John C. Parkin, der seinen freien Willen dazu benutzt, ein dämlicher Trottel zu sein. Und auch das ist vollkommen und genau richtig.

Frei sein in der »Shit happens«-Stadt

Momentan scheint es mir immer häufiger zu passieren, dass ich in der »realen« Welt etwas erlebe, was direkt mit dem Buchkapitel zu tun hat, an dem ich gerade arbeite.

Heute Morgen spielte sich Folgendes ab: Ich habe die Jungs zur Schule gebracht und war gerade auf den langen Weg eingebogen, der zu unserem Haus hinaufführt. Am höchsten Punkt des Weges stehen noch zwei Häuser. In dem einen lebt ein altes Ehepaar um die 80 mit seinem Sohn. Der Mann kam gerade aus der Einfahrt, als ich vorbeifuhr. Ich hielt an, um Hallo zu sagen. Nun ist dieser Mann nicht unbedingt ein Zen-Meister von makelloser Lebensführung (das wäre unser anderer Nachbar). Er raucht wie ein Schlot und grummelt viel. Aber ansonsten hat er ein gutes Herz, übertragen gesprochen, denn buchstäblich genommen hat er wohl kein so gutes Herz mehr, das ist eines seiner Probleme. Also, er kam aus seiner Einfahrt und ich stoppte. Er erzählte mir, dass es seiner Frau schon wieder nicht gut ginge. Sie hatten den Krankenwagen rufen müssen und er sei auf dem Weg hoch zur Straße, um dafür zu sorgen, dass der Wagen nicht an seiner Einfahrt vorbeiführe (denn sie ist leicht zu übersehen). Ich sah ganz deutlich, dass er etwas aufgeregt und zittrig auf den Beinen stand. Es war kein Notfall, aber ein Zeichen für eine ernste Lage.

Und dann er sagte zu mir:

»*Ma dabbiamo abbracciare quello che arriva, non e vero?*«
Ist das nicht verblüffend? Unter solchen Umständen so etwas zu
sagen? Das haute mich einfach um. Besonders, weil es aus so uner-
warteter Quelle kam. Was genau er gesagt hat? Was es bedeutet? Oh,
Entschuldigung, natürlich. »Wir sollten das umarmen, was geschieht,
nicht wahr?« Leichter gesagt als getan, natürlich. Aber dass dieser Mann mitten-
drin steckte und das sagte, reichte mir aus. Es war deutlich, dass er
versuchte, mit seinen Lebensumständen in ebendiesem Moment
Frieden zu schließen mit der Tatsache, dass seine Frau täglich kränker wurde und vielleicht nicht mehr lange da sein würde und dass er
selbst vielleicht auch nicht mehr lange da sein würde.

Es ist eigentlich ein lustiger Ausdruck, aber »Shit happens« eben
manchmal. Traurigerweise ist das überall so. Könnten wir uns doch
nur gegen diesen »Shit« immunisieren. Aber das können wir nicht.
Allen von uns widerfährt Übles. Schlechte Dinge passieren jeden
Tag, in jedem Teil der Welt. Sie denken gerade, das Leben sei recht
nett, und dann passiert etwas Furchtbares. Sie denken, es könnte
nicht schlimmer kommen, und es kommt doch schlimmer.

Ich habe mich nicht unbedingt darauf gefreut, dieses Kapitel zu
schreiben, weil ich keine magische *Fuck It*-Pille habe, mit der alle
Schmerzen verschwinden. Viel eher werden mich manche Leute fragen: »Aber es gibt doch ganz sicher ein paar Dinge im Leben, zu
denen man nicht *Fuck It* sagen kann?« Und ich antworte: »Das hängt
davon ab, wie Sie *Fuck It* definieren, aber es gibt natürlich ein paar
Dinge, die höllisch wehtun werden, egal wie sehr Sie wollen, dass sie
keine so große Rolle spielen.« Sie können nicht *Fuck It* zu dem wider-
wärtigen, würgenden Schmerz angesichts des Verlusts eines Ihnen
nahestehenden Menschen sagen und dann aufhören, diesen zu fühlen.

Ich habe keine definitive spirituelle Antwort zum Umgang mit dem
»Shit«, der passiert, das heißt im Sinne von »Sie haben es da oben

besser, sie haben Frieden gefunden« oder »Das ist Gottes Plan« oder »Alles geschieht aus einem bestimmten Grund«. Diese aufrichtig gehegten Glaubenssätze und aufrichtig gemeinten Trostsprüche fühlen sich für mich in der Zeit echter Not wie Plattitüden an.

Ich habe auch nicht die definitive therapeutische Antwort oder einen Prozess in sechs Schritten parat, um sich durch die Trauer zu arbeiten, oder eine Philosophie des positiven Denkens, um sich aus einer Spur zu befreien, auf die man geraten ist, weil man etwas Furchtbares oder Trauriges erlebt hat.

Aber ich biete meine Erfahrung im Umgang mit schlimmen Erfahrungen an, was ich getan habe und was mir geholfen hat.

Erstens: Es ist in Ordnung, verzweifelt zu sein. Sie müssen nicht den Tapferen spielen, etwas wegsperren oder so weitermachen, als sei nichts geschehen. Es ist in Ordnung, in den Wind zu heulen und die Götter zu verfluchen und tiefes Selbstmitleid zu empfinden. Wir sind so versessen darauf, jene zu loben, die angesichts von Widrigkeiten Tapferkeit an den Tag legen, jene, die angesichts einer tödlichen Krankheitsdiagnose ihre positive Haltung bewahren. Aber solches Lob führt dazu, dass die entgegengesetzte Reaktion verurteilt wird. Und es ist vermutlich das Beste, etwas voll zu fühlen, bevor man sich tapfer gibt (wenn man überhaupt meint, das tun zu müssen). Es hat den Anschein, dass Emotionen, die voll zugelassen werden, sich schneller durch uns hindurchbewegen als Emotionen, die nur halb gefühlt wurden, halb zugelassen oder ganz unterdrückt.

Sie müssen nicht tapfer sein. Sie müssen der Sache nicht voll ins Gesicht sehen. Spüren Sie Ihren Schmerz und Ihre Verunsicherung. Schreien und kreischen und schluchzen Sie, wenn es sein muss. Es wird wahrscheinlich die Zeit kommen, da Sie tapfer sein wollen, aber vielleicht ist dieser Zeitpunkt noch nicht gekommen. Also erlauben Sie sich auch die anderen Gefühle.

Wenn die Zeit gekommen ist, sich ein wenig aus dem Schmerz herauszubewegen, gibt es natürlich Dinge, die Sie tun können, damit

Sie sich besser fühlen. Wenn es mir nicht gut ging, hat es mir immer geholfen, an das zu denken, was ich habe, statt an das, was ich verloren habe. Das ist die »wenigstens«-Liste: *Na, wenigstens habe ich dies oder das.* Es kann also helfen, dankbar für das zu sein, was man hat. Wenn sich das für Sie einfach nur falsch und dumm anfühlt, dann ist bei Ihnen dafür vermutlich noch nicht der richtige Zeitpunkt da. Es ist auch davon abhängig, was und wie das passiert ist, was Sie quält. Wenn man beispielsweise in einem Konzentrationslager interniert ist, kaum Überlebensaussichten und die Familie verloren hat und auf dem besten Wege ist zu verhungern, wird einem die Dankbarkeitsliste wohl wenig helfen. Aber es gibt jene, die solche schrecklichen Erfahrungen überlebt haben und die sagen, dass die einzige Möglichkeit, eine so schreckliche Erfahrung zu überleben (psychisch zumindest), darin besteht, etwas zu finden, was man wertschätzen kann und was Bedeutung für einen hat. Tatsächlich gibt es einen ganzen Therapiezweig, die Logotherapie, die auf diesem Gedanken basiert.

Es ist hilfreich, sich zu erinnern, dass es (üblicherweise) Menschen gibt, denen es schlechter geht als einem selbst. Es gibt Leute, die mehr Tragödien erlebt, noch mehr Pech und mehr Schmerzen gehabt haben und kränker gewesen sind als man selbst. Ich fühle mich immer leicht schuldig, wenn ich an die denke, denen es schlechter geht, weil es sich so anfühlt, als ob wir sie zum Trost für uns instrumentalisieren (oder zumindest, um unser Unbehagen zu vermindern). Aber die Welt wäre ein wesentlich ärmerer, kränkerer, schmerzhafterer Ort ohne die Anstrengungen derer, die ihr Maß an Schrecklichem erlebt haben und dann hinausgegangen sind und Menschen geholfen haben, die in viel schwierigeren Lagen waren als sie selbst.

Quälen Sie sich nur nicht mit ständigen Fragen à la »Was wäre, wenn?« und »Warum ist mir das passiert, was habe ich getan, um das zu verdienen?«. Wenn Sie in den Kategorien von »Was wäre, wenn«

denken und diese umkehren, dann werden Sie feststellen, dass Ihnen viele furchtbare Sachen nicht geschehen sind, einfach nur, weil Sie zu einer anderen Zeit das Haus verlassen haben oder Sie zu diesem Zeitpunkt woanders waren etc. Zu der Frage, ob man etwas verdient oder nicht: Ich kenne zu viele gute Menschen, die ein positives Leben führen, das auch anderen nützt, denen der »Shit« aus allen Richtungen um die Ohren geflogen ist, ohne ersichtlichen Grund, Sie müssen also etwas nicht verdient haben, um es zu kriegen (sei es nun »gut« oder »schlecht«). Manchmal passiert es Ihnen eben grundlos.

Und das hier ist sicherlich auch etwas, zu dem Sie nicht *Fuck It* sagen können: wenn wirklich schlimme Dinge passieren. Das hängt selbstverständlich von Ihrer Definition ab. Sie können diesen Ausdruck auf vielerlei unterschiedliche Art verwenden, wenn Sie sich in Ihrem Leben Schwierigkeiten und Kummer gegenübersehen: »*Fuck It*, mir ist es egal, wie ich mich benehmen sollte, ich fühle mich furchtbar und bleibe jetzt einfach im Bett und jammere.« – »*Fuck It*, all das hat mich einsehen lassen, dass ich eine Lüge lebe, ich bin weg.« – »*Fuck It*, ich kann jetzt genauso gut machen, worauf ich Lust habe, es kann sowieso nicht mehr schlimmer kommen.« etc.

Tatsächlich habe ich *Fuck It* oft als die Perspektive beschrieben, die sich einstellt, sobald etwas Schlimmes passiert. Wenn der »Shit« passiert ist – wenn Sie krank werden oder jemand, der Ihnen nahesteht, stirbt oder Sie alles verlieren, man Sie entlässt oder Ihr Kind Sie ablehnt oder die Wirtschaft zusammenbricht oder Ihr Land in einen Krieg eintritt – dann verändert sich Ihre Welt auf einen Schlag. Da geht Ihnen dann mit einem Mal auf, dass das, worüber Sie sich Tag für Tag Sorgen machen, nicht so wichtig ist. All Ihre Orientierungspunkte verlagern sich. Das, was Sie wollten, und das, wonach Sie gestrebt haben, scheint keine Rolle mehr zu spielen.

> Tatsächlich habe ich *Fuck It* oft als die Perspektive beschrieben, die sich einstellt, sobald etwas Schlimmes passiert.

Und so ein Perspektivenwechsel kann äußerst positiv sein. Es ist nur schade, dass so etwas üblicherweise nur dann eintritt, wenn etwas wirklich Schreckliches geschieht. Wenn ich nur für jedes Mal einen Dollar bekommen hätte, wenn jemand zu mir sagt:»Ich dachte, das sei das Schlimmste, was mir passieren könne, aber es stellte sich heraus, dass …«, um dann zu erklären, wie viele verblüffende Dinge daraufhin wegen dieser schlimmen Geschichte und des mit ihr einhergehenden Perspektivenwechsel ihren Lauf nahmen.

Der »Shit« bringt uns eine neue Perspektive. Das kann etwas ziemlich Gutes sein, auch wenn Sie das in dem Moment, in dem es bei Ihnen der Fall ist, vielleicht gerade nicht zu würdigen wissen. *Fuck It* verhilft Ihnen auf ähnliche Weise zu einem Perspektivenwechsel (das heißt, es bringt uns zu der Einsicht, dass das meiste gar nicht so wichtig ist), bevor der Perspektivenwechsel sich Ihnen von selbst aufdrängt (das heißt, der »Shit« macht Ihnen klar, dass das meiste gar nicht so wichtig ist).

Also kann *Fuck It* in einer »Shit happens«-Stadt (und das ist schließlich jede Stadt) auf die unterschiedlichste Art helfen, wenn furchtbare Dinge geschehen, aber genauso gut kann es Ihnen helfen, die wahre Perspektive eines Menschen einzunehmen, der weiß, dass hin und wieder »Shit happens«, aber dies nicht ständig mit sich herumschleppen muss, um freier leben zu können.

Nehmen Sie den Druck heraus: Seitdem ich das geschrieben habe, hat mir der »Shit« einen unerwarteten Besuch in meiner Stadt abgestattet. Und ich habe mich an ein paar Dinge erinnert, die ich in seiner Anwesenheit unternehme:

1. Ich erinnere mich daran, dass die Dinge im Normalfall wieder besser werden. Tatsächlich ist das bereits geschehen.
2. Wenn harte Zeiten über mich hereinbrechen, dann versuche ich, einen Schritt nach dem anderen zu

machen. Das ist ein Trick, an den ich mich immer zu halten versucht habe: Selbst in der Schule, als ich mich vor einem Tag voller Stunden fürchtete (und ich meine: FÜRCHTETE), habe ich gelernt, dass es genug zum Durchkommen war, wenn ich mich mit der Vorstellung der ersten Stunde abgefunden hatte. Wenn der »Shit« aus etwas Größerem besteht als nur einer Mathestunde, dann versuche ich immer noch, an das zu denken, was ich als Nächstes tun muss, und sonst nichts. »Schwimm einfach weiter«, wie Dori in *Findet Nemo* so schön sagt.

Gaias magische Worte

Sie müssen nicht tapfer sein

Ich meine, es gibt einen tief sitzenden, verborgenen Glaubenssatz in unserer Kultur, dass man, um ein/e Erwachsene(r) zu werden, tapfer sein muss, als ob Erwachsensein etwas wäre, für das man einen Abschluss macht, als ginge es darum, die Verantwortung zu fühlen und darum zu kämpfen, zu beweisen, dass man damit fertigwird, egal, was kommt.

Aber glauben Sie nicht, dass, wenn wir es uns erlauben würden, uns in jedem Zustand, den wir erleben, getragen und angenommen zu fühlen, wir von ganz von selbst lernen würden, auf eigenen Füßen zu stehen? Würden wir uns nicht ganz von selbst mit egal welchen Gefühlen, die in uns aufsteigen, anfreunden, genauso wie auch die Gesellschaft besser auf all unsere Höhen und Tiefen reagieren würde, nur mit größerer Weichheit und Natürlichkeit, die allen Schattierungen des Menschseins Raum gäbe?

Wir sind eine Mischung. Alles Leben ist in einem; das ist normal.

Manchmal sind wir ganz von selbst tapfer und stark und nach außen gewandt. Manchmal kommen wir von ganz allein ins Handeln. Und wir können das, weil es in uns ist. Aber manchmal sind wir verletzlich und unsicher und unfähig zu handeln.

Und jetzt fragen Sie sich: Was ist so schlimm daran?

Als Sie ein kleines Kind waren, haben Sie sich nicht für Ihre Gefühle geschämt. Kinder erleben ihre Gefühle zur Gänze und gehen dann weiter. Wer sagt, dass das nicht auch bei Erwachsenen so sein kann?

Es ist ganz deutlich, dass all dieses Verstecken der Ängste nicht besonders gut für die Erwachsenen und unsere Gesellschaft funktioniert.

Die Sache ist es also wert, dass man eine Alternative ausprobiert. Verstellen Sie sich nicht; seien Sie nicht tapfer, wenn Sie sich gerade nicht so fühlen, egal, was die anderen davon halten mögen.

Es kann gut sein, dass Sie feststellen, dass es Sie stärker macht, einfach verletzlich zu sein, wenn Sie sich so fühlen.

Gaia's Magic Weeks, die in Italien veranstaltet werden, sind Teil des *Fuck It*-Retreat-Programms. Mehr herausfinden können Sie unter www.thefuckitlife.com.

Frei sein und das Beta-Leben leben

Im letzten Jahrzehnt habe ich größtenteils Yahoo als E-Mail-Provider benutzt. Sehr häufig habe ich mit der Betaversion gearbeitet. Beta ist eine Testversion. Die Softwareentwickler gaben die Betaversion an eine ausgewählte Gruppe von Leuten heraus, um mögliche Fehler auszubügeln, bevor es dann für den Massenmarkt herausgegeben wird. Es ist eine gute, simple Idee, etwas zu testen, bevor man es gänzlich nach außen trägt. Man würde gerne glauben, dass das neue Kopfschmerzmittel aus der Apotheke sorgfältig getestet worden ist, bevor man es einnimmt. Dasselbe gilt für Ihre Software, denn Softwarefehler können tödlich sein.

Nun, ich erinnere mich noch, dass ich etwas überrascht war, damals vor ein paar Jahren, als Yahoo mir vorschlug, ich solle ihre Betaversion ausprobieren. Man setzte mir auseinander, wie viel besser diese Betaversion gegenüber der »ursprünglichen« Version sei und dass ich jederzeit zurückwechseln könne. Ich zögerte ein wenig. Warum sollte ich ein unvollendetes System benutzen wollen, besonders bei etwas so Essenziellem wie E-Mails? Warum schafft man es nicht, so ein System fertig zu entwickeln, bevor man es auf Nutzer loslässt? Aber man bat mich weiter, bettelte richtiggehend und schwärmte mir von neuen Zusatzfeatures vor, sodass ich mich schließlich breitschlagen ließ … Und ich mochte das System. Tatsächlich vergaß ich sehr bald, dass es die Betaversion war. Es hatte den Anschein, dass auch Yahoo es vergessen hatte, denn sie fragten mich nie, ob ich irgendwelche Fehler zum Ausbügeln gefunden hätte. Mit Sicherheit gab es irgendwo Yahoo-Arbeitsbienen, die rasch sämtliche Fehler ausmerzten, von denen die Leute ihnen berichteten (oder wegen denen die Leute sie anschrien, was wahrscheinlicher ist).

Ich jedenfalls war zufrieden. Aber mir fiel auf, dass sie die Version weiterhin als »Betaversion« bezeichneten. Sie schien nie zur echten Version zu werden (welchen Namen auch immer sie dann erhalten hätte: Yahoo 7.8 oder so). Es blieb stets bei Beta. Das fand ich interessant.

Einige Jahre später, als ich mich auf meinem Konto einloggte, bekam ich eine Einladung, mich für eine neue »Betaversion« anzumelden. Das verwirrte mich. Ich hatte den Eindruck, dass noch immer die alte Version getestet würde und ich dazu gebracht werden sollte, lediglich eine weitere auszuprobieren, und »Beta« obendrein. Aber ich ließ mich darauf ein – diesmal leichteren Herzens. Und es war gut. Aber ich wurde nicht gefragt, wie ich darüber dachte. Sie nannten es weiterhin Beta ... ja ... Sie haben es erraten ... bis die nächste Betaversion daherkam.

Und mir wurde klar, dass das alles ein Spiel war, das Yahoo für uns die Vorstellung von »Beta« geändert hatte. In den frühen Tagen der Betaversionen hatte man ganz klar erkannt, dass viele Leute die Betaversion haben wollten, selbst wenn sie ein paar Fehler aufwies, weil das bedeutete, dass man das Allerneueste hatte. Man war ein »Early Adopter«, lebte in den Grenzbereichen des Softwaredesigns. Eine Betaversion implizierte, – ja, durchaus etwas, was noch nicht ganz fertig war, aufpoliert oder perfektioniert – aber gleichzeitig etwas, das ausgefallen war und den Horizont erweiterte. Diese rauere, kantigere, unfertige Qualität wurde zu einem Vorzug. Yahoo (wie vermutlich viele andere auch) erkannte das und bot es dem Massenmarkt an. Wer weiß, wie »Beta« diese Versionen wirklich waren.

Diese Mentalität der Betaversion habe ich überall im Netz gesehen. Alles geht schneller, wird aus der Hüfte geschossen. Es ist leichter, etwas auszuprobieren und es dann zu ändern, wenn es nicht funktioniert. Marken verwenden nicht länger ein ganzes Jahr auf die Planung und Entwicklung einer Werbekampagne – man kann innerhalb kurzer Zeit ein virales Video produzieren, online stellen und dann schauen, ob es sich durchsetzt. Wenn nicht, dann kreiert man eben ein neues. Probieren Sie das aus, es muss nicht perfekt sein, tatsächlich ist es unter Umständen sogar besser, wenn es sich ein bisschen rau und kantig anfühlt. Falls es nicht wie gewünscht funktioniert, dann weg damit und mit etwas Neuem weiterexperimentiert. Machen Sie das so regelmäßig, dass es nach einer Weile nicht mehr darum geht, die perfekte Antwort zu finden oder die perfekte Software oder die perfekte Kommunikation, sondern einfach nur aus dem Grund, etwas zu generieren und die Konversation am Laufen zu halten.

Was dieser Ansatz erst auf das Leben übertragen bedeuten würde! Denken Sie mal darüber nach, wie die meisten von uns ihr Dasein fristen. Wir machen die Dinge gern richtig, denken groß und gründlich nach, bevor wir Entscheidungen treffen, machen uns Sorgen, den Fuß an die falsche Stelle zu setzen, planen jedes Detail im Voraus … wir begreifen uns sogar selbst als Projekt, das wir bis zu dem Punkt verbessern und weiterentwickeln, wo alle rauen Kanten abgeschliffen sind und wir ruhiger, liebevoller, großzügiger, gebildeter, effizienter etc. werden. Wir haben die Tendenz, eine »perfekte« Version von uns selbst im Kopf zu haben, auf die wir hinarbeiten.

Fuck It.

Wie wäre es mit einem Beta-Leben? Im ständigen Testmodus zu leben? Dinge auszuprobieren und wenn sie funktionieren – super, wenn nicht: weg damit; keine fixe Vorstellung davon zu haben, in welche Richtung es geht (ganz sicher nicht in die Richtung einer weit entfernten, perfekten Version seiner selbst), Sie sind es einfach zufrieden, die Dinge auf täglicher Basis auszuprobieren. Der Druck ist weg. Es ist Zeit zu spielen. Und genau darum geht es im Beta-Leben: Leben durch Witz. Im Beta-Leben sorgt man sich nicht so sehr – das heiß, man hat sich eine der wesentlichen *Fuck It*-Eigenschaften angeeignet. Immerhin werden Sie wahrscheinlich öfter scheitern als früher, da Sie ständig Neues wagen (genauso ist es wahrscheinlicher, dass Sie auf eine Goldader stoßen, egal, auf welchem Gebiet Sie arbeiten).

Fuck It-Leben ist Beta-Leben. Öffnen Sie sich dieser neuen Art zu leben. Entspannen Sie sich und nehmen Sie den Fuß vom Gas. Verändern Sie Ihre Perspektive – die Dinge müssen nicht perfekt sein; Sie müssen nicht perfekt sein. Stimmen Sie sich ein, um herauszufinden, worauf Sie Lust haben. Vertrauen Sie dem Wert der Botschaften. Folgen Sie und tun Sie es – testen Sie es und finden Sie heraus, ob es für Sie funktioniert, wenn nicht, ziehen Sie weiter. Und zwar schnell. Das Leben ist ein organischer, lebendiger Prozess, und zwar definitionsgemäß. Das Leben ist stets im Fluss, völlig dynamisch, rau, unvollkommen, unvorhersehbar. »Das Leben« ist nicht immer ruhig, friedlich, beständig, ordentlich, vorhersehbar, perfekt, verlässlich. Es ist auch alles andere.

Genau wie Sie. Wenn Sie sich auf Ihren Instinkt einstimmen, dann ist auch der von allem ein bisschen was. Denn Ihr Instinkt ist die schnellste Möglichkeit für Sie, an diese »Lebensenergie« heranzukommen. Praktizieren Sie also das Beta-Leben, und schon bald leben Sie das *Fuck It*-Leben.

Frei sein und das Leben aufwerten

Ich schreibe den Text hier in der Suite eines Fünf-Sterne-Hotels im Herzen Londons. Gaia will gleich schwimmen gehen. Später gehen wir aus, nach Soho, chinesisch essen. Morgen früh setzen wir uns ins Spa und bereiten die *Fuck It*-Tage vor, die wir hier übers Wochenende veranstalten.

Es wird Ihnen vielleicht aufgefallen sein, dass ich im Laufe dieses Buchs ein paar Hotels erwähnt habe. Obendrein alles wirklich schöne Hotels. Es ist nicht so, dass das Geld bei uns auf Bäumen wachsen würde und überhaupt keine Rolle spielt, aber ich habe gelernt, wie man sich das Leben versüßt und etwas schöner macht.

Fangen wir mit diesem Hotel hier an. Es ist die Woche vor Ostern und London gleicht im Jahr der Olympischen Spiele noch mehr einem Ameisenhaufen als sonst. Dennoch sitzen, schwimmen und schlafen wir im Schoß des Luxus im Herzen der ganzen Sache für … nun, das Zimmer, das ich gebucht habe, hat 40 Prozent der üblichen Zimmerpreise gekostet. Als wir gerade an die Rezeption kamen, stellte sich zufällig heraus, dass der Rezeptionist Italiener ist. Er hat uns, ohne dass wir darum gebeten hätten, auf eine Suite »upgegradet«. Gerade habe ich den Preis für eine Suite recherchiert und festgestellt, dass wir nur 25 Prozent des Zimmerpreises zahlen, der normalerweise üblich ist.

Wir leben ein aufgewertetes Leben und ich will Ihnen erklären, wie man das macht. Dazu gehört einiges an *Fuck It*. Sehen wir uns zunächst das eigentliche Upgrade an (das normalerweise der letzte Teil des Prozesses ist).

Ich bin in wirklich jedem der letzten zehn Hotels, in denen ich abgestiegen bin, hochgestuft worden. Ich bin kein Geschäftskunde. Ich sehe so normal aus wie nur irgendwer. Wie also mache ich das? Erster ultimativer Tipp: Seien Sie unglaublich höflich zum Rezeptionisten. Zeigen Sie echtes Interesse an ihm – und zwar nicht, weil Sie ihn um ein Upgrade bitten wollen, sondern weil Sie wirklich an ihm interessiert sind (da besteht ein fühlbarer Unterschied). Wenn Sie nun Ihr Zimmer durch eine Buchungsagentur mit Rabatt gebucht haben, dann besteht die Chance, dass für Sie das kleinste Zimmer im Hotel bereitsteht, und der Rezeptionist weiß das. Wenn er sich nicht wirklich für Sie erwärmen kann (wie das gerade eben der Fall war), dann wird er einfach weitermachen und Sie in diesem Zimmer einchecken (viele Vier-Sterne-Hotels heutzutage haben äußert kleine Räume erschlossen und sie dann wunderbar dekoriert, sodass sie immer noch verdienen, wenn sie Rabatte geben). Also nehmen Sie Ihre Schlüsselkarte, schnappen sich Ihr Gepäck, gehen Richtung Aufzug und wissen, dass Sie in drei Minuten wieder unten sein werden. Gehen Sie in das Zimmer, stellen Sie Ihre Tasche in den Gang. Fassen Sie nichts an. Setzen Sie sich nicht auf das Bett. Überprüfen Sie einfach, ob es nicht schon die Suite ist und Sie Glück gehabt haben. Dann lassen Sie Ihre Tasche da und gehen Sie wieder zur Rezeption. Seien Sie wirklich höflich, sagen Sie, dass Sie in dem Zimmer waren und dass Sie während Ihres Aufenthalts wirklich viel Zeit im Zimmer verbringen wollen, da Sie viel zu tun haben, und ob es wohl möglich wäre, bitte ein größeres Zimmer zu bekommen … dass Sie ja so dankbar wären, wenn er oder sie Ihnen aushelfen könnte. Fügen Sie dann hinzu, dass Sie im Zimmer nichts angerührt haben, dass Sie sich nicht einmal hingesetzt haben. Und, wenn die Belegung das zulässt (normalerweise ist es so), werden Sie ein besseres Zimmer bekommen.

Das ist das eigentliche Upgrade. Was ist mit dem Zimmer, das Sie für einen Bruchteil der Kosten gebucht haben? Einfach nur 20 Minuten harter Arbeit im Netz. Sie brauchen zwei oder drei gute Rabatt-Buchungsseiten. Hin und wieder müssen Sie ein Risiko eingehen. Lastminute.com hat beispielsweise eine Rubrik, die »Secret Hotels« heißt, in der unglaubliche Rabatte angeboten werden, aber Sie wissen nicht genau, wo das ist oder wie sie heißen oder aussehen. Sie tun Ihr Bestes, um anhand der Details, die Sie bekommen, festzustellen, wo sie sich befinden etc. Eine Sache, die mir aufgefallen ist, war, dass, wenn Sie einmal die Details eines »Secret Hotels« herausbekommen haben (das macht man, indem man es einmal bucht und dort übernachtet), dort immer derselbe Code auf der Website benutzt wird. Mittlerweile kenne ich den »Code« von fünf oder sechs Hotels in London. Die Deals enthalten üblicherweise Angebote von 50 Prozent Rabatt oder mehr. So können Sie zum Preis eines Zwei-Sterne-Hotels oder einer Jugendherberge in einem Vier- oder Fünf-Sterne-Hotel übernachten und »logieren« in den besten Hotels der Stadt.

Ganz klar die besten Chancen, alle Bereiche aufzuwerten, hat man, wenn man außerhalb der Saison reist, übernachtet, mietet oder Dinge besichtigt; also zu Zeiten, wo kein Mensch sonst daran denken würde zu reisen, übernachten, zu mieten oder Dinge zu besichtigen. Sie können den Lebensstil eines Stars haben, wenn Sie es sich aussuchen können, wann Sie reisen (es sei denn, Sie sind ein Star, dann folgt Ihnen wahrscheinlich ständig jemand mit einer Kamera, man hat wahrscheinlich längst das beste Zimmer in der Stadt für Sie gebucht und die Idee eines richtigen Upgrades schreckt Sie wahrscheinlich nicht besonders). Aber hier geht es sozusagen um den größeren Zusammenhang, und zwar … wie man sein Leben besser und genussvoller gestaltet, jenseits von Hotelzimmern und Flügen.

Ich habe gesagt, dass die Hotel-Upgrades einen gewissen Grad von *Fuck It* erfordern … *Fuck It*, ich kann das. Dazu braucht es ein wenig Mumm. Ebenso braucht es den festen Glauben, dass Sie es VERDIENEN. Ja, ich habe vielleicht nur ein paar Kröten für das Zimmer im Hotel bezahlt, aber ich weiß, ich kann die eine herrliche Suite da oben haben, die heute Nacht niemand gebucht hat, und ich VERDIENE diesen Luxus.

Und um zu fühlen, dass wir etwas verdient haben, müssen wir ein positives Selbstbild haben. Im Hotel kann ich das Selbstgespräch so ausführen: »Du, John, bist ein wunderbarer Mann; du ernährst deine Familie, du trägst in Form von *Fuck It* etwas Interessantes und Hilfreiches für die Welt bei – mein Gott, das Wenigste, was du verdienst, ist ein luxuriöses Zimmer, in dem du heute Nacht dein Haupt betten kannst.« Verstehen Sie mich nicht falsch: Das ist kein Selbstrechtfertigungsprozess, es geht um Selbst-Wert. Selbstrechtfertigung entspringt aus einem niedrigen Selbstwertgefühl: »Ich weiß, dass ich das nicht verdiene, aber ich sollte es wirklich bekommen, weil ja immerhin sonst niemand dort bleibt, und wenn ich das Zimmer nicht bekomme, ist es sowieso Verschwendung, und warum sollte man es verschwenden wollen, wenn es Leute gibt, die da draußen auf der Straße schlafen … blablabla Entschuldigung, Entschuldigung bla.«

Also fangen Sie damit an, sich selbst richtig zu würdigen. Klopfen Sie sich auf den Rücken (das ist ohnehin gut fürs Qi) und sagen Sie: »Gut gemacht, du … du kriegst das wirklich toll hin mit deinem Leben … du verdienst das Allerbeste, was das Leben zu bieten hat.«

Sie verdienen wirklich das Beste, was das Leben zu bieten hat. Also fangen Sie damit an, es zu erwarten. Kultivieren Sie ein Anspruchsdenken (im besten Sinne des Wortes, nicht die Art von »verzogenes Balg mit Treuhänderfond, gefüttert mit Silberlöffeln-Anspruchsdenken«). Und nicht nur in materiellen Dingen (und in Sachen buchstäblicher Aufwertungen und Höherstufungen), sondern in allen Aspekten Ihres Lebens: Sie verdienen die besten Gelegenheiten, die besten Beziehungen, die beste Gesundheit, die beste Chance, Ihre Träume zu verwirklichen, den besten Sex, den besten Wein, die besten Freunde.

Kultivieren Sie das Gefühl, das Beste zu verdienen ... los, sagen Sie *Fuck It* und werten Sie Ihr Leben auf.

Also, ja, ziehen Sie los und sagen Sie *Fuck It* und upgraden Sie Ihr Hotel. Aber sagen Sie auch *Fuck It* zu Ihren Selbstzweifeln, Ihren beschränkten Glaubenssätzen, Ihrem Gefühl, ein Opfer der Gezeiten des Lebens zu sein, und kultivieren Sie das Gefühl, das Beste zu verdienen ... los, sagen Sie *Fuck It* und werten Sie Ihr Leben auf.

Frei sein, wenn man neu in der Stadt ist

Wir haben uns vorgestern Abend *Cowboys and Aliens* angeschaut, wo der stattliche Daniel Craig im Wilden Westen aufwacht, sich an nichts erinnert, aber ein futuristisches Ding am Handgelenk trägt. Was für ein Glückspilz, dieser Cowboy! Nicht nur, dass er mit perfektem, wenn auch zerfurchtem Gesicht aufwacht, nein, er hat auch noch ein spaciges Maschinengewehr am Arm. Also macht er sich auf in die nächste Stadt und etabliert erst mal seinen Ruf als Cowboy, indem er den Fiesling vor Ort in die Schranken weist.

Momentan veranstalten wir einen *Fuck It*-Retreat für 24 Leute. Das Thema der Woche scheint »Etwas taucht auf« zu sein (Ich sage: »Es scheint so«, weil eine Woche so ziemlich jeden Kurs verändern kann, ganz abhängig von der Gruppe und dem, was so, nun ja, »auftaucht«). Wir alle kennen die Idee, im Jetzt zu leben: die Möglichkeit, weniger über die Vergangenheit und die Zukunft nachzudenken, um in dem präsent zu sein, was gerade passiert. Jeder Augenblick, so die Theorie, ist gänzlich frisch und neu, voll endloser Möglichkeiten.

Doch die meisten von uns gehen an den Moment mit so vielen Vorurteilen, Ideen und Urteilen heran, dass es schwierig wird zu erkennen, was wirklich vor sich geht. Es gibt den Ausdruck »alles durch eine rosa Brille sehen«, wenn wir das Beste in allem sehen (darüber hinaus scheint der Ausdruck zu implizieren, dass wir auch noch übermäßig idealistisch sind). Was wir wirklich aufgesetzt haben, wenn wir an einen Moment herangehen (okay, okay, bitte legen Sie das jetzt nicht auf die Goldwaage, ich weiß, dass man niemals wirklich »an einen Moment herangeht«, dass es immer nur den »Moment«, das »Jetzt« und sonst nichts gibt, und so weiter und sofort, aber bitte bleiben Sie kurz bei mir), ist eine Brille, die ganz bestimmte Bereiche scharf stellt, so sehr, dass andere ausgeblendet werden, eine Brille, die einige Teile des Bildes aufs Wildeste verzerrt, andere Bereiche des Bildes entweder »rosa« einfärbt oder sie so dunkel erscheinen lässt, dass sie völlig verschwinden. Das ist nur natürlich. Und ich sage das nicht leichthin. Es ist nicht nur natürlich, sondern bis zu einem gewissen Grad auch notwendig.

Wie ich schon eingangs im Kapitel »Warum gibt es Gefängnisse?« bemerkt habe, müssen wir bis zu einem gewissen Grad filtern, denn es werden in jedem Augenblick Millionen von Bits an Informationen von der scheinbaren äußeren Realität auf unterschiedliche Arten in unser Gehirn gespeist. Wir hören, sehen, riechen und fühlen nicht nur, wir spüren die Dinge auch auf anderen Ebenen. Selbst wenn wir lediglich das Sehen herausgreifen, dann sind wir bereits in der Situation, dass wir uns dazu entwickelt haben, nur einen Bruchteil des gesamten Frequenzbereiches zu »sehen.« Wenn wir nicht filtern würden oder könnten, wäre unser Gehirn überfordert. Wenn wir sämtliche Informationen in einem Augenblick aufnehmen und absorbieren könnten, würden wir wahrscheinlich ein ganzes Leben in einem Augenblick leben. Aber das machen wir nicht, und wir können es auch nicht. Wir breiten die Erfahrung der scheinbaren Realität über mehrere menschliche Dekaden aus, sodass es den Anschein hat, es sei in Ordnung, wenn man die fortlaufende Erfahrung auf einen in jeder Hinsicht handhabbaren Grad herunterfiltert.

Wie ich schon sagte, das ist natürlich. Wir haben die Tendenz, die Außenrealität nur nach bereits bekannten Mustern zu erkennen und zu verarbeiten. Die anderen Teile werden ignoriert.

So weit, so interessant. Worauf ich hinauswill? Dass wir versuchen, das Frequenzspektrum, das wir zu sehen imstande sind, zu erweitern versuchen, indem wir in einem schlecht beleuchteten Raum sitzen und unsere Katze anstarren und versuchen, andere Farben zu sehen? Nein, außer Sie wollen unbedingt. Ich will darauf hinaus, dass wir versuchen sollten, uns bewusst zu machen, auf welch extreme Art wir frühere Wahrnehmungen, Urteile, Meinungen und Vorurteile in den gegenwärtigen Augenblick projizieren.

Denken Sie für einen Moment darüber nach, wie Sie reagieren, wenn Sie jemand Neuem vorgestellt werden. Sie urteilen vermutlich recht schnell im Voraus über diese Person, auf der Grundlage ihrer Art zu reden, zu handeln (wenn ich in diesem Zusammenhang über »im Voraus urteilen« rede, dann meine ich damit nicht rassistische oder sexistische Vorurteile, sondern ein allgemeines Vor-Urteil einer Person basierend auf früheren Erfahrungen). Bequemlichkeitshalber stecken wir schnell jeden und alles, dem wir begegnen, in Schubladen. Ich will auch darauf hinaus, dass wir uns bewusst werden sollten, auf welch extreme Art wir eine Agenda in den gegenwärtigen Moment mitnehmen. Wir gehen stets mit einem Wunsch an den Moment heran. Wir machen uns klar, was wir im Leben wollen, erstellen einen Plan, setzen ein paar Ziele und befolgen dann den Plan, um diese Ziele zu erreichen. Das nimmt sich zunächst als ein recht gesunder Prozess aus, aber das bedeutet, dass wir jedem Moment unsere Vorstellung davon, wie er sein *sollte*, und davon, wie er uns dienlich sein *könnte*, aufzwingen. Dies ist natürlich eine weitere Form des Urteilens, basierend auf Ideen. Wir urteilen und filtern auf der Grundlage dessen, was da draußen »gut« und »schlecht« ist, was hilfreich oder nicht hilfreich ist, was unseren Zwecken dient und was nicht.

Wenn wir uns bewusster werden, wie wir jeden Moment mit Urteilen und mit voreingenommenen Auswahlverfahren beladen, dann werden uns wahrscheinlich einige Möglichkeiten klar, wie wir offener werden können. Und dieser Ausdruck »neu im Moment zu sein« kann wirklich helfen. Er impliziert, dass wir alle diese Vorstellungen davon, wie die Dinge sein sollten und was wir in einer Situation wollen und wie sie ausgehen könnte, beiseitelassen und einfach da sind. Wir erkennen, dass es jeden Augenblick endlose Möglichkeiten gibt, und wir öffnen uns ihnen mehr und mehr. Wir werden einfach neugierig auf das, was sich zeigen könnte. Es ist ein köstliches Gefühl der Freiheit in der Idee verborgen, in jedem Moment neu da zu sein, unbelastet von vorgefertigten Meinungen.

Daniel Craig in *Cowboys and Aliens* wurde dazu gezwungen, ganz neu aufzutauchen. Er fand sich ohne Gedächtnis im Wilden Westen wieder, ohne jede Vorstellung davon, wie er auf neue Situationen reagieren sollte. Also reagierte er auf neuen Input einfach so, wie es sich für ihn natürlich anfühlte. Sie müssen sich nicht selbst ausknocken, um das auszuprobieren. Stellen Sie sich vor, dass es möglich ist, im Jetzt zu leben, äußerst effektiv im Jetzt zu handeln, aber tatsächlich ohne Rekurs auf all das frühere Verhalten, die Reaktionen und Vorstellungen. Konfrontiert mit genau denselben Umständen (was natürlich unmöglich ist, aber dennoch …) könnten Sie einmal so und einmal ganz anders auf sie reagieren. Das bedeutet »neu sein«. Es ist ein todsicherer Weg in die Freiheit.

FREI WERDEN, FREI SEIN, FREI BLEIBEN, »FREI« VERSTEHEN

Vom wahren Wesen der *Fuck It*-Lösung

Also: Wir haben Sie in diesem Buch über die *Fuck It*-Lösung durch einen grundlegenden Prozess geführt. Es geht darum, wie man diese mächtigen zwei Wörter »Fuck« und »It« zur unschlagbaren, fast heiligen Union von »*Fuck It*« zusammenführt – um Freiheit im Leben zu finden.

Wir sind der Frage nachgegangen, warum es für die meisten von uns notwendig ist, *Fuck It* zu sagen (schließlich stecken wir auf die eine oder andere Art im Gefängnis).

Und wir haben uns angesehen, auf welche »It's« die meisten von uns das »Fuck« anwenden müssen, um frei zu werden.

Wir sind magischen Techniken nachgegangen, die direkt und ganz natürlich dem »*Fuck It*-Zustand« entspringen – dem sorgenfreien Zustand, den wir erreichen, wenn wir zutiefst entspannt sind. Und wir haben gesehen, dass die magischen Wörter »*Fuck It*« uns in diesen Zustand zurückbringen oder uns zumindest an ihn erinnern können.

Wir haben uns für den Moment ausgerüstet, in dem uns die Leute kritisieren, und haben es gelernt, *Fuck It* zu dem zu sagen, was die Leute über uns denken.

Dann haben wir mit dem Gedanken gespielt, wie es wäre, tagtäglich ein *Fuck It*-Leben zu leben.

Also, kurz gesagt, wir haben uns angeschaut, wie wir *Fuck It* nutzen können, wenn wir nicht frei sind, um frei zu werden und frei zu bleiben.

Aber was bedeutet »frei« wirklich?

Wir haben ja schon ein paarmal in diesem Buch darauf angespielt (darunter auch am Anfang, als wir darauf hingewiesen haben, dass wir vielleicht das Ende verraten): Wahre Freiheit umschließt all die scheinbaren Zustände, die wir erleben. Das heißt, Sie können frei sein, auch wenn Sie noch immer »im Gefängnis« sitzen (egal, was das für Sie bedeutet). Das bedeutet, dass Sie ohnehin schon immer frei waren. Das ist das wahre Wesen der *Fuck* It-Lösung.

Hier betreten wir eine höhere Ebene des Freiheitsverständnisses, genauso wie es eine höhere Ebene des Verständnisses von *Fuck It* darstellt. In der dualistischen Welt von richtig und falsch, gefangen und frei, angespannt und entspannt, krank und gesund, materiell und spirituell etc. sehnen wir uns ständig nach Bewegung zwischen diesen Zuständen. Und das ist okay. Es ist nicht nur okay, sondern wunderbar. Wir wollen vom Bösen zum Guten, vom Gefängnis in die Freiheit, von gestresst zu gelassen, von materialistisch hin zu spirituell und friedvoll. Die Sehnsucht nach Bewegung ist natürlich und wunderbar, und die Bewegung selbst kann natürlich und wunderbar sein. So ist das Leben, wie es scheint. Zumindest ein Leben, das auf positive, bewusste und wohltätige Art gelebt wird (ein negativ und unbewusst geführtes Leben kann alles in die entgegengesetzte Richtung lenken).

> Hier betreten wir eine höhere Ebene des Verständnisses von *Fuck It*.

Aber.

Aber.

Aber.

Dieses Wörtchen »aber« hat es uns einfach angetan, oder? Es steht als Hinweis dafür, dass immer es immer die Möglichkeit gibt, die Dinge aus einem anderen Blickwinkel zu betrachten. Ja, das stimmt, aber … Und wenn das, was folgt, ebenfalls stimmt, dann verwandeln Sie das »aber« in ein »und«.

Probieren wir's.

Aber … wir sind am freiesten, wenn wir uns klarmachen, dass dies alles dasselbe ist: alle Zustände sind natürlich und Teil des allgemeinen Stroms; das scheinbare Gefängnis, in dem wir uns befinden, ist für den Moment in Ordnung und der Ort, an dem wir gerade sein sollen; die Anspannung und Angst, die wir erleben, sind notwendig dafür, dass das erblühen kann, was als Nächstes kommt; Materialismus hat ebenso seine Berechtigung wie Spiritualismus, weil alles, letztlich, auf dasselbe hinausläuft.

Eine Sache kann wahr sein und gleichzeitig kann ihr Gegenteil wahr sein. Wir sind feste, separate Individuen, die von Newton'schen Gesetzen regiert werden, die in einer rauen und fremden Umwelt ums Überleben kämpfen UND wir sind nicht-solide, energetische Wesen, allverbunden (oder einfach »eins«), die in einem energetischen Feld baden, das vermutlich einfach nur Liebe ist.

Und wir werden »Es« wahrscheinlich niemals ganz verstehen. Aber indem wir realisieren, dass wir es nicht verstehen werden, entspannt und löst sich alles in uns, also werden wir so schon mehr wie »Es«, denn »Es« ist stets weich und gelöst und in Bewegung.

Fuck It hilft uns bei alldem. Nur zu, sprechen Sie Ihr »Fuck« zu all den »It's«, die Sie in der dualistischen Welt gefangen halten und Ihnen Schmerz verursachen. Sagen Sie es den »It's«, die Sie kritisieren und Sie davon abhalten, frei zu werden. Sagen Sie *Fuck It* und vollführen Sie Ihren Befreiungsschlag, egal, was die Menschen um Sie her denken.

Aber sagen Sie auch *Fuck It* zu der Vorstellung, dass Sie in der Falle sitzen, dass es ein »von – her« und ein »nach – hin« gibt, dass es etwas gibt, was Sie tun müssen, oder es einen Ort gibt, den Sie erreichen müssen.

Kann man diese beiden Gedanken gleichzeitig vertreten? Dazu gehört schon ein bisschen *Fuck It*. Irgendein Schlauberger, und ich glaube, diesmal war es nicht Einstein, hat einmal gesagt, Genie sei »die Fähigkeit, zwei entgegengesetzte Ideen gleichzeitig im Geist zu halten.*«

Können Sie sich in ein *Fuck It*-Leben stürzen? In den Sie mit mehr Klarheit, Bewusstheit, Offenheit und Freiheit leben, in den Sie die Dinge erkennen, die nicht funktionieren, die Spannungen und Ängste in Ihrem Leben, woraufhin Sie dann Ihre eigenen *Fuck It*-Wege finden, um frei zu werden …

UND

Sie erkennen, dass alles sowieso dasselbe ist.

Es gibt nichts zu tun und keinen Ort, an den man sich begeben muss, um *Fuck It* zu suchen, Sie sind längst da. Selbst wenn Sie denken, Sie wären es nicht, sind Sie es.

Bei *Fuck It* ging es ums Entspannen, den wunderbaren Raum (den *Fuck It*-Zustand) und das Leben, zu dem solche *Fuck It*-Entspannung Ihnen verhelfen kann.

Die Fuck It-Lösung erkennt den Wert all der Dinge an, von denen Sie glaubten, dass Sie sich von ihnen entfernen müssten, denn der wahre *Fuck It*-Zustand ist der, in dem alle Dinge umarmt werden.

Die wahre Lösung (das heißt die Heilung) besteht darin, nicht das zu realisieren, was man tun muss, um heil zu werden, sondern dass Sie längst geheilt sind. Das ist die *Fuck It*-Lösung.

Und wenn Sie es nicht verstehen, dann ist das okay. Das braucht Zeit. Wie könnte es leicht sein, zwei paradoxe Ideen zu verstehen? Um es zu verstehen, müssen Sie *Fuck It* sagen. Und das, liebe Leser, ist der Beginn Ihrer Reise. Und das Ende.

Ende.

> Die wahre Lösung (das heißt die Heilung) besteht darin, nicht das zu realisieren, was man tun muss, um heil zu werden, sondern dass Sie längst geheilt sind. Das ist die *Fuck It*-Lösung.

---

* Wie Google mir mitteilt, war das betreffende Genie F. Scott Fitzgerald.

NACHWORT

Von jetzt an bin ich nicht mehr im Lehrmodus. Es gibt etwas, was mich sehr an jeder Form von Kommunikation stört: Sobald man eine Sache sagt, schließt man alle anderen aus. Das ist das Wesen von Wörtern – sie definieren. Wenn ich Ihnen sage, dass Entspannung wirklich gut für Sie ist, erzeuge ich damit ein Urteil über alles, was nicht Entspannung ist. Dann meinen Sie immer, wenn Sie gestresst sind, dass Sie noch zusätzlich zu Ihrem Stress irgendetwas falsch machen.

Wenn ich Ihnen sage, dass es großartig ist, im Jetzt zu leben, dann wird es sofort zu etwas Schlechtem, das es zu vermeiden gilt, nicht im Jetzt zu leben.

Wenn ich Ihnen sage, dass es sehr heilsam ist, die Energie des Qi in sich wirken zu lassen, oder, noch schlimmer, ich Ihnen zeige, wie das ist, sodass Sie die ganze Energie auch noch spüren und sich damit verbinden können, dann fühlt es sich so an, als ob Sie irgendwie versagen würden, wenn Sie sich einmal nicht in diesem Zustand befinden.

Es ist praktisch unmöglich, eine Idee zu erwähnen, ohne in den Leuten Anspannung zu erzeugen.

Wenn ich darüber rede, wie schön es ist, es nicht zu versuchen, dann ziehen alle los und versuchen, es nicht zu versuchen.

Das ist wunderbar und auch total unvermeidlich.

Also bin ich von jetzt an nicht mehr im Lehrmodus.

Das könnte so aussehen, dass ich beispielsweise mein Haus sauber mache, statt mit Ihnen zu reden. Ja, damit lehrt man recht erfolgreich nicht. Aber, da ich es liebe, Zeit mit Leuten auf diese Nicht-sagen-was-sie-tun-sollen-um-ein-besserer-Mensch-zu-werden-Art zu verbringen (da ich weiß, dass das alles okay ist und nicht fixiert werden muss), werde ich nicht-lehren.

Und dann lade ich Sie etwa zum Nicht-Abendessen ein.

Leicht.

Gaia.

DANKSAGUNG

Gaia, ich bin froh, dass auch deine Worte in diesem Buch stehen, nicht nur deine Gedanken hinter meinen Worten. Nichts davon gäbe es ohne dich.

Jungs. Ihr inspiriert mich in jedem Augenblick.

Mum und Dad. Für alles. Das Haus ist auf Fels gegründet.

Rach, Schwesterherz. Du bist eine perfekte Schwester. Und offenbar liebst auch du dieses neue Kapitel.

Barefoot Stephen, mein Freund, Bruder im Geiste. Danke dafür, dass du existierst.

Hay House. Michelle und Reid, für eure Vision, Unterstützung und eure Fähigkeit, Berge zu versetzen. Julie, Sandy, Steve, Jessica, Cameron, Amy und der Rest des Hay-House-Teams, für alles, was ihr für dieses Buch getan habt und noch tut.

Und an all unsere Freunde, Familie, Kollegen, Gäste, die Leute, die uns E-Mails mit ihren *Fuck It*-Geschichten schicken, die Leute, die nie schreiben, uns aber trotzdem alles Gute wünschen, danke an alle da draußen, die es uns ermöglichen, ein *Fuck It*-Leben zu führen, indem wir tun, was wir lieben.

APPENDIX I

Worum es sich handelt und warum Sie es brauchen

Der Blinddarm oder *Appendix vermiformis* ist ein sackgassenartiger, wurmförmiger Beutel am eigentlichen Blinddarm, dem sogenannten *caecum*, der ein Anhängsel des Dickdarms ist, an der Abzweigung von Dickdarm und Dünndarm. Der Blinddarm kann in seiner Länge schon mal variieren, bei den meisten Menschen ist er in der Regel ungefähr 10 Zentimeter lang.

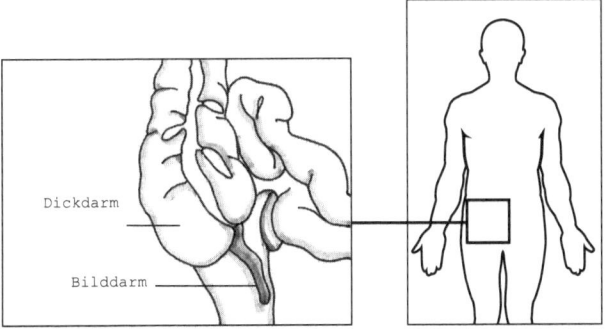

Die Rolle des menschlichen Blinddarms hat sich über die Jahrtausende hinweg verändert, wahrscheinlich als Reaktion auf Veränderungen in der menschlichen Nahrungsgrundlage, da die meisten Menschen eine Ernährung aus zellulosereichen Pflanzen (zum Beispiel Baumrinde) zugunsten von leichter verdaulichen Nahrungsmitteln aufgaben (zum Beispiel Big Mac und Fritten).

Auch wenn der Appendix freundliche Bakterien beherbergt, die noch eine Rolle im Immunsystem des modernen Menschen spielen mögen, wird er generell als Vestigium beschrieben (was bedeutet, dass ein Organ die meisten oder alle seiner ursprünglichen Funktionen im Verlauf der Evolution verloren hat), das ohne jegliche schädliche Auswirkungen entfernt werden kann (in einer Prozedur namens Appendektomie). Daher sind viele Wissenschaftler der Meinung, dass er eines Tages einfach verschwinden wird.*

---

* Diese Einleitung zum Appendix wurde mit ein wenig Hilfe von Wikipedia erstellt.

APPENDIX II

Unsere Top Fünf – Dinge, die uns wichtig sind

Bücher
Nachttisch
1 *When You're Falling, Dive,* Mark Matousek
2 *Complete Prose,* Woody Allen
3 *Ist das Leben nicht wunderbar?,* Louise L. Hay und Cheryl Richardson
4 *Revolution in the Head,* Ian MacDonald
5 *Die Welt der Mystik,* Timothy Freke

Therapie
1 *Unstuck,* Dr. James S. Gordon
2 *The Essential Jung, Selected Writings,* Anthony Starr
3 *Liberation,* Barefoot Doctor
4 *... trotzdem Ja zum Leben sagen,* Viktor E. Frankl
5 *Flow: Das Geheimnis des Glücks,* Mihály Csikszentmihályi

Spiritualität trifft Wissenschaft
1 *Das Nullpunkt-Feld,* Lynn McTaggart
2 *How Your Mind Can Heal Your Body,* Dr. David Hamilton
3 *Im Einklang mit der göttlichen Matrix,* Gregg Braden
4 *Intelligente Zellen,* Bruce Lipton
5 *Das Tao der Physik,* Fritjof Capra

Qigong

1 *The Healing Promise of Qi,* Roger Jahnke
2 *The Way of Energy,* Master Lam Kam Chuen
3 *Chi Kung for Health and Vitality,* Wong Kiew Kit
4 *Listen to Your Body,* Master Bisong Guo und Andrew Powell
5 Alles von Mantak Chia

Zum immer-wieder-Lesen

1 *Fast im Jenseits: Oder warum Gott Frankenstein liest,* David Eagleman
2 *Be Here Now,* Ram Dass
3 *Handbuch für den gewitzten Stadtkrieger,* Der Barfußdoktor
4 *Du bist dein Heiler!,* Louise L. Hay
5 *Open Secret,* Tony Parsons

Orte

1 Zu Hause, Urbino, Italien
2 London, UK
3 Der Vulkan Stromboli, Italien
4 New York, USA
5 Wuyi-Gebirge, China

Essen
Gaia

1 Pizza von Trianon, Neapel
2 Hummer mit Ingwer und Frühlingszwiebeln auf knusprigen gebratenen Nudeln
3 Mozzarella aus Puglia
4 Großmamas hausgemachte Gnocchi
5 Tiramisu

John

1 Tagliatelle al Ragu
2 Knusprige Ente mit Pfannkuchen
3 Formaggio di Fossa con Miele
4 Pizza von Trianon, Neapel
5 Crème brûlée

Gefängnisfilme

1 *Die Verurteilten* (1994)
2 *Flucht von Alcatraz* (1979)
3 *Flucht oder Sieg* (1981)
4 *The Green Mile* (1999)
5 *The Colditz Story* (1955)

APPENDIX III

Das *Fuck It*-Zustand-Quiz-Punktesystem

Denken Sie daran, wir haben auch eine Onlineversion von diesem Quiz erstellt, das Ihren Punktestand automatisch errechnet, unter www.thefuckitlife.com/extras.

Für die Fragen 1, 3, 4, 9, 10 geben Sie sich Punkte wie folgt:
10 für A, Überhaupt nicht
8 für B, Ein bisschen
6 für C, Ja und nein
4 für D, Größtenteils
2 für E, Voll und ganz

Für die Fragen 2, 5, 6, 7, 8 geben Sie sich Punkte wie folgt:
2 für A, Überhaupt nicht
4 für B, Ein bisschen
6 für C, Ja und nein
8 für D, Größtenteils
10 für E, Voll und ganz

Es gibt zehn Fragen und jede Frage bringt bis zu 10 Punkte, sodass der Gesamtpunktestand 100 beträgt.* Sie werden Ihren *Fuck It*-Zustand also als Prozentzahl erfahren. Sie könnten beispielsweise zu 78 Prozent *Fuck It* sein. Wenn Sie 100 Prozent *Fuck It* sind, ist es Ihnen wahrscheinlich sowieso egal.

Wenn es Ihnen nicht egal ist, hier eine kurze Erläuterung, was diese Prozentzahlen bedeuten könnten:

0–20 Prozent: Bitte lesen Sie weiter in diesem Buch, bis sich Ihr Punktestand verbessert. Das ist eine dringende Angelegenheit, DIE SIE NICHT IGNORIEREN SOLLTEN.

20–40 Prozent: Nun, um es positiv zu betrachten: Sie werden ein paar verblüffende Veränderungen erleben, wenn Sie anfangen, *Fuck It* zu sagen. Genießen Sie die Fahrt.

40–60 Prozent: Es wird schon. Das alles klingt irgendwie vertraut, oder? Aber Sie fühlen sich noch immer, als würden Sie feststecken. Lesen Sie weiter und sagen Sie weiter die Zauberworte, bis sich Ihr Punktestand verbessert.

60–80 Prozent: Gut gemacht, Sie sind schon nah dran. Es braucht nur noch ein paar Kniffe. Hier ein bisschen weniger Sorge, da ein wenig mehr Einsatz, und bald gehört der *Fuck It*-Jackpot Ihnen.

80–100 Prozent: Sie waren auf einem *Fuck It*-Retreat, oder? Wenn Sie dieses Buch weiterlesen, wird Ihnen das zu dem wunderbaren, satten Gefühl verhelfen, dass Sie es schon geschafft haben.

---

* Das Quiz wurde von John Parkin und Mark Seabright in The Moment Consultancy entwickelt.

APPENDIX IV

Das Ende von *Die Verurteilten*

Der Protagonist, Andy Dufresne (Tim Robbins) entkommt aus dem Gefängnis Shawshank. Er hebt das Geld ab, das er durch korrupte Winkelzüge für Norton, den Gefängnisdirektor, beiseitegeschafft hat. Er schickt die Beweise für die Korruption und die Morde im Gefängnis an die Lokalzeitung. Die Polizei rückt aus, um Norton zu verhaften, der sich erschießt, um seiner Verhaftung zu entgehen. Red, Andys Freund, kommt auf Bewährung frei, nachdem er 40 Jahre abgesessen hat, aber verstößt gegen seine Bewährungsauflagen, als er die Grenze nach Mexiko überquert. Am Strand von Zihuatanejo begegnen sich die beiden Freunde wieder. Happy End.

Gaias abschließende magische Worte

Das Problem mit Worten (selbst mit »magischen Worten«)

Ich gab eine Einzelstunde, in der mein Gegenüber die Energie der Offenheit erforschte.

Als wir nach draußen gingen, sah sie sich um. Links, in einiger Entfernung, war viel Rauch zu sehen, der von einem Bauernhof in den Bergen aufstieg. Nach einer Weile sagte die Frau zu mir, dass sie den Rauch gesehen habe. Aber da in ihr wegen des Rauchs eine kindliche Neugier geweckt war, machte sie in ihrem Kopf keine »Annahmen« über Feuer und zog keine Verbindungen dazu, ganz so, als ob sie kein Wort für Feuer hätte. Sie betrachtete einfach nur den Rauch.

Sehen Sie, wenn man ein Vokabular hat, dann stoppt das die Erfahrungen. Es ist so, als wüssten wir die ganze Zeit zu viel, sodass wir nicht mehr wirklich erfahren können, was geschieht. Denn durch unser Wissen werden sofort Verknüpfungen hergestellt und alles wird ganz schnell ins Reich des Bekannten eingezäunt.

Das ist eine Einladung an uns, über die Tatsache nachzudenken, dass alles, worauf wir uns mit unserer Alltagssprache beziehen, eine Übereinkunft ist, eine Übereinkunft zu Bedeutung und Form zwischen Menschen. Meine Freunde Michael und Petra, beide Schamanen, haben mit mir über diese Frage gesprochen: dass in dem Moment, in dem wir eine Sache benennen, sie zu etwas vermeintlich Bekanntem wird und ihre Magie verliert. Aber der Name ist nicht die Sache selbst.

Die Frau in meiner Session sah sich das Gras und die Blumen an und sagte, sie würde sich genauso neugierig fühlen; es war ihr, als würde sie die Dinge das erste Mal betrachten, »fragend« statt mit Wissen. Sie ging auf einen Erkundungsstreifzug, als wäre da im Gras eine ganze Welt verborgen (Warum glauben Sie, schafft es ein Kind, eine Stunde lang einer Ameise zuzuschauen?).

Also liegt der echte Spaß in einer Kultur, in der wir alles wissen wollen, darin, weniger zu wissen.

Auf diese Art, könnten wir die Welt um uns her (einen Stuhl, einen Pflasterstein, Rauch) sehen und feststellen, dass sie wirklich wunderbar ist.

Gaia's Magic Weeks werden in Italien veranstaltet und sind Teil des *Fuck It*-Retreat-Programms. Mehr herausfinden können Sie unter www.thefuckitlife.com

PRESSESTIMMEN ZUM BUCH

»Mit *Fuck It* kann jeder etwas anfangen.« – *The Times*, Saturday Review.

»*Fuck It*. Ich übte mit diesen Worten. Sie tanzten in meinem Kopf herum. Wir müssen *Fuck It* sagen, wenn wir unsere Harmonie mit der natürlichen Welt verloren haben – sie helfen uns, dem Strom der Dinge zu folgen.« – *The Observer*.

»John kombiniert den Stil von Wayne Hemingway mit den surrealistische Höhenflügen von Eddie Izzard.« – *The Guardian*

»Wagen Sie es in diesem Jahr, *Fuck It* zu sagen … Ich habe es getan. Ich habe mich entspannt, losgelassen, die Wahrheit gesagt, Dinge getan, die mich glücklich machen und jedermann akzeptiert. Ich fühle mich keineswegs wie ein Märtyrer und hatte wirklich Spaß.« – *Red Magazine*

»Ein westlicher Blick auf die östliche Vorstellung des Loslassens… Ich habe gefühlt, wie der Stress zuschlägt, und *Fuck It* gedacht. Darin liegt echte Freiheit.« – *The London Paper*

»Das perfekte Hilfebuch.« *Now Magazine*

»Es gibt etwas, das Ihnen Kummer macht? *Die Fuck It*-Lösung eines Mannes hilft uns, loszulassen.« – *Metro*

»Erfrischend, witzig und inspirierend: sagen Sie *Fuck It* und kaufen Sie das Buch!« – *The Scarlet Magazine*

Sie haben das Buch gelesen,
jetzt gehen Sie auf einen *Fuck It*-Retreat in Italien

Hier hat alles angefangen: John und Gaia haben ihren ersten *Fuck It*-Retreat 2005 veranstaltet. Heute halten sie diese berühmten Retreats an spektakulären Orten in ganz Italien ab, darunter auf einem Grundstück mit Spa in Urbino, Italien und am Vulkan Stromboli. Sagen Sie *Fuck It* und gönnen Sie sich einen *Fuck It*-Retreat.

»Alles, was Ihnen hilft, loszulassen, ist auf einem *Fuck It*-Retreat okay.« – The Observer

»Ich bin auf meinem *Fuck It*-Retreat Zeuge einiger bemerkenswerter Transformationen geworden.« – Kindred Spirit

FUCK IT
retreat

LIVE THE F**K IT LIFE   www.thefuckitlife.com

Die *Fuck It*-Lösung gibt es jetzt auch als Online-Kurs,
was es Ihnen ermöglicht, die Lektionen aus diesem Buch zusammen mit John und Gaia
von jedem Ort auf der Welt aus zu erforschen.

LIVE THE F**K IT LIFE   www.thefuckitlife.com

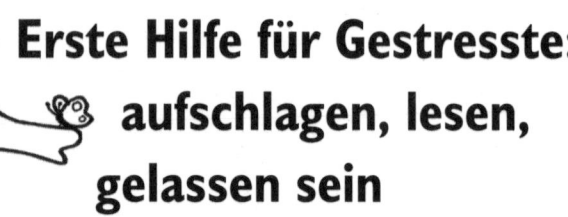